~~ДОКТОР~~
АНДРЕЙ КУРПАТОВ

ТРОИЦА

Будь больше самого себя!

книга для интеллектуального меньшинства

абсолютно не рекомендована тем,
кто готов по любому поводу оскорбиться

Санкт-Петербург
2019

УДК 130.2
ББК 87.6
К93

Курпатов А. В.

К93 **Троица. Будь больше самого себя** / Андрей Курпатов. — СПб : ООО «Дом Печати Издательства Книготорговли «Капитал», 2019. — 416 с. — (Серия «Академия смысла»).

ISBN 978-5-906902-92-4

Нельзя развить интеллект, если вы не знаете, какой он у вас от природы.

Современная наука о мозге совершила настоящий прорыв: теперь мы знаем, что есть три типа людей, которые живут в трёх разных мирах и используют три разные интеллектуальные стратегии.

На какой тип поведения запрограммирована ваша психика — «шизоидный», «истероидный» или «невротический»? Каким способом вы думаете: как «конструктор», как «рефлектор» или как «центрист»?

Эта книга для тех, кто хочет узнать себя. Она для тех, кто хочет понять других. Но и это не главное…

«Троица» — это инструмент развития мышления.

УДК 130.2
ББК 87.6

www.vk.com/av.kurpatov
www.facebook.com/av.kurpatov
www.youtube.com/andreykurpatov
www.instagram.com/kurpatov_official

ISBN 978-5-906902-92-4

*Эту книгу я с благодарностью посвящаю
всем менторам «Академии смысла».*

В этой книге я расскажу про три типа людей: «центристов», «конструкторов» и «рефлекторов». Можно даже сказать — про три разных вида людей.

Представьте себе каких-нибудь приматов — шимпанзе, например, орангутанов и горилл. Они крайне схожи друг с другом, но это три разных биологических вида — они живут по-разному, действуют по-разному, а потому и думают как-то по-своему.

Так и люди, вроде бы и похожи внешне, а на деле «три мира — три системы».

Да, кстати, человеческих миров тоже три. **Ведь миры, в которых мы с вами живём, создаются нашим мозгом, а он у этих трёх типов людей, как вы, наверное, уже догадываетесь, разный** — по-разному устроенный.

Если всё это пока звучит для вас дико, подумайте о том, как часто вы сталкиваетесь с ситуациями, когда другие люди ведут себя, скажем так, странно, непонятно, неправильно, неадекватно, глупо и т. д.

Вроде бы вы с ними и разговариваете, и даже договариваетесь о чём-то, а потом — бац, и словно не было этого разговора! Всё этот человек делает как-то не так — по-своему интерпретирует, объясняет, действует.

Конечно, мы всегда можем найти этому «разумное объяснение»: не с той ноги встал, семь пятниц на неделе, вожжа под хвост попала, в каждой избушке свои погремушки, у каждого своя правда, в чужой монастырь со своим уставом не лезь, сытый голодному не товарищ, чужая душа — потёмки...

Но то, что в массовом сознании сформировалось такое невероятное количество «объяснительных моделей» чужой неадекватности, — это, как вы понимаете, не просто так, не от хорошей жизни. Что-то за всем этим скрывается, причём что-то фундаментальное.

Но если отличия так существенны и серьёзны, то почему этого нашего «видового разнообразия» никто до сих пор не замечал? Проблема, как водится, в нашем языке.

Вот я сейчас напишу слово — «стул». Написал. Теперь в голове у каждого из нас возникает свой образ. Но кто какой стул себе представил? Я не знаю, вы не знаете, но все приветливо кивают друг другу головой: понятно же стул!

При этом один вообразил себе Железный трон из «Игры престолов», другой — пыточное кресло инквизитора, третий — стул, на котором он сейчас сидит, а четвёртый — табурет, с которого он в детстве стихи читал.

Вроде бы и говорили «об одном и том же», и даже поняли друг друга. Но речь-то на самом деле вели о разном. Причём каждый свои выводы сделал, о своём подумал.

А как такое заметишь, если «стул» — он и есть «стул»? Никак. И это с элементарным «стулом» такая петрушка, а что уж говорить о вещах чуть, так скажем, более абстрактных?

Нам только кажется, что все люди одинаково понимают слова «ответственность», «искренность», «логичность», «внимание», «отношение», «любовь», «уважение», «благодарность»...

Мы в иллюзии. Есть три разных, предельно отличных друг от друга способа понимать эти — и другие — вещи.

Честно признаться, я и сам достаточно долго блуждал в потёмках. Очевидно, что проблемы в коммуникации между людьми существуют, но почему даже при взаимном желании договориться, понять друг друга это, мягко говоря, не всегда получается?

Конечно, мне помогло то, что я по образованию врач-психиатр, а нас последовательно обучают тому, что в головах у разных людей творится чёрт знает что, и не надо этому удивляться. О том, как это видят психиатры, я расскажу с самого начала — во «Введении», но это ещё не ответ...

Дальше в ход пойдёт уже мой психотерапевтический опыт. Дело в том, что даже банальные неврозы, которые вроде бы у всех людей одинаковы, — панические атаки, например, зависимости и депрессии, — психотерапевтически лечатся по-разному. Как так?

Оказывается, что за внешним однообразием невротических симптомов, которым мы все в той или иной степени подвержены, скрываются три разные силы. Всё дело в том, какая именно ветвь инстинкта самосохранения у человека пострадала — индивидуальная, групповая или половая.

Жизнь, власть и секс — вот эволюционные доминанты, вокруг которых крутится наше с вами существование.

Если что-то травмировало ваше чувство физической безопасности — одна история. Если отношения с другими людьми у вас не ладятся — другая. Если же проблема и вовсе скрывается в «сексуальных комплексах» — третья.

Понять истинные мотивы наших действий — это дорогого стоит! Поэтому вся первая глава посвящена тому, почему мы ведём себя именно так, как мы себя ведём; чувствуем то, что мы чувствуем; думаем так, как мы думаем.

В основе всего этого разнообразия — специфическое проявление наших базовых инстинктов; их, так сказать, игра. Но можно ли увидеть эту «игру» на нейрофизиологическом уровне? Да, можно. Каково это, мы узнаем из второй главы, которая называется «Три базовых типа».

Выясняется, что вследствие своего нейрофизиологического устройства мы с вами мыслим по-разному — тремя разными способами. О том, как устроена механика нашего мышления, специфичная для каждого из трёх «видов людей», мы узнаем уже из третьей главы.

Наконец, когда мы убедимся в том, что существуют совсем разные люди, которые живут в различных мирах, организованных по разным принципам, мы сформулируем правила, по которым мозг разных интеллектуальных типов создаёт их реальность.

Все три линии повествования: психиатрия, нейрофизиология и методология мышления — сойдутся в четвёртой главе. Это позволит нам понять, как мы — в зависимости от особенностей нашего типа мышления — строим карты реальности, как принимаем решения, как воспринимаем те или иные ситуации.

В результате, мы сможем лучше понять себя, а также почему другие люди ведут себя так, как они себя ведут. Мы узнаем, как с ними взаимодействовать, чтобы это было всем на пользу. Это, я полагаю, важное и весьма полезное знание, которое способно сделать нашу жизнь лучше.

Но, честно говоря, не ради него я написал эту книгу. Главный её смысл и основная цель зашифрована в названии: «Троица. Будь больше самого себя!».

Если мы как следует разберёмся в том, каким образом три разных типа людей создают свои карты реальности, а затем сможем интегрировать это знание в свою интеллектуальную практику, то **мы в результате обретём навыки универсального и максимально эффективного мышления.**

А сложность и эффективность мышления — это то, без чего нам уже не обойтись в нашем «новом дивном мире», о котором я не устаю рассказывать, рисуя его будущность чёрными красками и предрекая Четвёртую мировую войну.

Да, мы прямиком шагаем в мир цифровой зависимости, информационной интоксикации и исчезающей социальности. Сейчас об этом уже в открытую говорят лучшие учёные мира. Но их голоса, понятное дело, тонут в шумном гуле и ропоте цифрозависимых лоботрясов.

Эволюция наш мозг к такому миру не готовила, оказавшись в нём, мозг в буквальном смысле, слетает с катушек. Доступность калорий оборачивается, как вы знаете, повальным ожирением, а вот переизбыток информации — примитивизацией мышления и информационной псевдодебильностью.

Очень скоро всё наше социальное пространство безвозвратно расколется на ум-

**ных и глупых. И каждому из нас предстоит
сделать выбор, решить — где, в каком стане
он окажется:**

- будет ли он всю жизнь тупо пялиться
  в мелькающие на экране картинки и
  из состояния тупки переходить в пер-
  манентную тупость;

- или же всё-таки сможет сохранить
  свою человечность, которая, как известно, заключена в нашей разумности.

Когда-то мы сами себя назвали Homo sapiens,
но настало время, когда именно благодаря
развитию нашей цивилизации мы рискуем
бесславно вернуться в мир Homo, но уже без
всякой приставки «разумный».

Как-то это глупо и недальновидно, на мой
взгляд. Впрочем, леность и беспечность — это,
к сожалению, наше биологическое кредо.
Но кредо — не приговор, поэтому я и думаю,
что у нас есть шанс...

Тем же, кому это биологическое «кредо» до-
роже и приятнее интеллектуального труда,
читать эту книгу совершенно бессмысленно.
Не утруждайте себя. В книге я намеренно за-
дираю планку и говорю о сложном — о том,
что трудно представить, о том, что можно
понять, только если ты продумал это и пере-
жил.

Драматургия «Троицы» будет разворачивать-
ся вокруг понятия «гениальности», которое
мне самому не очень нравится. Но другого,
к сожалению, в нашем лексиконе нет, а нужно обозначить тот интеллектуальный экстре-
мум, который и задаёт пределы возможностей нашего мышления.

Так вышло, что мне посчастливилось лично знать многих по-настоящему выдающихся людей: кого-то консультировать, с кем-то просто общаться, с кем-то — дружить.

Но их таланты, их одарённость, их удивительный и особенный способ думать формировались ещё в прежнюю эпоху, естественным, так сказать, образом — в сложной и конкурентной социальной среде, с совершенно другим подходом к образованию и вообще— с другим отношением к жизни.

Сейчас этой среды больше нет, а та, что есть, не благоволит естественному возрастанию числа «гениев». Но, может быть, и пусть? Почему я так сокрушаюсь об этом? Признаюсь, причины мною движут сугубо декоративные: потому что «гении» прекрасны и без них очень скучно.

Вспоминая сейчас знаменитые кантовские вопросы «Что я могу знать?», «Что я должен делать?», «На что я могу надеяться?», я понимаю, что, **несмотря на все эти радикальные изменения среды, мозги-то у нас с вами с биологической точки зрения остались прежними.**

А следовательно, мы можем надеяться добиться от них максимума. При условии, конечно, что будем и дальше узнавать, что такое человек (его мозг), и сделаем то, что от нас зависит, чтобы он — этот мозг — производил сложность, которую традиционно именовали в прежние времена «гениальностью».

Сейчас, когда мы открыли для себя тайны мозга, способы его работы, мы можем формировать одарённости, таланты, уникальное ви́дение мира, потому что теперь мы знаем, как это работает. Именно этим знанием я и хочу поделиться с вами.

В конце концов, **мозг — это просто машина, инструмент, и если поставить его в нужные условия, он сделает то, что мы от него ждём.** Эта книга для тех, кто хочет стать больше самих себя.

Надеюсь, у вас это получится! Начинаем...

Секрет
гениальности

Что такое «гениальность», какова её природа, и существует ли она вообще? Всякий серьёзный учёный должен ответить на эти вопросы отрицательно.

Слишком уж субъективная это вещь — гений, гениальность... Как её объективизировать? Можно ли придумать какой-нибудь гений-мометр мозга? Вряд ли.

Гениальный художник — это не тот, кто «идеально» рисует, а гениальный пианист — не тот, кто «идеально» жмёт на клавиши. Есть здесь что-то ещё, кроме данного профессионального навыка, что словами не опишешь, но от чего и зависит та самая «гениальность».

Нобелевскую и Филдсовскую премии, Букеры, Оскары и прочие Пальмовые ветви выдают не за абстрактную гениальность, а за вполне конкретные достижения. Но разве гениальность — это какой-то конкретный результат? А сколько было гениев, которым не дали ни медальки, ни статуэтки?

А можем ли мы, например, считать гениальным учёного, который сделал великое открытие случайно? В науке такое случается сплошь и рядом...

Да и успех в бизнесе, как свидетельствуют нобелевские лауреаты по экономике, может быть просто «лихой удачей» (как бы красиво она ни была обставлена).

Конечно, и такой учёный, и такой бизнесмен, скорее всего, большие работяги и труженики —

под лежачий камень вода не течёт. Но делает ли подобное гениальное достижение самого человека — гением? Вряд ли.

Иными словами, нельзя оценить гениальность человека (если мы всё-таки допускаем, что она вообще существует), рассматривая лишь формальное качество того продукта, который он произвёл.

Гениальность — это скорее какое-то особенное ви́дение.

Классический пример гения — Леонардо да Винчи. Но неужели кто-то и вправду думает, что «Мона Лиза» — это самая красивая картина в истории человечества?

При этом, самолёты Леонардо не летали, пушки не стреляли, а спродюсированные им маскарады и фейерверки мы уже никогда не увидим. Так в чём же тут гений, и можем ли мы его как-то «подтвердить»?

В каком-то смысле — да. Леонардо впервые в истории живописи создал ощущение объёмного пространства на художественном полотне. Он увидел и реализовал эту возможность. Это новое ви́дение.

Пабло Пикассо — тоже эталонный пример гения. Но потому ли он гений, что рисовал прекрасные картины? Точно нет. Скорее его гений заставлял публику испытывать шок.

Меняя стили во множестве своих знаменитых «периодов» — «голубом», «розовым», «африканским», — Пикассо создаёт кубизм, оригинальный сюрреализм и другие направления в живописи.

Его гений в способности увидеть реальность каким-то особым образом — так, как её не видят другие.

ЭТА СТРАННАЯ-СТРАННАЯ РЕАЛЬНОСТЬ

Это сложно понять, но наше ви́дение мира и мир как таковой — это две разные штуки. Теоретически мы, конечно, понимаем, что мир и наше восприятие мира — это не одно и то же. Но на деле мы этого не осознаём.

Мы, например, до сих пор считаем, что солнце встаёт на востоке и заходит на западе. А ведь правда в том, что это просто наш шарик крутится вокруг своей оси. Солнце не совершает в отношении него никаких телодвижений!

То есть **даже если необходимое знание у нас есть, мы всё равно живём в мире своих представлений,** которые лишь отчасти согласуются с «объективными данными».

Например, мир вокруг нас кишит микроорганизмами: одни угрожают нашей жизни, а без других она была бы невозможна. Но часто ли мы вспоминаем об этом? Нет. А ведь эта «движуха», извините, происходит нон-стоп.

Мы свято уверены в том, что «пища переваривается у нас в животе», но на самом деле её, во-первых, переваривают те самые бактерии, и, во-вторых, они делают это не у нас внутри, а у нас снаружи!

Нам только кажется, что желудочно-кишечный тракт — это какая-то полость в нашем теле. В реальности это не так. Внутренняя среда нашего организма обтянута и выстлана эпителием — кожным, кишечным, бронхиальным, уретральным, вагинальным и т. д. И всё, что находится в просвете этих органов, на самом деле располагается за действительными границами нашего тела.

Но мы, конечно, данного факта не осознаём и при этом прекрасно себя чувствуем!

Мы не можем представить относительность времени, а оно относительно. Смущает это нас? Нет. Мы не видим искривлённости пространства, а оно искривлено. Волнительно? Да не особо...

При всём желании мы не можем вообразить то, что происходит на квантовом уровне. А физикам только и остаётся, что рассказывать нам анекдоты про полумёртвых котов, вибрирующие струны и квантовую запутанность.

Приходим ли мы от этих штук в ужас, как завещал великий Нильс Бор? Нет. Напротив, про шрёдингеровских котов, например, нам даже забавно.

Не лучшим образом обстоят дела в этом смысле и с нашей психикой. Благодаря нейрофизиологии и социальной психологии мы теперь знаем: всё, что мы думаем о самих себе — это лишь ворох глупых фантазий и пренаивнейших заблуждений.

На самом деле мы не принимаем сознательных решений (это делает за нас наш собственный мозг). Никакой личности (или «я») у нас нет. Любые наши мысли — это лишь набор условных рефлексов, а наши действительные потребности сводятся к весьма примитивным вещам...

И ведь это картинка лишь в первом, так сказать, приближении, дальше — хуже.

Умом как-то это всё, наверное, можно понять, но всё это неочевидно.

Должны были появиться гении — Коперники, Ньютоны, Левенгуки, Дарвины, Эйнштейны, Павловы, Лоренцы и Уотсоны, — которые увидели бы то, что в упор не видели все остальные: неочевидную, спрятанную от наших глаз действительную реальность.

Реальность, с которой мы имеем дело, сложна и прячется под бесконечным количеством масок. **Но большинство из нас видит мир согласно тем шаблонам, которые мы усвоили из культуры, и лишь единицы — по каким-то причинам — способны на оригинальный взгляд.**

Как им это удаётся?.. Они какие-то особо «глазастые»? Нет, глаза в этом деле не помогут. Все неочевидные вещи были усмотрены их умом — внутренним взором. А чем обусловлен последний? Нашим мозгом.

Мозг человека — это устройство по созданию карт реальности. При этом у каждого из нас своя голова на плечах, поэтому один строит одни карты реальности, а другой — другие.

Но можем ли мы как-то усовершенствовать свой мозг? Можно ли увидеть реальность как-то иначе, в большем объёме — более красивой и сложной, нежели учат в средней школе? Можно ли воспитать в себе это особое видение?

Принято считать, что мир делится на тех самых «гениев» и всех остальных — «обычных людей». Мол, у «гениев» какие-то особенные мозги и бессмысленно с ними тягаться. Но так ли это?

На самом деле наши мозги — лишь инструмент, который нуждается в правильной настройке. **Даже скрипка Страдивари, не**

настроенная должным образом, будет звучать не лучше детской балалайки.

Думать же, что ваша голова — это лишь детская балалайка и что рассчитывать на большее вам не стоит, — по меньшей мере странно, и вот что я расскажу вам, если вы всё-таки сильно сомневаетесь в возможностях собственного мозга...

> *«Гениальность – это, скорее какое-то особенное ви́дение».*

Мозг других животных отличается от мозга человека, и реальность для них тоже выглядит иначе. Причём речь идёт не только о физиологии восприятия[1], но и о куда более тонких отличиях.

Знаменитый американский приматолог Крис Мартин разработал технологию, позволяющую людям и шимпанзе соревноваться друг с другом в игре наподобие «камень-ножницы-бумага» (основная цель этой игры, как вы помните, в том, чтобы предсказывать поведение противника).

Догадываетесь, к каким результатам привели последующие эксперименты?..

Выяснилось, что шимпанзе — эти никчёмные, казалось бы, мартышки — разбивают человека в пух и прах! Они способны лучше предсказывать наши выборы, основываясь на наших предыдущих выборах, нежели мы предсказываем выбор шимпанзе, имея аналогичные данные на руках.

---

1 Понятно, что наш мир непохож на мир, например, летучей мыши, пользующейся для его восприятия эхолокацией.

Получается, что в сравнении с людьми шимпанзе самые настоящие гении предсказаний человеческого поведения! Как такое может быть?!

С нейрофизиологической точки зрения обезьяньи мозги не так хороши как наши — и объём меньше, и плотность нейронов ниже, а потому их эффективность в данном тесте нельзя объяснить качеством «железа».

Дело в «программном обеспечении»: шимпанзе как-то иначе картируют реальность на сервере меньшей мощности, чем наш мозг.

Это «программное обеспечение» позволяет шимпанзе улавливать в реальности что-то такое, чего мы в ней не замечаем. Вот оно — другое ви́дение!

Дело не в каких-то «секретных» знаниях обезьян о человеческой природе, а в само́м том способе, которым их мозг обрабатывает информацию.

Вдумайтесь в это: обезьяньи мозги могут быть эффективнее наших, хотя вроде бы это мы — «вершина эволюции». И всё дело в настройках мозга! Это они определяют наш индивидуальный способ ви́дение реальности.

Мозг — это живой организм, он постоянно меняется (к сожалению, правда, не всегда в лучшую сторону). Вопрос лишь в том, как взять эти изменения под контроль, как направить их туда, куда нам нужно?

Гениальность — это лишь особое ви́дение, и да, кому-то по случайности, удалось его развить. А кому-то — по ещё большей случайности — удалось даже капитализировать результаты этой развитости своего мозга.

Но значит ли это, что другим людям уже не на что рассчитывать? Я так не думаю. Наука позволяет нам полагаться не на случайности, а на закономерности, и учит тому, как использовать их для достижения поставленных целей.

Что ж, сейчас попробуем со всем этим разобраться. Но предупреждаю: будьте готовы принять в себе «лёгкое безумие»...

Уроки безумия

В 1863 году известный итальянский психиатр Чезаре Ломброзо издал свою ставшую впоследствии знаменитой книгу «Гениальность и помешательство».

Книга получилась по-настоящему увлекательной, имела большой успех у публики и была переведена на все возможные европейские языки. Да, с точки зрения современной науки изложенные в ней идеи не выдерживают никакой критики, но дело не в этом.

Главное тут другое: Ломброзо выразил в своей книге то странное ощущение, которое возникает у нас, когда мы встречаемся с гением (или если вас, как и меня, не устраивает этот термин, то — «с чрезвычайно одарённым человеком»).

Гений действительно производит странное ощущение «лёгкого безумия».

Есть, конечно, признанные гении, которые действительно сошли с ума — такие, как Джонатан Свифт, Фридрих Ницше, Винсент Ван Гог, Курт Гёдель, Джон Нэш и многие другие. Но речь сейчас не о них, это лишь частные случаи.

Речь именно об «ощущении безумия», а не о сумасшествии как таковом. Об ощущении какой-то странности, непонятности, иногда неестественности, неадекватности, избыточности, сложности, неудобства, необъяснимой энергичности, нервности, напряжения... В общем, словами не описать.

Вот вам один пример из моего личного опыта. Всемирно известный дирижёр, фантастический мастер своего дела прилетает ночью в Петербург из другой страны, где он накануне вечером давал концерт.

Сразу по прилёте он проводит репетицию с симфоническим оркестром и оперной труппой, потом безостановочно встречается с множеством гостей по своим рабочим вопросам, а вечером исступлённо и блистательно дирижирует четырёхчасовым спектаклем.

Теперь давайте вообразим, что бы сделал «любой нормальный человек» на его месте после такого творческого блицкрига? Ну, наверное (тем более с учётом уже достаточно почтенного возраста), отправился бы спать. Причём проспал бы сутки и без задних ног.

Но нет, наш герой собирает два десятка гостей и проводит с ними пять часов за общим столом в ресторане — ест, пьёт, общается. Гости держатся из последних сил, к трём часам ночи именитые участники ужина чередой, но очень деликатно покидают непрекращающуюся трапезу (у них есть такая привилегия).

Светает. И вдруг я вижу, как движения нашего героя становятся какими-то замедленными, он весь словно превращается в восковую фигуру... Ещё миг, и он вскидывает голову: «Ну вот теперь, кажется, можно ложиться спать!»

Дальше ещё полчаса прощаний, объятий и т. д., пока, наконец, гениальный дирижёр не оказывается в машине. Утром, которое, впрочем, уже наступило, у него самолёт, а вечером — спектакль в другой стране...

Никакой психиатрии тут нет — заявляю как врач-психиатр. Но что-то странное и завораживающее в этой невероятной энергичности, внутреннем напряжении, страсти к деятельности, согласитесь, есть.

Впрочем, не будем сбрасывать со счетов мою любимую психиатрию. В конце концов, она не раз оказывалась хорошим проводником к пониманию сути человеческой природы.

ПСИХИАТРИЯ КАК ОНА ЕСТЬ...

Вообще говоря, психиатрия делится на «большую», к которой относится всё классическое безумие (шизофрения и другие психозы), и «малую», которая занимается расстройствами, как их называют, «пограничного спектра».

Поскольку одним из основных средств лечения в «малой психиатрии» является психотерапия, я, понятное дело, именно на этих «пограничных расстройствах» всю жизнь и специализировался.

Почему мы называем их «пограничными»? Попробуйте представить себе это таким образом. У нас есть континуум всех возможных психических состояний[2], расположим их по оси:

- **слева — тяжёлые психические расстройства** (шизофрения, маниакально-депрессивный психоз и др.);

2. Оговорюсь, что наша схема не будет учитывать психические расстройства, связанные с неврологической патологией, то есть с поражением мозговой ткани (дистрофия коры головного мозга, болезнь Альцгеймера, эпилепсия, олигофрения и т. д.). Для этого нам бы потребовалась дополнительная ось, а сейчас нас это только запутает.

- **справа — «абсолютная норма»** (то есть прямо-таки эталон психического здоровья, существование которого, впрочем, сами психиатры отрицают).

Что за состояния окажутся у нас посередине — на «границе», так сказать?

- Ближе к левому полюсу оси будут находиться состояния, которые получили в психиатрии название «психопатия», «циклотимия» и «акцентуации характера» (для простоты я буду округлять их до понятия «психопатия»).

- Ближе к правому полюсу оси будут находиться психические нарушения, свойственные «нормальным людям», которые переживают нечто вроде «нервного срыва» (стресс может быть как очевидным, так и скрытым), вылившегося в невротическое расстройство, или, проще говоря, — в «невроз».

Тяжёлые психические расстройства (шизофрения, маниакально-депрессивный психоз и др.) | Психопатии, циклотимии, акцентуации | Невротические реакции на стресс, неврозы | Гипотетическая психическая «норма»

континуум психических состояний

пограничные состояния

Рис. № 1. Схема континуума психических состояний

Должен сказать, что неспециалист, скорее всего, даже не заметит разницы между пограничными расстройствами, находящимися справа и слева от центра этой нашей воображаемой оси психических состояний.

Когда такие пациенты оказываются на приёме, они, как правило, предъявляют весьма схожие жалобы:

сниженное настроение, раздражительность, страхи, тревога, апатия и т. д.

Но природа этих расстройств — невротических и психопатических — разная.

- **Те пограничные расстройства, что примыкают к левой части оси, имеют «эндогенную природу», то есть биологическую.** Вообще все тяжёлые психические расстройства (за исключением тех, что обусловлены органическим поражением нервной ткани) — это заболевания, обусловленные наследственностью[3].

- **Те же, что примыкают к правой части оси, называются «функциональными»,** то есть предполагается, что человек в целом нормален, просто у него под воздействием обстоятельств что-то сбилось в настройках (нарушена психическая «функция», а не организация системы).

Рис. № 2. Схема эндогенных и функциональных психических расстройств

При этом человек, страдающий невротическим расстройством, всегда тяготится своим психичес-

---

3. Иногда эта генетическая обусловленность приводит к настоящему безумию, а иногда — просто к странному и/или болезненному поведению.

ким состоянием и хочет вылечиться, а вот человек с диагнозом психопатии может считать, что с ним «всё нормально» (хотя на нашей оси, как вы можете видеть, он располагается ближе к полюсу тяжёлой патологии).

Как и больные психозом (например, классической шизофренией), лица с психопатией зачастую не замечают своей болезни и не считают, что с ними что-то не так. Да, психопатическое расстройство делает поведение человека неадекватным, но «неадекватно» — это для других, самого-то пациента всё может устраивать.

Сложности на этом не заканчиваются. Дело в том, что медикаментозное лечение «пограничных расстройств» не слишком эффективно[4]. Остаётся уповать на психотерапию. Но каковы её возможности?

Психотерапевты принципиально по-разному выстраивают тактику лечения, если речь идёт о психопатии и если нужно избавить человека от невроза.

- **Невроз,** который является лишь нарушением функции в нормальном мозге, можно вылечить полностью (например, реактивную депрессию, возникшую после гибели близкого человека, или нервную анорексию и панические атаки).

- **Психопатию** же, поскольку она имеет генетическую природу, полностью вылечить нельзя. Всё, что психотерапевт может в данном случае сделать — это научить человека с такими «особенностями характера и поведения» приспосабливаться к жизни, где

---

4 Справедливости ради надо отметить, что и в случае тяжёлых психических расстройств мы лечим не саму патологию, а лишь купируем симптомы — бред, галлюцинации, тяжёлую депрессию и т. д. Нейролептики и другие препараты позволяют вывести человека из острого психоза, но сам он при этом навсегда остаётся шизофреником.

другим людям подобные «странности» не свойственны[5].

Мы бы и рады вылечить психопатию (как и вообще весь спектр психических расстройств), но против природы нет приёма — человек таким буквально создан. В мозгу пациента, страдающего психопатией, как мы предполагаем, есть специфические особенности, которые не позволяют ему быть «нормальным».

С другой стороны, эти люди в каком-то смысле, «нормальные» — у них нет ни галлюцинаций, ни бреда, а часто и жалоб нет на своё психическое состояние. Наконец, они даже могут быть неплохо социализированы, добиваться выдающихся результатов в карьере.

Просто *они не такие* как те, кто соответствующим расстройством не страдает.

Кто-то слишком демонстративен и эксцентричен, кто-то агрессивен и регулярно совершает асоциальные поступки, кто-то апатичен сверх всякой меры, кто-то деятелен до умопомрачения, кто-то зануден до невозможности, кто-то замкнутый и абсолютно чурающийся контакта с другими людьми.

Всё это они делают не специально: они просто не могут по-другому. Скажи им, что они ведут себя «неправильно», и они ответят, что это мы ведём себя «неправильно». Всё, конец дискуссии.

Частенько лицам с психопатией то, что они порой творят, поражая наше законопослушное

---

5 Сделаю ещё одну оговорку: функциональные расстройства могут возникнуть и у людей, страдающих психопатией. В этом случае соответствующий невроз у них вылечить можно, а психопатия как у них была, так и останется.

и общественно ориентированное воображение, даже нравится. Да, окружающие недовольны, жалуются на них, реагируют «неадекватно». Ну и что? Нет у окружающих таких особенностей строения мозга, сами и виноваты.

Итак, что мы — психиатры и психотерапевты — обо всём этом думаем?..

Если совсем просто, то думаем мы так: **есть сумасшедшие, есть обычные люди**, у которых время от времени случаются нервные срывы, а есть особенные люди — как бы от природы по-другому сделанные[6].

«Гений, действительно, производит впечатление "лёгкого безумия"».

И вот именно они производят то самое странное ощущение «лёгкого безумия» (иногда, впрочем, само ощущение бывает и не такое уж лёгкое).

Формально с ними, вроде как, всё в порядке, да и они вполне сами себя устраивают. Часто мир их не устраивает... Но кому, положа руку на сердце, он нравится? Впрочем, не будем торопиться с выводами.

Что может означать это загадочное, эндогенное недовольство миром?

С эволюционной точки зрения здесь явно что-то не так: мир, вроде бы, следует рассматривать как набор возможностей, к которым

---

6 У психопатов тоже регулярно случаются нервные срывы, но до состояния психоза (то есть, действительного умственного помешательства) они не доходят.

следует приспосабливаться, а не объявлять его вражеским и никчёмным.

Но давайте ещё раз присмотримся к нашей оси континуума психических состояний. На кого вы сделаете ставку, будь вы той самой эволюцией? На тех, кто находится в правой части спектра или в левой?

Очевидно, что шизофреник, находящийся в психозе, явно не приспособлен к жизни, и естественный отбор должен его выбраковать: никуда не годится, если человек полностью теряет контакт с реальностью и начинает видеть то, чего нет в принципе. Такие баги — это, конечно, полная катастрофа.

С другой стороны, эволюция невозможна без изменчивости — нужно экспериментировать, чтобы не оказаться за бортом в межвидовой борьбе и суметь быстро адаптироваться в случае существенных изменений среды. Поэтому «абсолютно здоровые» типы — это, по меркам эволюции, тоже, как ни странно, рискованная ставка.

А вот все эти странные субъекты в пограничной зоне — это пусть и не «идеальные граждане», но создают, согласитесь, необходимую вариативность. Что-то из этого может в какой-то момент эволюции и пригодиться...

Впрочем, пока они будут «пригождаться», сами по себе эти товарищи-граждане, вполне возможно, пойдут в расход. Но подобные жертвы эволюцию никогда не смущали. Она не привыкла мелочиться и смело экспериментирует, а там уж дальше — как кому повезёт.

Значит ли это, что все гении (чрезвычайно одарённые люди), толкающие развитие общества вперёд, психопаты? Значит ли это, что у эволюции есть хитрый план, как вывести нас на новый интеллектуальный уровень?

Нет, и не об этом речь. Речь о том, что **в нашем геноме есть вариативность, которая работает на всех уровнях, включая и организацию нашей психики.** Необязательно быть «клиническим психопатом», чтобы иметь мозг с широким спектром тех самых психических странностей.

Да, эти странности могут стать причиной болезни (каковой мы считаем, например, психопатию, циклотимию, акцентуации характера и т. д.). Но они же, судя по всему, могут дать человеку и какое-то особое ви́дение реальности, не доступное другим людям.

ПАССИОНАРНЫЙ СДВИГ

«Поручик артиллерии Наполеон Бонапарт в молодости был беден и мечтал о карьере. Это банально, и потому понятно», — пишет Лев Николаевич Гумилёв, начиная рассказ об одном из своих любимых пассионариев.

Так естественно приписывать выдающейся личности какие-нибудь «понятные трудности», которые «толкнули» её на великие свершения.

Но сколько было их — таких бедных поручиков артиллерии — в конце XVIII века? А скольким из них удалось создать империю, покорить Европу и взять Москву? Что-то тут не вяжется, правда?

Понятие «пассионарность», как и «гениальность», абсолютно ненаучное. Нет ни критериев этой загадочной «энергии», ни способов определения её интенсивности… Да и само́й «энергии» этой, понятное дело, тоже нет. Перед нами лишь красивая выдумка.

Однако при полном отсутствии каких-либо разумных доказательств (это в наш-то просвещённый, казалось бы, век!), теория Льва Николаевича Гумилёва с лёгкостью овладевает умами весьма неглупых людей. Что в ней есть такого, что всё-таки заставляет к ней прислушаться?

Если попытаться изложить «теорию пассионарности» максимально ёмко и кратко, то выглядеть она будет примерно следующим образом.

- Любой этнос переживает разные стадии в своём развитии, а его двигателем является энергия пассионарности.

- Откуда берётся эта «энергия», не так важно (сам Гумилёв предлагал несколько вариантов, включая воздействие «космического излучения», «энергию солнечной активности», «геобиохимическую энергию живого вещества» и т. д.).

- Эта загадочная сила проявляется рождением на свет большого числа чрезвычайно энергичных персонажей — тех самых пассионариев.

- Пассионарии отличаются невероятной жизненной энергией и желанием перестроить весь мир. Они способны к сверхусилиям и распространять эту свою энергию на окружающих.

- Если сила такого «пассионарного толчка» достигает некой определённой критической величины, то пассионарии совершают нечто, что потом становится очередной вехой в истории всего человечества.

Лев Николаевич насчитывает массу таких «пассионарных толчков»: Древний Египет, Древний Китай, Древний Рим, персы, христианство, франки, саксы, монголы, тюрки и т. д., и т. п. В общем, вся история человечества — это, глядя его глазами, всплески пассионарности в тех или иных этносах.

В отличие от Льва Гумилёва, я не историк, а психиатр. Про космическое излучение и его влияние на социальные процессы тоже ничего сказать не могу. Но как психиатр хотел бы обратить ваше внимание вот на что...

Трогательное начало гумилёвской истории про Наполеона я уже привёл, а вот мой любимый фрагмент из этой же книги Льва Николаевича «Этногенез и биосфера земли» и тоже начало истории:

«Александр Македонский имел по праву рождения всё, что нужно человеку: пищу, дом, развлечения и даже беседы с Аристотелем. И тем не менее он бросился на Беотию, Иллирию и Фракию только потому, что те не хотели помогать ему в войне с Персией, в то время как он якобы желал отомстить за разрушения, нанесённые персами во время греко-персидских войн, о которых успели забыть сами греки. А потом, после победы над персами, он напал на Среднюю Азию и Индию, причём бессмысленность последней войны возмутила самих македонян».

Согласно «пирамиде Маслоу», Александр Македонский обязан был быть счастливейшим и даже святым человеком — все, даже самые «высшие» потребности удовлетворены: «пища, дом, развлечения и даже беседы с Аристотелем» (этот занудный старик и правда работал воспитателем юного Александра).

Поэтому ключевая в этом абзаце формулировка — «и тем не менее». Мальчик воспитывается в замечательных (по тем временам) условиях, может, как говорится, гонять балду и в ус не дуть. Но «тем не менее»…

Ведёт себя молодой человек с точки зрения «нормального человека» как-то неадекватно — как какой-то психопат. Он буквально на ровном месте обрекает себя (не говоря уже об огромном воинстве) на смерть, которая благополучно настигнет его на тридцать третьем году жизни.

Трудно не согласиться с Гумилёвым, поведение Александра — нечто, что идёт против всякой логики и здравого смысла. Какая-то отчаянная глупость, по правде говоря, так распорядиться царскими возможностями!

Но не станем задаваться бессмысленными вопросами «чего ради?» и «не дурак ли он?» А спросим себя: какая особенность организации психики Александра могла привести его к столь иррациональному, абсурдному, саморазрушающему поведению?

Что это за «шило» у него было в одном месте, прошу прощения?..

Если бы мы, будучи инопланетянами, ничего не знающими про культуру, традиции и нравы людей, оказались свидетелями подобного поведения человекообразной обезьяны, то мы бы, я полагаю, решили, что перед нами человеческая особь, которая просто не хочет жить. Зачем ещё она с такой отвагой ищет своей погибели?

Теперь давайте переведём это с инопланетного на русский: у данного персонажа какие-то проблемы с инстинктом самосохранения.

Впрочем, Гумилёв в некоторых местах прямо так об этом и говорит (хотя словно бы и невзначай), что пассионарность — это «поведенческий импульс, направленный против инстинкта самосохранения».

А теперь представьте себе на секунду, что дело не в «солнечной энергии» и «космических лучах», а просто в наших генах…

Допустим, что в некой стране начинается «перестройка». Начинается она просто потому, что уже не могла не начаться — по экономическим, социальным, идеологическим и геополитическим причинам (без всякой, так сказать, пассионарности).

Эти изменения приводят к тому, что структура общества нарушается: буквально по Ленину Вла-димиру Ильичу — «верхи не могут, низы не хотят».

Государственные институты пробуксовывают и впадают в ступор, а те бойкие граждане, которые раньше принуждены были сдерживать свои «нестандартные» наклонности, получают полную свободу действия.

Как в условиях подобной неопределённости поведут себя психологические типы, склонные к нарушению общественных норм (то есть **имеющие отклонения в рамках социального или, как его ещё называют, иерархического инстинкта)**?

А как поведут себя те, кто не боится встревать в любую авантюру и раз за разом подставляется под пули на всех этих бесконечных «стрелках», «разборках» и прочих «тёрках»? Проще говоря, **как поведут себя те, у кого слабо выражен индивидуальный инстинкт самосохранения?**

Наконец, как распорядятся подобными возможностями персонажи, которые получают огромное удовольствие от демонстративного поведения — цепи на шеях, малиновые пиджаки и огромные телефоны в руках **(это уже по части особенностей структуры полового инстинкта)**?

Думаю, вполне естественно ожидать, что они станут авангардом нового общества, которое, в массе своей, состоит из робкого и послушного большинства — тех самых «нормальных» людей, которые всегда склонны адаптироваться к внешним факторам, а не менять жизнь под себя.

Публике ничего другого не остаётся, как лишь заворожённо и с ужасом смотреть на всё это творящееся вокруг «лёгкое безумие»… Но весь этот дивный шабаш продолжается лишь до того момента, пока указанный авангард не поперестреляет друг друга на тех самых «стрелках», не сопьётся и не сколется в ночных клубах.

Впрочем, не всех ждёт эта участь. Самые умные и хитрые из этих пассионариев «без страха и упрёка» захватят валяющуюся на дороге власть, выиграют залоговые аукционы, поделят собственность и опять начнут «закручивать гайки» общественного порядка.

Восстановленная система общественного контроля и соответствующие государственные институты попридавят оставшихся в живых (и только нарождающихся) «лёгких безумцев».

Вся эта публика, склонная по своей природе действовать вопреки инстинкту самосохранения, будет вынуждена или умереть, или тихо дождаться своего следующего часа. Вот такой психоанализ «пассионарного толчка». И никакого вам «космического излучения»…

Специальный мозг

Психиатры и психотерапевты наблюдают за своими пациентами не только в разных фазах болезни, но и в разных обстоятельствах, а также в предболезненном статусе. И в связи с этим мы думаем ещё кое-что...

> *«Мозг человека – это устройство по созданию карт реальности».*

Не зря я использовал понятие «континуума», когда завёл речь о психических состояниях. Казалось бы, оно не слишком уместно в книге, претендующей на то, чтобы быть интересной массовому читателю. Но слово это тут важное и другим не заменить.

Континуум — это непрерывное множество, то есть некое бесконечное число переходных форм.

Мы же привыкли думать (так уж наши мозги устроены), что бывает «так или эдак», «то или другое»: мы мыслим противоположностями, и нам очень важно одно другому противопоставлять. Но на самом деле всё в этом мире, мягко говоря, несколько сложнее.

Великий философ Дэвид Юм предлагает нам представить такую ситуацию: вы берёте некий цвет (например, фиолетовый) и растягиваете его на большом листе бумаги от самого слабого тона (почти белого) до максимально насыщенного (тёмно-фиолетового).

В результате перед вами сплошное полотно с цветом, переходящим от минимальной интенсивности к максимальной. И, глядя на этот лист, вы не можете сказать, где один тон переходит в другой, да и вообще — какой цвет у этого листа. Этот цвет как бы непрерывно льётся, и любая точка на нём — просто точка.

Но стоит вам вырезать половину этого листа из середины, а затем составить два образовавшихся края вместе, как вы тут же увидите чёткую границу: тут — светлый тон, а тут — тёмный.

То есть, лишь убрав фрагмент, вы можете зафиксировать отличие и что-то определить. Но если вы его не вырезаете (не можете вырезать или не знаете, где резать), если смотрите на весь континуум сразу, то вы по сути слепы, то есть не видите ничего.

Наше сознание, чтобы избежать подобной слепоты, постоянно всё нарезает на кусочки, пытаясь обнаружить какие-то конкретные феномены. Но это лишь его хитрости и причуды, а в реальности дела обстоят иначе: истинные признаки, составляющие суть соответствующего континуума, прячутся от нас.

Каждая форма (проявление, событие) является по существу переходным состоянием — вот что мы должны понять, если хотим хоть в чём-то разобраться.

И мы не знаем, от чего к чему на самом деле идёт этот переход.

Если мы чуть смухлюем — что-то вырежем, где-то залатаем, — то картинка может показаться нам стройной. Стройной, понятной, даже красивой. Но она будет необъективной. **Реальный признак, определяющий суть того или иного континуума таким образом, наугад не выявить.**

ТАЙНА ЭВОЛЮЦИИ

Вы, наверное, не раз слышали о том, что проблема эволюционной теории в том, что невозможно обнаружить переходные формы.

Мы, мол, всегда имеем дело с какими-то конкретными видами, а переходные формы между ними отсутствуют: следовательно, эволюционная теория неверна, не полна, ложна и тому подобные глупости.

Это фундаментальная методологическая ошибка, свидетельствующая об абсолютном непонимании самой сути феномена эволюции.

В действительности, каждый биологический вид, который, как нам кажется, мы можем обнаружить в природе, сам по себе является переходной формой и, в свою очередь, состоит из огромного множества переходных форм. А то, что мы определили биологические виды именно так, как мы это сделали, обусловлено лишь удобством.

Представьте, что наши «органы зрения» были бы устроены по-другому, и мы бы видели не визуальные образы, а последовательности нуклеотидов в ДНК живых организмов. Будь у нас такие «глаза», биологический мир стал бы выглядеть для нас совсем иначе (и, наверное, в каком-то смысле куда как более объективно).

Если верить генетикам, которые занимаются секвенированием ДНК для определения степени родства различных видов животных, то мы обнаруживаем себя в группе, к которой относятся мокроносые приматы, шерстокрыл, тупайя, пищуха, кролик, дикобраз, крыса и мышь.

Ну, как вам такая генетическая компания?.. Неожиданно, правда? Честно говоря, я был даже не в курсе, что тупайя — это зверь (по звучанию больше похоже на какой-то фрукт). И остаётся только догадываться, почему слон, ленивец и муравьед с броненосцем — от нас, напротив, предельно далеки (впрочем, родственны между собой).

Внешние признаки — это важно только для нашего глаза, который сам по себе является лишь эволюционным приспособлением. На самом деле всё куда сложнее и причудливее.

Если вы возьмёте представителей разных человеческих рас и сравните их геном, то окажется, что различия генов внутри одной расы куда более существенны, чем между разными расами как таковыми. Хотя именно расовые различия бросаются нам в глаза в первую очередь.

Итак, континуум состояний — это множество различных единичных форм, у которых один и тот же признак имеет разную выраженность.

Но замечаем мы всегда некие крайние типы — например, концевые точки на нашей оси психического континуума («нормальных» и «больных»), или бледно-фиолетовый и ярко-фиолетовый, как в опыте Юма.

В средней же зоне выраженность соответствующего признака для нас неочевидна.

Тут как бы всё сливается, но это не значит, что сам признак отсутствует. Он есть, просто нам трудно его определить.

В случае тяжёлого психического заболевания — всё понятно. Сошёл с ума человек — что поделаешь? А остальные — и нормальные, и не совсем нормальные, и с «лёгким безумием» — это какая-то каша-малаша, которую мы обозначаем как бы от противного: «разные, но не сумасшедшие».

В результате мы теряем массу информации о самих себе — слишком уж это неточное, мягко говоря, определение...

Благодаря усилиям психиатров мы знаем несколько специфических типов «психопатов». Судя по всему, эти типы обусловлены биологическими причинами (эндогенны), а потому какие-то их черты у нас тоже есть (или могут быть), пусть и не в патологической форме.

Если некий признак (особенность психики) не развивается в нас настолько, чтобы психиатр мог влупить нам соответствующий диагноз, это ещё не значит, что мы «абсолютно здоровы»[7].

Дело в том, что мы несём в себе огромный объём генетической информации.

У каждого из нас в предках были и безумцы, и психопаты, и маньяки, и чёрт знает кто ещё. Да, если нам повезло, эти гены в нас дремлют, (это прекрасно). Но это ещё не значит, что мы совсем не подвержены их влиянию.

---

7 Недаром я упомянул, что психиатры отрицают, что такие люди — абсолютно психически здоровые — вообще существуют.

Кто-то от природы более впечатлителен, раним и реагирует на всё подряд, кто-то — меньше поддаётся влиянию раздражающих факторов.

Кто-то обладает удивительным воображением и постоянно витает в каких-то фантазиях, а кто-то любит, чтобы всё было ясно, конкретно и «сколько вешать в граммах».

Кто-то испытывает огромную потребность в общении и социальной деятельности, а кому-то всё это скучно и неинтересно — мол, зачем зря время на ерунду тратить?

Кто-то страдает избыточным, до навязчивости, педантизмом и перфекционизмом, а кому-то на это совершенно наплевать: тяп-ляп — и прекрасно!

То, что все люди разные, нам кажется абсолютно естественным. Но если мы говорим о «норме», то она должна быть одна на всех, и мы все должны быть одинаковы, за исключением, может быть, «ненормальных». Этого, мягко говоря, не наблюдается.

Мы привыкли к разнообразию человеческого поведения и совершенно не замечаем, что никакого «эталона» на самом деле не существует, а любая «норма» — лишь фикция.

Если нас спросить: каким нормальный человек должен быть? Опишите, мол, главные качества. Мы тут же, не задумываясь, ответим. Но если нас спросить, знаем ли мы таких — «нормальных»? Мы с тем же успехом растеряемся.

Нас совершенно не удивляет, что среди наших знакомых есть «домоседы», «затворники» и «социофобы», а есть и те, кого все считают «душой компании» — «короли вечеринок», что вечно «зажигают» и «жгут».

Но почему же это не кажется нам странным — мы же к одному виду принадлежим, в одной культуре воспитаны!

Мы не замечаем невероятного разнообразия человеческого поведения, потому что никакой универсальности в нём нет.

Человеческие особи представляют собой бескрайний континуум переходных форм: от эксцентриков и эксгибиционистов до интровертов и меланхоликов, от агрессивных придурков и пассивно-агрессивных типов до «божьих одуванчиков» и «радости полные штаны».

Разнообразие — вот что кажется нам совершенно естественным!

Мы привыкли к тому, что есть «работяги» и «трудоголики», а есть «лентяи», «лоботрясы» и «халявщики». Есть среди нас те, кто «любит порассуждать», а есть и те, кто «сначала сделает, потом подумает».

У нас есть знакомые, которых иначе как «человек-катастрофа» не назовёшь: всегда с ними что-то случается, постоянно они попадают в какие-то передряги, опаздывают, подводят... И ведь всё это на голубом глазу — как будто ничего и не случилось, в порядке вещей!

Впрочем, кого-то из своих друзей мы, напротив, считаем «сверхчеловеком» — «спасителем», «спасателем», «опорой и надёжей». За ним «как за каменной стеной»: «друг в беде не бросит, лишнего не спросит» и далее по тексту.

В общем, есть среди нас и те, что безотказны, ответственны, всегда готовы понять, поддержать, выручить и т. д. Причём делают это не потому что надо, а потому что по-другому не могут. Побольше бы таких, правда? Но вот нет — все разные...

СЕКСУАЛЬНЫЙ СТАКАН

Даже по части отношения к сексу и то полный разброд и шатания.

Кому-то «эта тема не интересна», а кому-то «только этого и надо», «только о нём и думают» — «бабники», «нимфоманки», «развратники», «вечно озабоченные», «сексуальные маньяки» (образно, так сказать, выражаясь). Революционерша Александра Коллонтай гордо заявляла с рабоче-крестьянской трибуны, что заняться сексом — это «всё равно, что выпить стакан воды» (на этот счёт даже возникла целая сексологическая теория). Мол, вся эта сексуальная мораль — это пережитки царизма и буржуазной эксплуатации.

На что вождь мировой революции Владимир Ильич Ленин укоризненно отвечал «товарищу по партии Коллонтай»: «Конечно, жажда требует удовлетворения. Но разве нормальный человек при нормальных условиях ляжет на улице в грязь и будет пить из лужи? Или даже из стакана, края которого захватаны десятком губ?»

В общем, не любил Ильич «сексуальной свободы». Как в старом анекдоте: «Крупской сказал, что пошёл к Арманд. Арманд сказал, что к Крупской. А сам — на чердак: работать, работать и работать!»

Кто-то скажет, что это в «вожде мирового пролетариата» пережитки царизма говорили. Вполне возможно. Но сексуальный темперамент — это сексуальный темперамент, и он у каждого свой.

Безусловно, социально-культурные факторы имеют здесь огромное значение, но и биологию этого темперамента не изжить, даже если она окажется под самым страшным спудом «буржуазной эксплуатации».

Неужели вы думаете, что только «научные исследования сновидений» заставили Зигмунда Фрейда выстроить всю свою психоаналитическую концепцию человеческой психики на одном-единственном понятии «либидо»?

Исследователи жизни и творчества этого великого фантаста нашего бессознательного подсчитали, что сексуальной жизнью (по крайней мере, с кем-то) сам Фрейд жил всего лишь десять лет.

То есть «спуд» на него явно действовал, но соответствующий «темперамент» очевидно прорывался другим образом: недостаток практических занятий сексом с лихвой компенсировался в его жизни всемирной проповедью «Либидо».

Или вот, например, его знаменитый ученик — Вильгельм Райх... Совершенно выдающаяся, должен сказать, личность! Именно он придумал термин «сексуальная революция» (и даже написал одноимённую книгу), а затем создал целое направление в психоаналитической терапии, которое предполагало разного рода физический контакт с пациентом.

Наконец, Райх дошёл до того, что сконструировал специальный аппарат — аккумулятор оргона, который, по его словам, мог собирать и концентрировать в себе сексуальную энергию (последняя потом использовалась для «лечения» пациентов). Впрочем, в США, где Райх тогда практиковал, всё это посчитали сущим безобразием и решили запретить.

Начались судебные разбирательства, а Райх устраивал один страшный скандал за другим. В результате его обвинили «в неуважении к суду» и отправили за решётку, где он и умер от сердечного приступа. Темперамент…

Судьба учёного, который описал практически весь спектр «сексуальных расстройств», придумал такие привычные нам уже термины как «садизм», «мазохизм», «эксгибиционизм», «вуайеризм» и т. д. тоже, прямо скажем, сложилась непросто.

Рихард фон Крафт-Эбинг был почётным профессором психиатрии, ведущим экспертом по психическим заболеваниям в викторианской Европе. Но что-то дёрнуло его заняться исследованием этого «стыдного» вопроса…

Последствия этого предприятия для карьеры Крафта-Эбинга были фатальными — он лишился престижных званий и репутации. Общество было шокировано таким вероломным выносом научного сора из культурной избы.

Кстати, свою книгу, которая и сейчас поражает богатством материала, системностью подхода и точностью формулировок, фон Крафт-Эбинг назвал — внимание! — «Половая психопатия».

Да, всё многообразие форм сексуального поведения старый психиатр рассматривал как проявление странных, подспудных инстинктов, заложенных в человеческой природе. Если же они проявлялись избыточно, тогда он, как всякий психиатр, ставил диагноз «психопатия».

Великое здание эволюции стоит на изменчивости. Природа создаёт нас разными и никогда не повторяется. Нам эти «переходные формы» могут казаться «все на одно лицо», но посмотрите на подушечки своих пальцев, посмотрите в глаза своим близким — рисунок, который вы видите, уникален. Впрочем, вся эта бесконечная, поражающая воображение уникальность создаётся набором одних и тех же весьма ограниченных средств. У нашего мозга есть определённая механика, а количество средств, которыми порождается уникальность нашего «внутреннего мира», невелико.

В музыке всего семь нот, палитра цветов тоже весьма ограниченна... Вопрос в том, как мы используем эти возможности.

С одной стороны, многообразие человеческого поведения не поддаётся определению, с другой — в нём нет ничего поистине уникального. И не так важно, как мы назовём то или иное проявление своей психической деятельности, какие ярлыки повесим на себя или других. В конце концов, это лишь игра слов.

«Мы привыкли к разнообразию человеческого поведения и совершенно не замечаем, что "эталона" не существует».

Важно, что **в каждом из нас генетически заложены определённые возможности, своего рода опционал,** который как-то проявляется в нашем наличном поведении или не проявляется, не используется.

В любом случае он у нас есть, и мы можем его расширять, развивать, интенсифицировать, или напротив — ужимать, сокращать, подавлять.

ГЛАВА ПЕРВАЯ

Игра трёх инстинктов

> Мы возвели интеллект
> в ранг высшего класса;
> низший класс восстаёт.
> **ОЛДОС ХАКСЛИ**

Раньше у нас не было данных о том, каковы особенности мозга человека, который сходит с ума, оказывается психопатом или ввинчивается в невроз. Приходилось гадать, строить гипотезы то ли на песке, то ли на воде, то ли вообще непонятно как.

Большинство классификаций психических болезней строилось по так называемому феноменологическому принципу (от слова «феномен»).

Вот мы наблюдаем у человека некий специфический комплекс реакций (феномен), подробно описанный в научных трудах и психиатрических справочниках, и делаем вывод, что у него, например, параноидная шизофрения.

Наблюдаем другой рисунок поведения (феномен) у нашего пациента, значит у него какая-то другая психическая болезнь — психопатия, например, или невроз. А может быть, та же самая шизофрения, но другая её форма — допустим, гебефренная шизофрения или малопрогредиентная (вялотекущая).

Если говорить о психопатии, то российские психиатры долго пользовались классификацией, созданной нашим выдающимся соотечественником Петром Борисовичем Ганнушкиным.

Она включала в себя психопатии астенического и психастенического типа, шизоидную психопатию, циклоидную, параноидную, истерическую, возбудимую, аффективную, неустойчивую и т. д.

И подобных классификаций, описывающих бесконечное разнообразие психических расстройств, было создано превеликое множество. Нужен был большой практический опыт и годы работы в клинике, чтобы научиться усматривать в поведении пациента подобные «симптомокомплексы».

Именно этому «искусству» и учили будущих психиатров в медицинских вузах и психиатрических клиниках из поколения в поколение.

То, что за всеми этими бесчисленными классификациями и симптомокомплексами кроется что-то действительное, что-то настоящее, какой-то фактический нейрофизиологический «зверь», сомнений у психиатров не было. Да и у вас бы, поверьте, не осталось, проведите вы достаточное время в психиатрическом стационаре.

Но почему люди заболевают психическими расстройствами — оставалось загадкой. Что заставляет психических больных чувствовать, действовать и думать тем или иным специфическим образом? Почему одни слышат голоса, другие не могут контролировать свои влечения, третьи навязчиво повторяют одни и те же действия, четвёртые теряют всякое желание жить?

Ответа, честно говоря, у психиатров не было. **Было ощущение, что все эти «странности» наших пациентов по большей части врождённые (или, как мы ещё говорим, конституциональные).**

Предпринимались попытки подвести под это дело какую-то теоретическую базу — увидеть и определить корни болезни.

Кто-то из исследователей упирал на детские комплексы, кто-то — на особенности воспитания. Многие считали, что дело в перенесённых инфекционных заболеваниях, трудных родах, последствиях черепно-мозговых травм и т. д. Кто-то считал, что всё дело исключительно в наследственности — мол, от осинки не родятся апельсинки (любимая, кстати сказать, поговорка многих психиатров). Но, к счастью, эти времена миновали — гадать на гуще симптомов больше нет никакой необходимости.

Благодаря возможностям современной медицинской техники[8] мы можем заглянуть внутрь живого мозга и увидеть, какие именно структуры задействованы при том или ином виде психических расстройств.

Недалёк тот час, когда медицинские компьютеры и вовсе оставят психиатров без работы — сами будут ставить пациентам диагнозы и назначать необходимое медикаментозное лечение.

После этого долгожданного инструментального «проникновения в мозг» чьи-то научные теории (гипотезы) развития психических расстройств стали находить подтверждение, а чьи-то, напротив, безвозвратно почили в бозе.

Но главное, стало понятно, что наша уникальность отнюдь не так уникальна, как нам кажется. Причудливая игра считанных,

---

8 Таких технологий сейчас достаточно много — функциональная магнитно-резонансная томография (фМРТ) с контрастом, МРТ с мечением артериального спина, магнито-энцефалография (МЭГ) и др.

на самом деле, компонентов психики способна, как оказалось, создавать невероятное многообразие форм поведения — «психических феноменов».

Что же это за «считанные компоненты психики»?..

Благодаря целой череде научных открытий мы узнали о существовании различных паттернов нейронных сетей в нашем мозге, которые обеспечивают тот или иной режим его работы — внимание, потребление информации, «блуждание».

Стараниями Роджера Сперри, Майкла Газзанига и других был открыт механизм работы «расщеплённого мозга», который наглядно продемонстрировал, что одно полушарие (правое) у нас безъязыкое, другое (левое), наоборот, болтает без умолку, а отношения между ними — своего рода игра в кошки-мышки.

Опыты Джакомо Риццолатти увенчались открытием «зеркальных нейронов», благодаря которым, как мы теперь знаем, наш мозг понимает чувства и намерения других людей. Больше того, исследования показали, что эффектом «зеркальности» обладают нейроны самых разных областей мозга.

А ещё выяснилось, что **в нашей голове квартируют «другие люди» и что мы начинаем думать о них всякий раз, как только включается наша «дефолт-система мозга»**. Это открытие сделала исследовательская группа под руководством Маркуса Рейчела.

Причём таких «других людей» в нашей голове не больше определённого количества, которое ограничивается «числом Данбара». Эти 150–230 наших «виртуальных друзей» —

тех «других людей», о ком мы регулярно думаем, — и есть своего рода потолок наших социальных возможностей[9].

Об этих и других научных открытиях я уже рассказывал в книге «Чертоги разума», и если вы её читали, то эти знания вам сейчас пригодятся. Мы попробуем понять, каким образом взаимодействие всех этих психических систем и механизмов мозга создаёт нашу отнюдь не уникальную уникальность.

___

9 Оксфордский профессор Робин Данбар сформулировал эту гипотезу, сопоставляя размеры коры головного мозга различных видов приматов с размерами социальных групп, которые они образуют. Теперь с помощью анализа больших данных (Big Data) он доказал, что его гипотеза полностью согласуется с тем, как мы с вами ведём себя в пространстве социальных сетей. Впрочем, мы к этому ещё вернёмся.

Поиск вслепую

Вся проблема этого мира в том,
что дураки и фанатики всегда уверены
в себе, а умные люди полны сомнений.
БЕРТРАН РАССЕЛ

Сделаю небольшой экскурс в историю исследования, которое привело к результатам, лежащим в основе всей этой книги.

Началось оно больше двадцати пяти лет назад в клинике психиатрии Военно-медицинской академии им. С. М. Кирова, а затем продолжилось в Клинике неврозов им. академика И. П. Павлова.

В качестве психотерапевта мне нужно было работать как с тяжёлой психической патологией, так и с достаточно простыми невротическими реакциями. При этом должность у меня была психотерапевтическая, а потому и методы, которыми я мог пользоваться, соответствующие — психотерапевтические техники.

То есть задача была, прямо скажем, нетривиальной: нужно было найти какое-то особое ви́дение всего спектра психических расстройств, которое бы позволило добиваться результата — хоть с пациентами, страдающими маниакально-депрессивным психозом, хоть у пациентов с обычной вегето-сосудистой дистонией.

Проще, конечно, было реконструировать реальность психотиков (пациентов с тяжёлыми психическими расстройствами), как делают это врачи-психиатры: ставим диагноз и назначаем лекарства; невротиков же, напротив, анализировать при помощи известных психологических теорий.

Но мне подобное двурушничество показалось абсурдным: тут ты психиатр «старой закалки», а тут — какой-то, извините, «мечтательный психоаналитик».

Поразмыслив над этим, я рассудил следующим образом: **раз уж я в любом случае имею дело с человеческим мозгом (пусть и находящимся в разных состояниях), то и опираться следует на нейрофизиологию.**

В результате и психотерапевтические техники мне тоже пришлось переосмыслить: не рассматривать их в рамках тех парадигм, в которых они когда-то возникли (психоанализ, например, гештальт-терапия, когнитивно-поведенческая психотерапия и т. д.), а попытаться понять, благодаря чему они эффективны на нейрофизиологическом уровне.

В конце концов, если психотерапевтическая техника работает, то очевидно, что она ухватывает суть каких-то фактических нейрофизиологических процессов и воздействует на них. Но на каких именно и как? Это и предстояло выяснить.

Если бы я действовал как психиатр, то в моём арсенале были бы прежде всего лекарственные препараты. Причём выбор их на самом деле не такой уж и большой (за множеством названий скрывается лишь несколько типов лекарственных веществ). Поэтому, кстати, и диагностика бесчисленных нюансов психических расстройств имеет для психиатра скорее теоретическое значение, нежели какой-то практический смысл.

Если вы, будучи психиатром, правильно определили уровень психического расстройства (где оно находится на оси того самого континуума психических состояний), то вы уже, по большому счёту, знаете, препарат какой фармакологической группы нужно данному пациенту назначить — нейролептик, ан-тидепрессант или транквилизатор.

Психиатры любят пациентов, страдающих тяжёлой психической патологией, потому что алгоритм действий в этом случае предельно прост и понятен, а эффективность препаратов достаточно высокая.

Но вот при расстройствах пограничного спектра лекарства не особо работают. Да, любой симптом можно таблетками приглушить, но изжить его таким образом нельзя. Вот психиатры и бегают от невротиков как от огня.

Если же психиатры всё-таки и углубляются в свои диагностические дебри, то лишь для того, чтобы дать вам более точный прогноз развития болезни. Действительно, качественная психиатрическая диагностика обладает хорошей прогностической силой. Но, с другой стороны, какой в этом толк, если повлиять на динамику заболевания психиатр всё равно не в силах?

Психотерапевты же находятся в принципиально иной ситуации. Им и такие предсказания чрезвычайно важны — иначе как понять, к чему пациента подготовить, какими ресурсами его оснастить и где соломку подстелить?

Но ещё важнее для психотерапевта — понять, каким образом то или иное психическое состояние в мозгу пациента формируется, то есть саму его внутреннюю

механику, чтобы как раз на неё и оказать воздействие. В этом и состоит особенность психотерапевтической диагностики.

Психиатр борется со следствиями, бьёт по симптомам болезни из своей фармакологической пушки. Психологи недавнего прошлого, не понимая фактических механизмов работы мозга, пытались найти в нашей психике тайных «демонов», ответственных за возникновение тех или иных симптомов, — «комплексов», «вытеснений», «автоматических мыслей» и т. д.

И то, и другое, понятное дело, работает не очень.

Вот почему, создавая свою «системную поведенческую психотерапию», я шёл от фактических психических состояний пациентов, искал их нейрофизиологические корреляты, а не просто следовал за формальными психиатрическими диагнозами или абстрактными психологическими гипотезами.

Не просто пациент и его болезнь, но и сами его состояния нуждаются в диагностическом исследовании — таким был подход.

Нам лишь кажется, что тревога — это тревога, а сниженное настроение — это сниженное настроение. На самом деле они разные, и эта разница открывается через анализ динамических стереотипов (по И. П. Павлову), патологических доминант (по А. А. Ухтомскому), отношений знаков и значений (по Л. С. Выготскому) и т. д.

Если вы в этом разберётесь, то нейрофизиологическая наука предложит вам средства купирования данных состояний, а также у вас появится возможность влиять на поведение пациента, осуществляя, грубо говоря, перестройку и наладку связей в его головном мозгу.

То есть, следуя этим путём, мы можем понять, где мы, так сказать, находимся, с чем мы имеем дело, и как мы можем на это дело повлиять.

Звучит гладко, но таким образом мы можем разобраться лишь с одним уровнем проблемы — с самим симптомом. То есть этого достаточно, чтобы купировать, скажем, страх публичных выступлений, побороть навязчивости или, например, неврастеническую раздражительность.

Но почему эти симптомы вообще возникли?

Если вы не учитываете природу соответствующих психических расстройств — и вот тут-то как раз очень важен психиатрический опыт, — у вас есть все шансы с размаху сесть в лужу.

Чем тревога при такой-то форме психопатии отличается от тревоги при другой форме психопатии, или, например, при неврозе — таком или сяком?

Это важное дополнение позволило чуть видоизменять психотерапевтическую тактику и увидеть, в каких ситуациях определённые психотерапевтические техники дают желаемый результат, а в каких — нет, не работают.

Если человек, например, совершенно безразличен к чувствам окружающих — так уж он устроен, — то какой смысл объяснять ему, например, почему его поступки заставляют этих самых окружающих страдать? Он этого просто не поймёт, а потому психотерапевт должен действовать как-то иначе.

Или, допустим, человек гипертревожен и не потому, что боится чего-то конкретного, а просто склад его психики такой — генетически, биологически, эндогенно тревожный.

Бессмысленно объяснять ему: «То, чего ты испугался, не представляет угрозы». Даже если у вас это получится, он через час, а то и двадцать минут, уже будет тревожиться по другому поводу, а вам придётся заряжать ружьё и начинать всё сначала.

Короче говоря, моё исследование началось с традиционного — сугубо психиатрического — взгляда на психические болезни. Затем оно превратилось в исследование нейрофизиологии соответствующих психических состояний и создание способов их коррекции. И наконец завершилось обнаружением базовых психических потребностей, лежащих в основе нашего с вами поведения.

Именно эти базовые потребности, как выяснилось, и являются почвой для формирования симптомов, ответственны за их многообразие, а также побуждают их постоянно «возвращаться» (по крайней мере, до тех пор, пока соответствующие потребности, их порождающие, не будут должным образом удовлетворены)[10].

Проще говоря, **все психические расстройства, с которыми имеет дело врач-психотерапевт, порождены дефектом одной из трёх базовых потребностей, связанных с безопасностью, социальностью и половым инстинктом.**

---

10 В этой большой и кропотливой исследовательской работе принимали участие мои коллеги по Клинике неврозов им. академика И. П. Павлова, и в первую очередь — Геннадий Геннадиевич Аверьянов. Результатом наших с ним трудов стала книга «Руководство по системной поведенческой психотерапии», а также серия книг для врачей «Пространство психосоматики».

Специфичность мозгов

Всегда лучше сохраняется в тайне то,
о чём все догадываются.
ДЖОРДЖ БЕРНАРД ШОУ

В своё время Иван Петрович Павлов именно в стенах нашей Клиники неврозов, которая затем получила егоимя, проводил свои знаменитые «Клинические павловские среды».

Уже будучи нобелевским лауреатом, академиком, учёным, увенчанным мировой славой, Иван Петрович занялся исследованием психических расстройств.

В нашей клинике ему представляли пациентов, а он пытался объяснить их состояния, основываясь на своей теории высшей нервной деятельности.

Результатом этой грандиозной работы стала простая и изящная схема, определяющая два ключевых психологических типа, с которыми мы действительно имеем дело в своей психотерапевтической практике:

- шизоиды (которых Иван Петрович ещё называл «мыслительным типом»)

- истерики (которых он также назвал «художественным типом»).

И в том, и в другом случае наблюдается, как считал Иван Петрович, своего рода рассогласование в работе корковых отделов головного мозга и его подкорковых структур — таламуса, гипоталамуса, среднего мозга и т. д.

Причём у «мыслителей» верх берёт кора, а у «художников» — подкорка.

«Мыслители» словно бы оторваны от действительности, им куда комфортнее пребывать в своих размышлениях. Они ведут себя так, словно бы мир вокруг них может остановиться и подождать, пока они что-нибудь придумают, решат, сообразят, сделают какое-то умозаключение и т. д.

Но мир, как известно, ждать никого не будет. И если бы в дикой природе какое-то животное выкинуло подобный фокус, то его бы быстро превратили в завтрак, обед или ужин.

Так что **инстинкт самосохранения у представителей этого психологического типа словно бы спит, им как будто бы наплевать на возможные опасности.** А точнее говоря, они их просто не замечают.

Это не значит, что «мыслители» не тревожатся и не переживают. Ещё как тревожатся! Вопрос — из-за чего?

Как правило, они создают в своей голове какую-то интеллектуальную конструкцию чрезвычайной сложности и ужасно нервничают по её поводу. То есть не из-за того, что вокруг них масса реальных рисков, а по надуманным поводам. Реальные же угрозы не вызывают в «мыслителях» отклика, они им будто бы и неведомы вовсе.

По этой причине другие люди часто абсолютно не понимают, в чём причина переживаний человека с таким вот странным типом психической организации: он, на их взгляд, психует там, где «всё хорошо», «на ровном месте», а там, где реально «всё плохо», «страшно» и «опасно», — он спокоен как танк, по зитивен и видел всех в гробу в белых атласных тапках.

С «художниками» дело обстоит иначе, но не наоборот. По И. П. Павлову, **у представителей этого психологического типа над рассудочной корой доминируют весьма эмоциональные подкорковые структуры.**

«У "мыслителей" верх берёт кора, а у "художников" — подкорка».

В этих отделах мозга базируются наши истинные желания, наши страсти, чувства, переживания. Но из-за рассогласованности коры и подкорки «художники» этого буйства своих страстей зачастую даже не осознают.

Это тоже по-своему удивительно: чувства охватывают человека, но он думает не о них, а думает прямо ими — своими страстями и переживаниями.

Представьте себе это на очень простом примере. Допустим, женщина хочет, чтобы мужчина проявил в чём-то инициативу. Но это лишь её внутреннее ощущение, которое она не вполне осознаёт. Если же она его осознает и скажет своему кавалеру: мол, давай-давай, друг, пора действовать!, то инициатива окажется уже на её стороне, и весь план её подкорки пойдёт прахом.

Мужчины часто подобные сигналы не считывают и с удивлением для себя «вдруг» натыкаются на обиду и раздражение. Причём эта обида возникает у женщины тоже как бы сама собой — в обход рассудка. Понимает ли женщина, что сама поставила своего мужчину в сложную ситуацию и что он, по большому счёту, ни в чём не виноват?

Теоретически — да, понимает. Но её подкорке этого никогда не объяснишь, потому что сама она сейчас думает этим чувством — обидой и разочарованием. Подкорка чего-то хотела, но в осознанную стратегию (при помощи коры) это желание у женщины не превратилось, а дальше — или повезло (мужчина чудесным образом сам догадался, что от него ждут), или извините.

Так что, спору нет — женщина в такой ситуации действует подчас очень «художественно», но нельзя назвать подобную тактику эффективной.

И в этой своеобразной невнятности — вся суть нашего полового инстинкта, состоящего из причудливой вязи сложных, противоречивых ощущений: и хочется, и колется, и мама не велит (подкорка и хочет, и тревожится, а кора с её сознательными установками не позволяет, дополнительные проблемы накручивает).

«Мыслитель» в такой ситуации действовал бы, конечно, иначе: он бы всё продумал, создал бы все необходимые инструкции и чётко бы выдал их партнёру. Мол, я всё понял — делай так-то и так-то.

Но проблема «мыслителя» в другом — он настолько увязает в своих рассуждениях, что порою совершенно не слышит собственные желания (подкорку).

Он начинает их как бы придумывать умом, а в результате постоянно мажет мимо цели, ощущая странную чувственную неудовлетворённость.

Итак, Иван Петрович Павлов предложил нам модель из двух типов, основанную на самых передовых нейрофизиологических открытиях своего времени — весьма, надо признать, рабочую, эффективную и адекватную модель (о чём я могу с уверенностью говорить, ссылаясь уже на свой психотерапевтический опыт).

Однако же исследования великого физиолога никогда не учитывали социальное поведение животных, а это, согласитесь, важная часть нашей жизни.

Именно данный пробел и был потом с лихвой восполнен учёными-этологами Конрадом Лоренцем, Николасом Тинбергеном, Франсуа де Ваалем и многими-многими другими выдающимися исследователями поведения животных.

В своих научных работах они показали, что **мы являемся заложниками не только отношений внутренних структур нашего мозга, но и социальной общности, к которой биологически предназначены.**

Таким образом, если всё это суммировать, получается следующее:

- как живые существа мы нуждаемся в собственном выживании (поэтому обладаем индивидуальным инстинктом самосохранения);

- как представители вида мы являемся средством выживания вида (для этого нам дан половой инстинкт);

- а как социальные существа (и именно этого не учитывала павловская модель) мы нуждаемся в социальной поддержке, умении создавать социальные отношения в группе и встраиваться в её иерархию.

Иерархический инстинкт имеет невероятно большое значение для любого стайного животного. В конечном счёте и его личное выживание, и возможность продолжить род также зависит от того, какое место в социальной иерархии это животное занимает (причём это касается как самцов, так и самок).

Если же говорить о людях, то мы ведь и вовсе гиперсоциальны — до маниакальности! Можно только удивляться сложности социальной структуры, которую мы создали: общество, культура, религия, экономика, политика и т. д.

И всё это сплошь иерархические структуры, где есть «верх» — гении, элита, лидеры мнений, начальники, Бог, патриархи, миллиардеры, вожди, президенты, и «низ» — все мы, остальные грешные.

Очевидно, что у представителей нашего вида иерархический инстинкт (или инстинкт самосохранения группы) выражен до чрезвычайности и является в каком-то смысле системообразующим.

Выдающемуся психотерапевту, создателю гештальт-психотерапии Фредерику Пёрлзу, принадлежит такой образ-афоризм:

«Шизофреник говорит: "Я — Авраам Линкольн".

Невротик говорит: "Я хочу быть Авраамом Линкольном".

И только здоровый человек говорит: "Я — это я, а ты — это ты"».

Конечно, в этом высказывании скрыта ирония, особенно если учесть, что тот же Пёрлз говорил: «все мы невротики», а «психотерапевт и его пациент отличаются друг от друга только степенью выраженности невроза».

Абсолютно «здоровых» людей не существует, а внутренняя установка «я — это я, а ты — это ты» — недостижимый идеал. То есть мы все в той или иной степени хотим быть «Авраамами Линкольнами» — сидеть на вершине иерархической пирамиды[11].

В этом стремлении, как ни крути, состоит **фундаментальная потребность любого стайного животного: добиваться социального успеха, забираться вверх по социальной лестнице и пытаться быть круче прочих — сильнее, умнее, богаче, влиятельнее, красивее, знаменитее и т. д.**

А теперь подумайте вот о чём: все мы имеем это страстное желание — забираться вверх по социальной лестнице, но всякое желание, как известно, увеличивает и наши риски. Интенсивность потребности всегда идёт рука об руку с силой фрустрации в случае неудачи, а неудачи неизбежны (особенно там, где конкуренция высока).

Так что даже если кора и подкорка находятся у вас в идеальных отношениях друг с другом, поражение в социальной борьбе, отсутствие прогресса в движении по социальной лестнице и тому подобные «социальные неприятности» способны приводить вас к стрессу, разочарованиям и выражаться комплексом невротических реакций.

То есть павловские «художники» и «мыслители» зарабатывают своё психическое заболевание,

---

11 Ирония, на мой взгляд, ещё и в том, что сам Авраам Линкольн страдал тяжелейшей хронической депрессией. Так что стремление «вверх» — это только стремление вверх. Никаких гарантий счастья, даже в случае успеха, у нас нет, стремление инстинктивно и оно всё равно останется, не давая нам покоя.

потому что их мозг имеет специфические особенности (наличествует определённое рассогласование в отношении структур мозга), а вот **пёрлзовские «невротики» страдают от рассогласования внутри своей социальной реальности.**

Впрочем, за формирование последней отвечает не социальная группа как таковая, а дефолт-система нашего мозга, в которой эта группа как бы «живёт». Как теперь выяснилось, именно она, та самая дефолт-система мозга, и делает кого-то из нас больше «художником», а кого-то больше «мыслителем».

Но прежде чем мы к этому перейдём, давайте заглянем за ширму наших с вами инстинктов...

ЭМОЦИОНАЛЬНЫЙ МОЗГ

Здесь, впрочем, я хочу сделать одно важное уточнение. Когда я говорю о том, что «художники» более эмоциональны, а «мыслители» — менее, речь идёт не о силе эмоций, а об их первенстве в рамках принятия решений.

Да, корково-подкорковые отношения — штука важная и существенная, но не следует думать, что наши эмоции живут исключительно в подкорке, а мысли — в коре головного мозга.

На самом деле не бывает мыслей без чувств, как не бывает чувств без мыслей: мозг — машина интегральная.

В середине 70-х годов прошлого века выдающийся нейробиолог Ричард Дэвидсон, ныне профессор психологии и психиатрии Висконсинского университета в Мадисоне, начал исследование эмоций человека с помощью электроэнцефалографии.

Уже тогда, на ещё весьма примитивном, надо сказать, экспериментальном оборудовании удалось убедительно доказать, что кора головного мозга играет чрезвычайно существенную роль в формировании наших эмоциональных состояний.

Последующие исследования Дэвидсона в сотрудничестве со знаменитым Полом Экманом и вовсе произвели самый настоящий фурор в научном мире.

Учёные традиционно думали, что эмоции — это примитивная вещь, сидящая где-то в глубине нашего рептильного мозга. Но оказалось, что это не так: уже новорождённые дети, переживая эмоции, демонстрируют высокую активность в соответствующих зонах коры головного мозга.

Основное же открытие Ричарда Дэвидсона заключалось в следующем:

- в случае положительных эмоций (радости, веселья, счастья) у нас активизируются префронтальные зоны левого полушария головного мозга,

- тогда как за возникновение отрицательных эмоциональных реакций (страха, тревоги, печали) отвечают те же префронтальные области, но уже правого полушария.

Поэтому не стоит удивляться, что «мыслители» могут быть весьма и весьма эмоциональны, а «художники», напротив, эмоционально холодны. Дело не в том, что одни испытывают эмоции, а другие — нет.

Дело в том, чем они — «художники» и «мыслители» — движимы по преимуществу: или страстными подкорковыми структурами («художники»), или оценивающими ситуацию корковыми вычислениями («мыслители»).

Иными словами, в каждом из нас есть

- эмоциональные позывы, связанные с базовыми потребностями (а потребности и в самом деле базируются именно в подкорковых структурах нашего мозга),

- а есть и эмоциональные переживания, связанные с оценкой ситуации (и эту оценку производят как раз структуры префронтальной коры).

И то, и другое вроде бы «эмоции», но «эмоция» — это ведь просто слово. Важно понять, какие именно нейрофизиологические процессы скрываются за тем или иным эмоциональным поведением человека.

Они же, действительно, могут быть преимущественно подкорковыми (у «художников»), но могут быть и корковыми (у «мыслителей»).

Впрочем, я вспомнил сейчас о Ричарде Дэвидсоне не только потому, что он избавил науку от ошибочных представлений о локализации эмоций в мозге, но и потому что он, между делом, выяснил ещё кое-что важное о нашей с вами социальности, то есть — о природе нашего «невротизма».

Поскольку взрослые люди научены контролировать свои эмоциональные состояния, Дэвидсон проводил множество экспериментов на совсем маленьких детях: их эмоции естественны и неподдельны, а потому были важны в рамках его исследований «эмоционального мозга».

Так вот, примерно через десять лет после получения тех результатов, о которых я уже вам рассказал,

Дэвидсон поставил эксперимент, в котором с помощью энцефалографа регистрировал реакции мозга девятимесячных детей на исчезновение матери.

Соответствующие датчики подключались к голове малыша в присутствии матери, потом ещё какое-то время она проводила со своим ребёнком, а затем — по заметной только ей команде экспериментатора — покидала комнату. Ребёнок оставался один.

Конечно, все без исключения дети не были в восторге от подобного поворота событий. Но их реакции, если опустить общую обеспокоенность, всё-таки были разными:

- одни дети принимались тревожно кукситься и рыдать,

- а другие — напротив, начинали с любопытством оглядываться по сторонам.

Проще говоря, одни переживали уход родителя как психологическую травму, а другие — как повод заняться чем-то другим. То есть для одних связь с матерью была чрезвычайно важна, а другие достаточно спокойно могли занять себя чем-то другим в её отсутствие.

Вот эта неготовность подменять взаимодействие с человеком какой-то другой деятельностью (которая напрямую не связана с другими людьми) и является типичной особенностью «невротика».

С другими людьми он способен заниматься чем угодно и сколько угодно, а вот сам по себе — один на один с окружающим миром — он чувствует себя некомфортно. В отличие от «шизоида» и «истероида», «невротик» нуждается в стае, причём с самого, так сказать, младенчества.

Но мы отвлеклись... Вернёмся к энцефалографическим результатам этого исследования: какие зоны мозга активизировались у детей, которые переживали «травму потери», а какие — у тех, что реагировали на уход матери любопытством к окружающей обстановке?

Думаю, вы легко можете дать ответ:

- «правополушарные» дети крайне тягостно переживали уход матери,

- а «левополушарные» — относительно легко переключались на другие раздражители.

То есть то полушарие мозга, которое у нас, как мы знаем благодаря исследованиям Майкла Газзанига, фактологическое (правое полушарие головного мозга), одновременно и более социальное.

А вот то, которое у нас больше языковое (по крайней мере, ему предстоит таким стать, когда эти дети вырастут), чем фактологическое (левое), напротив, менее социально — если нет вокруг других людей, оно займётся чем-нибудь ещё.

Конечно, зареветь во всю мощь могли и дети с «истероидным радикалом», испытывая фрустрацию потребности в безопасности. Более того, все дети расстраивались после ухода матери (подкорка всё-таки есть у обладателей любого психологического типа).

Но важно, как дети вели себя дальше: одни продолжали испытывать потребность в другом человеке, а потому расстраивались всё больше и больше, а другие, благодаря активности левого полушария, напротив, с лёгкостью переключались на неодушевлённые вещи и прочие обстоятельства ситуации.

Что ж, стоит ли после этого удивляться, что «шизоиды» в среднем обладают более выраженным, нежели остальные психологические типы, «вербальным интеллектом»: им легче даётся абстрактная словесно-логическая деятельность, математика, программирование и овладение иностранными языками. В общем, «мыслители» чистой воды.

Итак, говоря о нейрофизиологии того или иного психологического типа — «истероидного», «шизоидного» или «невротического», — нам не следует всё сводить лишь к вертикальным отношениям мозговых структур (мол, кора, подкорка — и всё тут). Нет, мы должны учитывать и горизонтальные взаимодействия, в частности, межполушарные.

Боль самосохранения

Это инстинкт, крошка...
и, если на то пошло, я верю,
что инстинкт — железный скелет
под всеми нашими идеями
о свободе воли.
СТИВЕН КИНГ

Когда мы говорим об инстинктах, речь идёт вовсе не о каких-то загадочных силах и сущностях, которые действуют в нас неким тайным и мистическим образом. Нет, речь идёт о банальной психофизиологии.

Детальный анализ реакций нашего мозга на раздражители позволяет достаточно **чётко выявить специфические паттерны трёх наших базовых инстинктов — самосохранения, социального и полового.**

Впрочем, у каждого из нас свой набор генов, а потому выраженность соответствующих паттернов у разных людей может сильно отличаться:

- у кого-то, например, более высокий болевой порог, а у кого-то — напротив, чрезвычайно низкий;

- кто-то хорошо считывает эмоциональные состояния других людей, а кому-то это даётся с трудом;

- кто-то буквально физически страдает от недостатка телесной близости, а кто-то, напротив, испытывает выраженный дискомфорт и даже раздражение, когда кто-то к нему прикасается.

Впрочем, это лишь верхушка нашего нейро-физиологического айсберга. Подобных — несущественных на первый взгляд и незначительных по отдельности — индивидуальных особенностей мозга у каждого из нас превеликое множество.

Наши инстинкты, если мы смотрим на них не с каких-то абстрактных философских позиций, а как бы изнутри мозговых процессов, буквально сплетены из этих тончайших волосков «чувствительности и нечувствительности», «нехватки и холодности», «возбудимости и устойчивости».

А взятые все вместе, поверьте, эти «тонкости» и «нюансы» уже отнюдь не выглядят несущественными. Напротив, они превращаются в самые настоящие жилистые канаты инстинктов, на которых и раскачивается наше с вами слабосильное и кажущееся разумным существо.

К сожалению, формат данной книги не позволяет мне дать детальный анализ всех особенностей нашей нейрофизиологии, от которых зависит выраженность того или иного инстинкта у конкретного человека (и это было бы, поверьте, весьма утомительным чтивом).

Поэтому я позволю себе ограничиться лишь несколькими показательными примерами, которые позволят, как мне кажется, составить общее представление о сложности той нейронной машины, которая и создавалась эволюцией под производство соответствующих инстинктов.

Начнём мы, пожалуй, с индивидуального инстинкта самосохранения, проявляющегося, в частности, способностью (или неспособностью) нашего мозга создавать пугающее нас чувство боли.

Чувство боли, что бы мы о нём ни думали, это не какая-то объективная вещь, а лишь наше собственное субъективное переживание.

Характер внешних воздействий не влияет напрямую на то, как мы ощущаем боль. Одному человеку можно сломать ногу, а он лишь выругается, другой же будет сутки страдать из-за незначительной царапины.

Поэтому, когда кто-то говорит, что ему больно, вы не знаете, что он имеет в виду. Вы подставляете под его слово «больно» своё собственное ощущение боли, которое бы вы испытали в подобном случае.

Возможно, вам двоим покажется, что вы поняли друг друга, используя слово «боль», но это заблуждение — у каждого своё ощущение болевых стимулов.

Проще говоря, высокий у вас болевой порог или низкий — зависит от того, каким образом ваш мозг реагирует на те или иные раздражители (давление, температуру и т. д.).

Дело в самом устройстве вашего мозга — на что и как он запрограммирован генами. А у других людей — другой мозг и, соответственно, другие программы и настройки.

Вот почему полагаться на самоотчёты людей, рассказывающих о своём «чувстве боли», абсолютно бессмысленно — мы просто не сможем эти данные корректно интерпретировать.

Так что в научных лабораториях используются разные хитрые приёмы, чтобы узнать, какова болевая чувствительность человека на самом деле.

Например, есть такой способ определения болевой чувствительности. Испытуемого просят прикоснуться к специальной колбе, наполненной горячей водой (впечатление, что кладёшь руку на раскалённую плиту, только, к счастью, соответствующего ожога на коже не возникает).

После этой экзекуции мозг человека, естественно, тут же создаёт чувство боли, а в организме запускается стрессовая реакция. Далее исследователи замеряют мигательный рефлекс и время, за которое он восстанавливается после произведённого стрессового воздействия.

Чем быстрее мигательный рефлекс приходит в норму, тем выше у данного испытуемого болевой порог. **Если же мозг подопытного долго не может взять под контроль мышечный тонус своих век и вернуть его к нормальным показателям, то считается, что у такого человека низкий болевой порог.**

Теперь представьте себе двух людей с разным болевым порогом (уровнем переносимости боли):

- один имеет высокий болевой порог, то есть, чтобы сделать ему больно, надо постараться;

- а другой — низкий, и испытывает боль при самых незначительных, казалось бы, воздействиях.

Повлияет ли это, отнюдь не очевидное, биологическое обстоятельство на то, какой человек вырастет из ребёнка, имеющего подобные генетически обусловленные особенности?

Да, повлияет. И последствия будут весьма значительные...

Во-первых, понятное дело, травматизм. Человек с высоким болевым порогом вряд ли станет проявлять избыточную осторожность, ведь его не пугают последствия его неловкости — ну, упадёт, ну, ударится, ну, сломает что-то.

Если не больно, то и не страшно, а если не страшно — то держите нас семеро.

Как следствие такой человек будет чаще других нарываться на неприятности: ввязываться в драки или другим образом рисковать собственным здоровьем, ну и как следствие — беспокоить МЧСников, регулярно наведываясь в травмпункт.

Напротив, если у вас низкий болевой порог, то вы будете аккуратны и предусмотрительны. Ваш мозг запомнит все ситуации, где вы травмировались, и научится на автомате прогнозировать вероятные негативные последствия: где вы ещё можете обо что-то удариться, на что-то напороться, порезаться, упасть и т. д.

Казалось бы, мелочь, правда?.. Но это не совсем так, особенно если мы подумаем о последствиях, к которым приводит та или иная форма поведения — «бесстрашная» (при высоком болевом пороге) и «избегающая» (при низком болевом пороге).

Сейчас мне вспомнилась одна пациентка из Клиники неврозов. Она поступила к нам на отделение из НИИ скорой помощи им. И. И. Джанелидзе после очередной неудавшейся попытки самоубийства.

Надо сказать, что эта девушка к своим двадцати с небольшим годам имела уже достаточно богатый «послужной список».

В анамнезе у неё числился десяток попыток самоубийства. Как правило, она просто резала себе руки, но, по её словам, покончить с собой цели не ставила — «просто так». В этот раз, впрочем, она проявила изобретательность и зачем-то прыгнула с балкона четвёртого этажа.

Кроме того, она уже дважды становилась жертвой сексуального насилия, и всякий раз потому, что оказывалась «не с теми людьми и не в том месте» (цитата). О чём, впрочем, рассуждала достаточно спокойно и даже «по-философски».

Ещё одним проявлением загадочности её натуры был тот способ, которым девушка снимала стресс после очередного конфликта с матерью (а случались они регулярно): она прижигала свои руки сигаретами.

В общем, и на запястьях, и тыльной стороне ладони было на что посмотреть: шрамы, шрамы и ещё раз шрамы.

Вам, вероятно, всё это может показаться сущим безумием. Но в диагнозе тяжёлого психического расстройства (шизофрении или маниакально-депрессивного психоза) психиатрами моей пациентке уже было множество раз отказано. Расстройство было признано пограничным — психопатия.

Что ж, думаю, вы уже и без всякой колбы догадались, что с болевым порогом дела у этой моей пациентки обстояли неважно. Но сейчас я хочу обратить ваше внимание на ещё один немаловажный факт, который, несмотря на всю свою незатейливость, думаю, неплохо взбодрит ваши моргательные автоматизмы. Моя пациентка регулярно укладывалась в больницу с диагнозом «сотрясение мозга». Я, конечно, не мог не уточнить:

— А это у Вас не первое, надо полагать, падение с высоты, раз столько сотрясений... Откуда ещё прыгали?

— Не, не прыгала, — отвечает. — Это всё на кухне.

— На кухне? — удивился я.

Мне представились какие-то совершенно драматические события — взрывы кухонных плит, скользкий, залитый водой пол, обрушение потолка...

— Да, — безучастно ответила она, — о дверцу шкафчика.

— В смысле?..

— Ну, шкафчик такой — над раковиной. Понимаете? — с некоторым сомнением в моей разумности уточнила она, и, решив, видимо, больше не рисковать, принялась объяснять как глухонемому: — Когда вот так посуду моешь, а дверца шкафчика открыта, она сверху, и ты поднимаешь голову вот так, — она продемонстрировала соответствующее движение.

— Семь раз?! — не удержался я (столько сотрясений ей поставили невропатологи).

— Нет, ну не семь... — она задумалась. — Больше, конечно. С госпитализацией что-то вроде того, да — семь, восемь, может быть...

Теперь внимание: представьте, что у вас есть кухонный шкаф над мойкой, вы забыли закрыть дверцу и в порыве гигиенического энтузиазма напоролись на неё головой. Причём не просто напоролись, а разбили свою единственную и ненаглядную голову так, что вас пришлось госпитализировать.

Какова вероятность того, что вы столкнётесь с этим шкафом в лобовой атаке ещё раз? Думаю, она невелика. Но даже если это вдруг по каким-то мистическим причинам и произойдёт, то после этого вы, вероятно, демонтируете этот злосчастный шкаф — на всякий случай и от греха подальше (кстати, именно это я и посоветовал потом сделать матери моей пациентки).

А здесь — регулярно! Бац-бац-бац! И как минимум семь раз с сотрясениями мозга! Как вам?..

Мозг моей пациентки не производил чувства боли (хотя она и уверяла, что боль чувствует и не любит, когда ей больно). Но если бы боль была по-настоящему ощутимой, то она бы сыграла роль отрицательного подкрепления и возникли бы соответствующие — оборонительные условные рефлексы.

Девушка перестала бы прижигать себя сигаретой, шинковать свои руки острыми предметами и заблокировала бы уже наконец железобетонно это своё роковое движение головы, которое она мне и сейчас, на приёме, так лихо продемонстрировала.

Но нет... Она раз за разом решительно шагала на те же самые грабли.

Если бы всё это происходило в дикой природе, как вы думаете, долго бы животное с таким генетическим дефектом протянуло? Видимо, нет, что и позволяет нам говорить, что мы имеем дело с ослабленным (изменённым) индивидуальным инстинктом самосохранения.

ДЕКЛАРАТИВНАЯ ПАМЯТЬ В «ПРОЦЕДУРНОМ КАБИНЕТЕ»

Самая опасная вещь в психологии — это самоотчёты. К сожалению, всё, что мы можем сказать о себе, говорим мы сами, а это значит, что то, каковы мы, влияет на то, что мы говорим о себе. Короче говоря, это порочный круг самозаблуждений.

Поэтому, если вы спросите у человека, боится ли он, например, врачей и уколов, а он ответит вам, что очень, да и в самом деле падает в обморок при виде таблички с надписью «процедурный кабинет», это ещё вовсе не значит, что у него низкий болевой порог.

Да, наш мозг — штука причудливая. Так, например, нейробиолог, профессор Нью-Йоркского университета Джозеф Леду в своё время проводил совместные исследования с Майклом Газзанига на расщеплённом мозге[12] и заметил следующую немаловажную деталь...

Оказалось, что если вы предъявляете некий эмоциональный стимул лишь правому полушарию мозга (допустим, видео играющих панд или хронику ампутации конечности), то левое полушарие сможет описать возникающие у человека чувства, но не сможет сказать, что именно человек видит.

То, что у нашего правого полушария, прямо скажем, с языком проблемы, нам уже хорошо известно как раз благодаря работам Газзанига. Но это важный нюанс: левое полушарие такого испытуемого,

---

12 Майкл Газзанига — один из основателей когнитивной психологии — проводил свои исследования на пациентах, которым была проведена комиссуротомия мозолистого тела. Эта операция широко использовалась для лечения больных с тяжёлыми формами эпилепсии, в результате правое и левое полушарие их мозга лишались прямой взаимосвязи и функционировали в каком-то смысле независимо друг от друга.

не зная об истинных причинах тревоги (или радости), способно осознавать эти чувства и даже как-то их себе объяснять.

Последующие исследования, проведённые в лаборатории Джозефа Леду, показали, что **часть наших воспоминаний действительно фиксируется лишь в подкорковых областях — например, в так называемой амигдале (таламусе), а часть — в корковых структурах, вовлекающих височную долю, ответственную за речь и язык.**

То есть о чём-то мы помним, но не осознаём этого, а о чём-то помним и на сознательном уровне, и потому можем об этих воспоминаниях рассказать. Для обозначения этих двух видов памяти учёные используют специальные понятия:

- процедурной памяти (памяти на действия, поведенческие шаблоны и эмоциональное значение стимулов)

- и памяти декларативной (памяти, которая не только хранит ваши воспоминания, но и позволяет вам обращаться к ней сознательно, целенаправленно).

Представьте себе: вы врач и у вас есть пациентка, страдающая тяжёлой формой амнезии. Каждый раз, когда вы заходите к ней в палату, вам приходится заново ей представляться, потому что она вас не помнит и не узнаёт.

Но дальше вы проводите такой трюк (основано на реальных событиях): вы берёте булавку, прячете её себе в руку и аккуратно колете женщину во время вашего очередного с ней «знакомства». Женщина вскрикивает, но потом это всё, понятное дело, забывается.

На следующий день вы входите в палату и протягиваете своей пациентке руку. Она вас снова не узнаёт — вам в очередной раз придётся рассказывать, как вас зовут, кто вы и зачем пришли. Но вот руки она вам больше не подаст. То есть её таламус (миндалина) помнит, что вы — источник боли, но в то же время на уровне коры — полная неопределённость.

Думаете, что это свойственно только людям с болезнью Альцгеймера? Нет.

Каждый из нас переживал в раннем детстве множество эмоциональных опытов — и хороших, и плохих. Их запомнила наша амигдала, но поскольку речевые центры в нашей коре ещё не были тогда сформированы в достаточной степени, мы не смогли перевести эту память из процедурной в декларативную.

Так что и сейчас вы, без всякого Альцгеймера, прекрасно помните многое из того, о чём даже не догадываетесь. И эти воспоминания, возможно, сильно влияют на вашу жизнь, поведение и поступки. Но вспомнить то, что вы помните, вы не можете, потому что соответствующее воспоминание за-писано в вас на непонятном вашему сознанию языке.

В общем, память памяти — рознь. **И когда человек говорит вам, что он труслив, не выносит боли и боится врачей до чёртиков, это вовсе не значит, что у него по-настоящему низкий болевой порог.**

Возможно, он думает, что у него низкий болевой порог, а потому и ведёт себя в определённых ситуациях, исходя из этих своих соображений (интеллектуальных конструкций). Он даже способен довести себя до обморока, если потребуется — мол, ужас-ужас, врачи-врачи, укол-укол, кровь...

Чувствуете, сколько осознанных мыслей? Какой шторм, так сказать, декларативной памяти?

Но что в этих ситуациях происходит с его подкорковыми структурами на самом деле? Тревожится ли его амигдала пред лицом агрессивного, воинствующего шприца? Не факт. То есть в реальности, вполне возможно, болевой порог у такого «труса» как раз очень высокий.

За формирование физической боли отвечают наши подкорковые структуры, и страх они вызывают неосознанный, спонтанный, рефлекторный, если хотите, а не тот, который возникает после прочтения надписи «Процедурный кабинет» и последующих сознательных фантазий на эту тему.

Вот почему не стоит удивляться подобной непоследовательности: человек вроде бы боится врачей, болезней, травм и вообще «всего-всего», но это совершенно не мешает ему бесшабашно гонять на мотоцикле, лазить по отвесным горам, носиться на скейте по пересечённой местности и совершать ещё тысячу прочих безрассудств, на которые субъект с нормальной (то есть, тревожной) амигдалой и по-настоящему низким болевым порогом никогда бы не решился.

На самом деле у описываемого мною лихача высокий болевой порог, и его амигдала не видит опасности ни на высоких скоростях, ни в условиях агрессивной внешней среды. Почему? Потому что такое вот слабое проявление в данном мозгу индивидуального инстинкта самосохранения...

Так что не удивляйтесь, что многие «мыслители» («шизоиды») будут рассказывать вам о том, что боль — «это так ужасно» (или вы сами, будучи «мыслителем», так думаете). На самом деле, всё это лишь плод работы корковых отделов головного мозга — наведённые, так сказать, страхи, не обусловленные врождённой психофизиологической конституцией.

Во-вторых, ориентация в окружающем мире. Допустим, что естественное чувство боли не помогает вам ориентироваться в окружающем мире, не даёт вам нужных подсознательных подсказок, где действовать осторожнее, где аккуратнее, где деликатнее.

Очевидно, что эта своего рода слепота чревата возникновением опасных для вашей жизни ситуаций: вы будете вечно ввязываться в какие-то передряги, лезть туда, где опасно, да ещё и без страховки (зачем вам страховка, если вы не боитесь последствий своих действий?).

Если это ваш случай, но вы всё-таки ещё живы, то вам, судя по всему, как-то удалось компенсировать этот «дефект» своей психики. Что же позволило вам выжить в этом мире, если на физиологический и оберегающий вас страх боли вы рассчитывать не можете?

Скорее всего, вы научились просчитывать и запоминать ситуации, в которых можете столкнуться с возможными неприятностями. **Да, там, где не помогает физиология, приходится полагаться на рассудок — «аналитический ум».**

Скорее всего, вам было не особо больно, когда вы упали на прогулке и расшибли колено. Но вполне возможно, что вас напугала реакция вашей мамы, которая впала из-за этой «мелкой царапины» в панику и устроила вам за это отлуп с головомойкой, а самое печальное — лишила вас возможности вдоволь позаниматься тем, что так для вас важно и интересно.

— Что ты творишь?! Куда опять залез?! Почему под ноги не смотришь?! У меня из-за тебя когда-нибудь сердце разорвётся! Никаких тебе больше динозавров, понял?!

Разорвётся у неё сердце или нет — вас в ваши пять лет вряд ли волновало. Но вот остаться без нового динозавра — это риск существенный... **Что ж, придётся теперь просчитывать траекторию своего бега, чтобы не напороться... на мамино негодование.**

Впрочем, рассудительность, с другой стороны, скоро поможет вам научиться скрывать от мамы полученные травмы — тоже выход. В общем, зачем чувствовать, если можно думать? И да, мы развиваем соображаловку и всё больше превращаем себя в «мыслителя».

Впрочем, и это ещё не все следствия...

В-третьих: любопытство и новаторство.

Представьте, что вы ребёнок с низким порогом боли и вам предлагают вписаться в какую-нибудь авантюру: прыгнуть с обрыва, залезть в какую-нибудь трубу, подебоширить в заброшенном здании, построить на дереве шалаш, поджечь сухую траву, расплющить патроны под колёсами электрички, ну и мало ли что ещё...

Вероятно, подобные эксперименты вас вряд ли вдохновят. Вам будет тревожно, потому что ваша амигдала хорошо знает, чем заканчиваются падения, удары, ожоги и прочие подобные несчастья. Для неё, благодаря низкому болевому порогу, все эти «приключения» уже не раз заканчивались самым настоящим ужасом и стрессом.

Но если вы ребёнок с высоким болевым порогом и ваша кора безраздельно властвует над подкоркой, то вам, разумеется, все эти несчастья неведомы.

Ну, подумаешь — руку ударил, ногу сломал. Неприятно, конечно, но мозг не фиксирует на рефлекторном уровне тех обстоятельств, в которых данная неприятность случилась, а потому и на будущее особых выводов он не делает.

Зато вам всё крайне любопытно — обрывы, заброшенные здания, патроны, костры, несущиеся поезда! Ничего (а точнее — индивидуальный инстинкт самосохранения) не сдерживает вашу поисковую активность.

Поэтому когда вы видите какой-то лаз, разваливающееся здание, песочный карьер, бесхозные предметы и деревья, на которые можно забраться, а тем более настоящее оружие (!), вы загораетесь энтузиазмом.

Вы чувствуете невероятный азарт, драйв, предвкушая встречу с чем-то новым и неизвестным! И да, в этом вам товарищ с низким болевым порогом (и выраженным инстинктом самосохранения) — не товарищ. Нужно искать кого-то побойчее, поживее и побезумнее! Иначе скучно...

Формируется ещё один поведенческий паттерн:

- один стремится к проверенным и понятным ситуациям, а новое его пугает и напрягает,

- другой, напротив, жаждет приключений (причём сразу на все точки), всё неизведанное будоражит его чувства и вызывает предвкушение исследовательских восторгов.

Простая вроде бы вещь — болевое ощущение. Но если у двух особей оно разное, то и схемы поведения у них будут существенно различаться. А их психологические типы после всех стадий взросления, окажутся в чём-то диаметрально противоположными.

Когда один ребёнок постоянно лезет в драку, а другой ищет любые способы, чтобы её избежать, можно быть уверенным, что взрослые из этих детей вырастут разные. Да, все мы «родом из детства», но наше детство родом из наших генов.

Когда одному хочется экспериментировать, а другому нужно, чтобы всё было понятно, предсказуемо и знакомо, последующие отличия в психологических типах неизбежны. И так далее, далее, далее...

То есть в основе лишь причудливая игра инстинкта самосохранения, основанная на вполне понятных психофизиологических особенностях, а в результате получаются совершенно разные люди, которым будет очень непросто понять друг друга, потому что и сам окружающий мир они воспринимают по-разному.

ЯВНОЕ ТАЙНОЕ

Возможно, это звучит просто — «болевой порог». Мы же все знаем, что такое боль, а ещё мы знаем, что может быть «не больно», «больно» или «очень больно». Но за всей этой очевидностью скрывается нечто, что нам действительно трудно понять.

Первая проблема состоит в том, что чувство боли, как я уже сказал, это вещь субъективная. Боль, которую вы испытываете, не связана напрямую с тяжестью фактических повреждений органов и тканей.

Боль — это нечто, что производит наш мозг так же, как он производит чувства или мысли. Но чувства и мысли не измеришь никаким прибором, и с болью на самом деле то же самое. Врачи вынуждены полагаться на самоотчёты пациентов, а это предельно субъективная вещь, и врач всегда имеет это в виду.

Как вы, наверное, знаете, инфаркт сердца, как правило, сопровождается приступом острой боли за грудиной (иногда она бывает совершенно нестерпимой). Закупорка коронарного сосуда, кровоснабжающего сердце, приводит к острой нехватке кислорода в сердечной ткани, начинается её некроз, о чём соответствующие нервные окончания и сообщают непосредственно в мозг. В результате возникает болевое ощущение.

Но и иннервация сердца у каждого из нас имеет индивидуальные отличия. В результате — кто-то корчится от боли, хотя у него всего лишь микроинфаркт, который никакой существенной опасности для жизни человека не представляет.

А кто-то переживает тяжелейший инфаркт, поразивший обширные области сердца, и даже не догадывается об этом — просто, например, резко возникла одышка, появилось неприятное чувство тяжести за грудиной, но никакой ощутимой боли.

О том, что у такого человека был инфаркт, врачи узнают лишь потом, обнаруживая соответствующие рубцы на сердечной мышце во время планового обследования. Да, человек переходил свой инфаркт на ногах и даже не подозревал об этом.

Или другой пример: многие пациенты мучаются от тяжёлых, изнуряющих хронических болей. Они обследуются у всех врачей, каких только можно себе представить, но никаких поражений тканей и органов у них не обнаруживается.

Когда же, наконец, такой пациент доходит до психиатра, а тот понимает, что имеет дело с «маскированной депрессией» (один из видов депрессивного расстройства), то всего лишь через две недели терапии антидепрессантами мы видим полное исчезновение этих болей, которые мучали человека до этого годами.

Саму депрессию лечат долго, но боли проходят быстро. Почему? Потому что эту боль создавал страдающий депрессией мозг пациента, она лишь ощущалась им в теле. Антидепрессанты действуют достаточно быстро и симптом уходит, последующий приём лекарства нужен для того, чтобы депрессия, лишь проявляющаяся такими телесными болями, не вернулась.

Этим же объясняется и феномен так называемых «фантомных болей», когда у человека болит отсутствующая (ампутированная) рука.

То есть руки у человека нет, а он дико страдает, например, от боли в суставах большого пальца. Как такое может быть? Очень просто: когда ему ампутировали руку, ему, конечно, не стали удалять ещё и фрагмент мозга из постцентральной извилины, где эта рука запечатлена как элемент «схемы тела» (это было бы слишком жестоко).

Именно там, в этом участке мозга, и возникают ощущения, которые вы, как вам кажется, испытываете в руке, но на самом деле вы эти ощущения на руку лишь проецируете[13].

Вторая проблема состоит в том, что боль не только субъективный фактор, но ещё и психологический. То есть переживание боли (то, как вы её ощущаете, воспринимаете, как к ней относитесь) само по себе имеет колоссальное значение для вашей психики.

Это, я полагаю, тоже звучит несколько странно. Но что поделаешь? Мозг — машина, с одной стороны, загадочная, с другой — весьма, должен вам сказать, «логичная» (только у него своя логика, понять которую не так-то просто).

Например, всякий раз, когда вам приходится расставаться с крупной денежной суммой, в вашем мозгу активизируются так называемые «центры боли» (учёные обнаружили это с помощью фМРТ).

Но ваш мозг не знает, куда бы ему эту боль спроецировать, поэтому вы просто испытываете тревогу и сильный психологический дискомфорт. Но каким образом денежный вопрос может активизировать нейрофизиологические центры боли?!

Это действительно странно, но если вы хорошенько задумаетесь о том, что значит для вашего мозга расставание с деньгами с психологической точки зрения, то увидите, что всё тут вполне «логично».

Деньги накрепко связаны в нашем мозгу с идеей безопасности и защищённости. Представьте, что

---

13. Этот феномен подробно изучил выдающийся невролог Вилейанур Рамачандран, и он же разработал весьма хитроумный способ обмануть мозг и справиться с такого рода «фантомными болями».

у вас — вдруг! — совсем не осталось денег — вообще никаких и никак. Ни на еду, ни на крышу над головой — абсолютный ноль.

Что вы испытаете?.. Правильно, у вашего инстинкта самосохранения начнётся самая настоящая истерика, потому что ваша жизнь оказалась под угрозой. Ну и какой центр ему в мозгу активизировать? Тот, что с инстинктом самосохранения связан напрямую — «центр боли».

А теперь вернёмся к «процедурному кабинету»... На самом деле многие из нас боятся боли просто потому, что они очень художественно её себе представляют — в красках, так сказать. То есть способны порождать в своём мозгу такие чудовищные картины, что умирают загодя.

Понятно, что нет ничего приятного в этих медицинских процедурах: сдача крови на анализ, пункция, посещения стоматолога или что-то ещё в этом роде. Но укол — это, прошу прощения, просто укол. Никто от этого ещё не умирал.

Однако человек с богатым воображением (и зачастую с мощным, как ни странно, мышлением) способен создать в своём мозгу такое гигантское напряжение по поводу предстоящих ему медицинских манипуляций, что любой укол покажется ему выстрелом в затылок из гранатомёта.

Почему такие пациенты падают в обморок ещё до того, как игла к ним прикоснётся? Разве же дело в реальном чувстве боли? В фактическом болевом пороге? Нет, конечно. Дело в их воображении, в нервно-психическом напряжении, а это вовсе не то же самое, что физиологический болевой порог.

В других ситуациях, когда такой человек не думает о том, что ему, возможно, будет больно, он боли и не испытает, хотя к тому есть все, так сказать, основания.

То есть если он не создаст предварительно соответствующей «болевой доминанты» в своём мозгу, он, из-за высокого (на самом-то деле) болевого порога, существенного дискомфорта не испытает.

Поэтому бессмысленно спрашивать у человека, боится ли он боли. Просто уточните у него, между делом, как часто он получает травмы, порезы, занимается ли каким-то опасным видом спорта...

И если выяснится, что травмы и порезы — это для него обычное дело, а сам он любит бокс и приходит в щенячий восторг при виде коллекции холодного оружия, то, поверьте, всё у него с болевым порогом в полном порядке — как Джомолунгма!

Не случайно тот же Фредерик Пёрлз любил повторять: «Не слушайте, что они говорят, смотрите на то, что они делают». Очень верное, надо признать, замечание.

Валюта иерархии

Будем считать, что с физиологией инстинкта самосохранения нам всё более-менее понятно. Всё-таки это биология, инстинкты, рефлексы... А какова в таком случае психофизиология нашей с вами социальности? Тут, наверное, странно нечто подобное обнаружить.

Но нет, и тут всё то же самое — физиология, рецепторика и тренировка мозга.

То, что мы с вами приматы, надеюсь, понятно. А каким образом наши ближайшие родственники: шимпанзе, бонобо и прочие гориллы — выстраивают свои социальные связи?

Учёные-этологи пролили свет на этот вопрос: **главный инструмент создания и регулировки социальных отношений в группе приматов играет груминг (то есть взаимное вычёсывание).**

«Груминга без какой-либо цели просто не существует, — пишет выдающийся приматолог Франс де Вааль и добавляет: — Всякий груминг имеет политический подтекст».

Долговременные и кратковременные союзы, дружба «с» или дружба «против», распределение пищи и передача навыков — всё это с математической точностью коррелирует с плотностью телесных контактов между членами группы.

И не думайте, что причина последующего взаимного расположения потёршихся друг о друга обезьян — это некое абстрактное и рациональное чувство благодарности за вычесанных блох: мол, спасибо, друг сердечный, что вычесал, а то совсем закусали! Нет, конечно.

Причина в тех положительных эмоциях, которые испытывают обезьяны после произведённого над ними груминга. И эмоции эти возникают, конечно, не «по здравому рассуждению» и не «по доброте душевной», но по строгим нейрофизиологическим — точнее, нейрогуморальным — механизмам.

Поглаживание, покусывание, пощипывание и прочие «телячьи нежности» побуждают специфические области мозга примата (гипофиз, гипоталамус и т. д.) запустить целый каскад гормональных реакций в частности, выработку окситоцина и эндорфинов.

Эти гормоны удовольствия, радости, спокойствия и близости между членами стаи, вырабатываемые организмом в ответ на поглаживания, и есть те «скрепы», на которых держатся наши социальные связи. Мы ведь тоже приматы, не будем забывать об этом.

Возможно, после этого вас не удивит тот факт, почему рукопожатия, объятия, похлопывания по плечу и прочие прикосновения — это то, чему политиков и менеджеров по продажам учат в первую очередь.

Действительно, если вам удаётся прикоснуться к человеку, у него инстинктивно возникает к вам чувство доверия. Спасибо эндорфинам животворящим!

Посмотрите, как здороваются руководители стран на всех этих своих бесконечных (и, в целом, совершенно бессмысленных) саммитах: они хватают друг друга под руки, обнимаются, тянут к себе, треплют за плечо, хватают со спины и т. д., и т. п.

Прямо какая-то счастливая обезьянья свора — ни дать ни взять!

Просто проходя мимо, они считают своим долгом прислониться к товарищу по политическому истеблишменту, приобнять его и помацать. Думаете, это всё бесконечное затискивание происходит из-за большой и чистой любви президентов и премьер-министров друг к другу? Чувств сдержать не могут?

Нет, конечно. Это банальная манипуляция, основанная на психофизиологии: потискал человека, отгрумил его, так сказать, по полной, — и, пожалуйста, делай с ним всё, что тебе заблагорассудится, он уже «весь твой».

- В социальных группах шимпанзе груминг играет роль главной «валюты». Причём обычно шимпанзе практически всё своё свободное время затрачивают на груминг тех, кто входит в их группировку («группу влияния» внутри большой стаи).

  Таким образом, они постоянно поддерживают контакт с теми обезьянами, на чью помощь и поддержку они могут рассчитывать. Неслучайно младшие (стоящие ниже по рангу) обезьяны предсказуемо больше и чаще вычёсывают старших, нежели наоборот.

- Однако когда в социальной группе шимпанзе начинается подготовка к изменению «в руководстве» и «группы влияния» схлёстываются друг с другом в борьбе за будущее лидерство, ситуация меняется.

В такой напряжённой политической ситуации самцы, по данным исследований Франсуа де Вааля, затрачивают на груминг своих противников (или обезьян, входящих в противоположную «группу влияния») больше 20% времени.

Это и понятно, сейчас им нужно задобрить потенциальных соперников, склонить кого-то из них на свою сторону — в общем, обеспечить себе поддержку в стане врага, снизить собственные риски, которые могут возникнуть во время следующих потасовок и перетасовок на обезьяньем Олимпе.

Теперь приглядитесь повнимательнее к тем самым мировым саммитам, посчитайте все эти взаимные обнимашки, и курс теоретической политологии можно будет смело прогулять — всё и так видно, на глаз.

Впрочем, понятно, что любой признак в природе варьирует. Соответственно:

- есть особи, которые от природы получают большее удовольствие, становясь объектом обнимашек,

- а кому-то это не так важно, не так приятно и не так этого хочется;

- плюс к этому, кто-то получает большое удовольствие от того, что он кого-то обнимает — так пальцы и чешутся у него кого-нибудь загрумить,

- а кто-то, наоборот, удовольствия от груминга соседа не получает и тяги соответствующей не испытывает.

Эти индивидуальные отличия обусловлены генетически: у кого-то подобного рода раздражители вызывают мощную гормональную реакцию, а у кого-то — относительно низкую.

В результате одни приматы обладают бо́льшим количеством «социальной валюты» и большей потребностью в такой «валюте», а другие, наоборот, ведут образ жизни более изолированный: мало производят этой «ценности», и сами на меньшие её «суммы» рассчитывают.

СМЕШНАЯ «ПРАВДА» И «ЛОЖЬ»

Фридрих Ницше говорил, что человек — это единственное животное на земле, которое умеет смеяться. Звучит, согласитесь, очень поэтично. Но это заблуждение.

Смеются, что первым доказал этолог Джек Панкснип, многие виды млекопитающих. Причём от приматов — до крыс (впрочем, с последними Панкснипу пришлось повозиться: чтобы зафиксировать смех крысы ему понадобились специальные высокочастотные приборы).

Какова же нейрофизиологическая природа смеха? Что это за странная реакция и зачем она понадобилась эволюции?

Все мы знаем, что смех возникает, например, когда нас щекочут. Но разве это не удивительно? Выдающийся нейробиолог Вилейанур Рамачандран предлагает над этим задуматься.

Почему мы испытываем щекотку, лишь когда нас касается другой человек? Мы же и сами постоянно дотрагиваемся до себя во всех возможных местах, но щекотки не чувствуем... Как так?!

Дело в том, что наш мозг создал в себе «схему» нашего тела[14], и когда вы, например, прикасаетесь рукой к своим пяткам, он знает, что это вы — потому что и ваша пятка, и ваша рука принадлежат одной «схеме тела» (таким образом он вас и опознаёт).

Иными словами, до тех пор, пока вы находитесь в замкнутом контуре своей «схемы тела», мозг подавляет реакции щекотки. В противном случае, нам бы пришлось очень непросто: только представьте, сколько раз вы бы в ужасе просыпались среди ночи от того, что вас «кто-то» трогает?

Однако когда нас касается другой человек, на которого наша «схема тела», понятное дело, не распространяется, мозг как бы говорит нам: «Эй, нас трогают!» И говорит он с нами чувством щекотки, а мы в ответ смеёмся, радуя тем самым субъекта, решившего нас загрумить. Так что смех — это не какая-то случайная вещь, а очевидное явление социальной природы.

Нейробиолог и профессор психологии Мэрилендского университета в Балтиморе Роберт Провайн провёл ряд интересных исследований и выяснил: нам только кажется, что мы смеёмся над «смешным» (например, когда смотрим комедии или что-то в этом роде), но **на самом деле мы смеёмся в присутствии других людей.**

Вероятность того, что вы действительно посмеётесь над шуткой, увеличивается в 30 раз, если рядом с вами находится другой человек. То есть смех —

---

14 Эта нейрофизиологическая функция так и называется — «схема тела», о чём, если помните, я уже рассказывал в «Чертогах разума».

это средство коммуникации между животными, а вовсе не какая-то глупая забава, придуманная эволюцией для личного пользования отдельно взятого субъекта.

Помню, как ещё во времена перестройки мне удалось где-то раздобыть роман Владимира Войновича «Жизнь и необычайные приключения солдата Ивана Чонкина». Он тогда казался мне невероятно смешным, и я буквально не мог читать его в метро — хотелось смеяться в голос. Однако же дома такого эффекта это произведение почему-то не производило…

Это казалось удивительным, но ничего странного, как выясняется, в этом не было. Всё дело — в социальных механизмах смеха.

Смех — это способ показать другим людям, что мы их понимаем, соглашаемся с ними, поддерживаем их, что мы с ними «одной крови». Он демонстрирует наши симпатии, эмоциональную вовлечённость в переживания другого человека. Неслучайно важнейшую роль в нейрофизиологии смеха играют «зеркальные нейроны» (именно поэтому смех, как и зевота, может быть настолько заразителен).

Но на самом деле с нашим смехом всё не так просто, как может показаться на первый взгляд. Оказывается, смех смеху рознь, и наш мозг чрезвычайно к этому чувствителен: он знает, когда мы смеёмся, что называется, от души, а когда мы лишь делаем вид, что нам смешно, то есть пытаемся обмануть собеседника.

Когнитивный нейробиолог Софи Скотт, работающая в Университетском колледже Лондона, занимается изучением вокализации. Точнее, она исследует, каким образом наш мозг реагирует на то, как говорит другой человек. Но широкую известность ей принесли именно исследования реакций нашего мозга на смех другого человека.

Ниже, на рис. № 3, вы видите сдвоенную томограмму мозга человека, слушающего смех.

В исследовании Скотт испытуемым надевали наушники и транслировали через них различные звуковые сигналы, среди них были и разные виды смеха: как наигранный смех, так и естественный. И вот что выяснилось:

- когда испытуемые слышали в наушниках естественный и спонтанный смех, реагировала их слуховая кора, причём в очень специфических областях, которые словно бы специально для этого и предназначены;

- когда же испытуемым транслировали в наушники неискренний смех (так мы смеёмся, «потому что надо» — например, для создания благоприятного впечатления о себе), у испытуемых, напротив, активизировались зоны мозга, ответственные за интеллектуальную деятельность, то есть их мозг чуял неладное и пытался разгадать истинные мотивы того, кто решил обмануть его наигранным смехом.

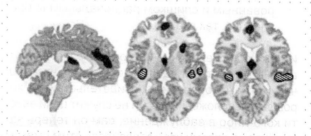

Рис. № 3. Результаты томографии мозга при естественном и наигранном смехе (S.K.Scott et al., 2014)

Примечание: зоны, активизирующиеся при восприятии естественного смеха, обозначены штрихами, а зоны, активизирующиеся при восприятии наигранного смеха, обозначены
чёрным цветом.

Иными словами, **наш мозг всегда пытается
разгадать истинную причину смеха, который
мы слышим.** И он делает это автоматически, если
смех естественный, а если нет, то он анализирует
ситуацию, стараясь уловить контекст: что значит
этот смех, почему человек смеётся, чего он хочет
этим добиться, какая у него цель? Очевидно же,
что неспроста!

Теперь представьте, что мозг одних людей живо
откликается на естественный смех — такими уж
чуткими они родились, а мозг других людей — нет,
и поэтому они вынуждены всё постоянно анализировать, подозревая, понятное дело, в происходящем что-то неладное.

Очевидно, что психологический контакт у таких
людей с их партнёрами будет сильно отличаться:

• в одном случае он сам собой окажется естественным, спонтанным, открытым и доброже-
  лательным,

• а в другом — напротив, сдержанным, дистанци-
  рованным и слишком рациональным (с про-
  хладцей, так сказать).

И даже если человек, плохо отличающий естественный смех от наигранного, сообразит, наконец,
что смех его собеседника свидетельствует о хо-
рошем расположении духа и не служит цели ввести кого-либо в заблуждение, сам он теперь за-
смеётся не потому что «заразился» этим смехом
от собеседника, а через-сознательно — наигранно
и неестественно.

Как вы понимаете, это не слишком способствует спонтанному взаимопониманию, а потому «социальный микроклимат» вряд ли улучшится.

Ещё одна проблема, которая тут возникает, связана с пониманием (или непониманием) социального контекста ситуации:

- если ваш мозг восприимчив к эмоциональным сигналам, исходящим от окружающих, то вы с большей вероятностью окажетесь с ними «на одной волне»;

- если же ваш мозг подобной чувствительностью не обладает, то есть шанс, что будете вести себя не так, как от вас ждут другие люди.

Большинству из нас, например, не надо объяснять, что на похоронах не следует смеяться, зависать в мобильных приложениях или спрашивать родственников усопшего, где они собираются провести отпуск. Скорее всего, мы и без рационального анализа данной ситуации посчитаем это несколько неуместным.

Но если ваша чувствительность к контексту ситуации не так хороша, как у других, то вам придётся специально над ней поразмыслить, чтобы не попасть случайно в неловкое положение.

«Так… Похороны. Умер человек. Наверное, это опечалило его близких и сейчас они не в настроении обсуждать результаты футбольного матча "Лиги чемпионов"», — рассудив таким образом, вы поймёте, как вам нужно себя вести.

То есть действовать вы будете не «по зову сердца» (который в себе просто не чувствуете) — не потому, что другие люди вам дороги и вы разделяете их чувства, а исходя из таких вот рациональных объяснений ситуации.

Впрочем, вы же можете на что-то отвлечься, задуматься о чём-то другом... И вот уже недовольное шиканье отвлекает вас от просмотра мимишных фоток в инстаграме.

«Что-то явно пошло не так!»

Уже на выходе с кладбища вы слышите, как о вас судачат участники мероприятия: «Насколько же надо быть бесчувственной скотиной, чтобы ржать с телефоном в руках, когда гроб с телом покойного опускается в холодную твердь земли!»

«А-а-а, теперь вроде понятно, почему они так шипели... Всё встало на свои места! Блин».

С другой стороны, всё это опять-таки не настолько однозначно. Представим себе человека с такой вот очевидной, казалось бы, асоциальностью, но который по каким-то другим причинам (а не ради общения самого по себе) считает необходимым построить эффективные отношения с другими людьми.

Причины на это у него могут быть самые разные:

- амбициозные цели (например, на Марс полететь — тут один не управишься),

- желание всеобщего восхищения («Я — звезда! Хлопайте мне, хлопайте!»),

- потребность в удовлетворении хитроумных сексуальных фантазий,

- или, быть может, от этих других людей зависит его выживание (в армии, скажем, или в тюрьме).

Тут вроде бы всё связано с другими людьми, но эти люди нужны человеку не сами по себе (как живые, чувствующие и переживающие существа), а как средство для достижения поставленных целей.

Как сработают подобные асоциальные особенности организации мозга в этом случае? Оказывается, что эффект может быть даже лучше, нежели у тех лиц, которые жаждут обнимашек, социальной поддержки и прочих телячьих нежностей.

Как выяснили в нейропсихологической лаборатории уже упомянутого мною Ричарда Дэвидсона, внимание человека к деталям ситуации может существенно искажаться, если он слишком эмоционально воспринимает происходящее.

Поэтому люди, которые не испытывают социальных влияний и связанных с ними эмоций, зачастую оказываются весьма эффективны в построении продуктивных — под конкретную задачу — социальных отношений.

Они способны быть «социальными», но не потому, что их ведёт социальный инстинкт, а потому что они относятся к этим отношениям как к сложной шахматной партии.

Так что даже если нейрофизиологические механизмы социальности молчат в мозгу человека, как в той самой могиле, крест на его социальном успехе ставить рано.

Результатов в социальной игре он добьётся не «по наитию», а с помощью рационального просчёта соответствующих ситуаций, учитывая большое количество фактов о других людях: их поведении, интересах, слабых местах и т. д.

Так что если вы встречаете человека, который прекрасно с вами общается, вовремя говорит нужные слова, адекватно реагирует на ваши высказывания, это ещё не значит, что перед вами человек с хорошей «естественной социальностью» и выраженным «социальным инстинктом».

Вполне возможно, что вы имеете дело с человеком, который употребил весь свой мощный интеллект на то, чтобы просчитать возможные «ходы» в рамках вашего общения. Он учёл «последствия» этих «ходов» и саму ситуацию «на доске», просчитал её и нашёл решения, о существовании которых вы, возможно, даже не подозреваете.

Кстати, интеллектуальный аппарат у людей с такими нейрофизиологическими особенностями действительно может быть выдающимся. Им ведь общение с другими людьми не давалось само собой, им постоянно приходилось тренировать навыки реконструкции социальных ситуаций и других людей.

Там, где другие дети схватывали происходящее в межличностном взаимодействии инстинктивно, на «интуитивном», так сказать, уровне, обладателю такого нейрофизиологического аппарата приходилось долго кумекать, сопоставляя бесконечные дважды два одно с другим.

Но потраченные силы могут окупиться сторицей, если, конечно, у человека есть какие-то важные для него цели и задачи.

Склонность к объятьям (или, наоборот, отсутствие соответствующей склонности проявляется у детей уже в очень раннем возрасте.

Кто-то так и льнёт к старшим, мечтает об объятиях, просит, чтобы его погладили и зацеловали. А кому-то это совершенно безразлично, и он тут же, едва попадёт в чьи-то объятья, вырывается и бежит прочь, оставив незадачливого взрослого, попытавшегося его загрумить, в лёгком недоумении.

Теперь представьте, что один субъект с детства хочет чувствовать тепло другого человека, ощущать его объятья, поэтому ему важно, чтобы у «значимого другого» было хорошее настроение, чтобы он с теплом к нему относился, был к нему расположен. А другому ребёнку это совершенно не важно, а может быть, даже неприятно, что его обнимают и тискают.

Понятно, что ребёнок, заинтересованный в том, чтобы его обнимали и гладили, будет учиться угадывать чувства и желания «значимых других». Потребность в эндорфине и окситоцине будет побуждать его подстраиваться под других людей, производить на них хорошее впечатление, заслуживать их внимание и похвалу.

Как вам кажется, насколько социальным окажется такой малыш, когда вырастет? Насколько он будет нуждаться в создании доброжелательной атмосферы поддержки, принятия и т. д.? Насколько он будет эмпатичен и сострадателен? Насколько хорошо он научится понимать других людей и осознавать их мотивы?

Вполне естественно, что он вырастет весьма социально ориентированным человеком. Сам нуждаясь в социальных связях, он будет многое делать для формирования долгосрочных и доверительных отношений с другими людьми. Мечтая о том, чтобы в его «социальной группе» воцарилось всеобщее взаимопонимание, он и сам приложит к этому немало сил.

Но тут бы я в очередной раз предложил не слишком обольщаться: **не надо питать иллюзий: только высокий социальный статус (проще говоря, власть) позволяет человеку получать всё это «добро и благо» в неограниченных количествах.**

Вовсе не «за красивые глаза» другие люди оказывают нам поддержку, демонстрируют нам уважение и признание, доброжелательны к нам, проявляют эмпатию и внимание.

Они дают нам все эти «прелести», желая получить в ответ наше расположение, а наше расположение нужно им только в том случае, если оно само по себе в этом социуме чего-то стоит.

Что-то, конечно, из списка этого «богатства» можно получить и просто «за красивые глаза». Но ненадолго: поматросят, так сказать, и бросят. А какую обезьяну другие будут стремиться вычесать в любом случае, а не только в целях удовлетворения сексуальной потребности?

Правильно, ту, что располагается выше по иерархической лестнице, обладает бóльшим влиянием и властью. Так что хоть субъект с выраженным социальным инстинктом и представляется внешне «милым и пушистым», лучше не забывать, что он может оказаться весьма и весьма крепким орешком.

Мозг такого «социального животного» всегда нацелен на вершину социальной пирамиды: ему нужно «наверх», чтобы все его грумили. Вот почему такой тип пытается всё и всех организовать под себя, заставить (не мытьём, так катаньем) всех плясать, так сказать, под свою дудку.

Впрочем, он хочет большего: ему важно, чтобы другие не просто делали то, что ему нужно, а хотели (то есть испытывали желание) играть в эту его игру. Вот почему он не пытается физически принуждать их к согласию со своими правилами, он ищет способы побудить участников «добровольно» вовлечься в его игру.

Сказанное не отменяет, впрочем, того факта, что это именно его пьеса (и ему это важно), а остальные участники взаимодействия находятся, таким образом, «снизу» (относительно его «верха»).

В этом, впрочем, вся суть «лидерства»: оно возможно лишь по взаимному согласию, но не работает без «манипуляций» со стороны лидера.

Что ж, «не лидерам» остаётся утешаться лишь тем, что эти «манипуляции» лидеров ведут к взаимной выгоде всех участников взаимодействия. И это, в каком-то смысле, «лидера» морально оправдывает.

«Наш мозг всегда пытается разгадать причину смеха, который мы слышим».

С другой стороны, о какой морали мы можем говорить, если рассуждаем с точки зрения фундаментальных нейрофизиологических процессов, а также притязаний эволюции на успех конкретного биологического вида, которому такая социальность очевидно способствует?

Что ж, а теперь контрольный, так сказать, вопрос: захочет ли человек, обладающий по-добным психотипом, стать «Авраамом Линкольном» (ну или кем-то ещё в этом роде)?

Вне всяких сомнений! Так что перед нами классический пёрлзовский «невротик», нуждающийся в любви, социальной поддержке и уважении.

Ну а если мы посмотрим на другой полюс «социальности/асоциальности» и представим себе человека, которому всегда было наплевать, что там в этой его группе происходит, как и кто в ней друг к другу относится?

Что если он с раннего детства не испытывал никакого особого удовольствия от обнимашек, да и сам никого и никогда обнимать не торопился?

Социальным вниманием и эмоциональным участием со стороны других людей он, скорее всего, будет обделён. Но, положа руку на сердце, ему «и не очень-то этого хотелось»: не нравлюсь я вам — и прекрасно, меньше будете ко мне приставать со своими глупыми обнимашками.

Социальные связи и отношения будут занимать его куда меньше, чем других людей. При этом его социальные компетенции, даже если они и окажутся неплохими за счёт сверхмощного интеллекта, вряд ли покорят сердца других членов стаи.

Казалось бы, просто реакция на объятья... Вроде мелочь какая-то, правда? Но в результате навык прочтения чувств другого человека, способность понимать его желания и мотивы, умение выстраивать эмоционально тёплые отношения с другими людьми у одного человека зашкаливают, а у другого — почти не формируются.

Индивиду с низкой потребностью в социальном взаимодействии всё это социальное житьё-бытьё, все эти «чувства», «душевные терзания», вполне возможно, будут даже в тягость. Всё, что нам непонятно, кажется странным и неестественным, неизбежно вызывает напряжение и раздражение.

Разговоры «ни о чём» и пустопорожнее «бла-бла-бла» — разве можно это вытерпеть? Ему и в голову не приходит, что некоторые люди общаются «ни о чём» не ради каких-то практических целей, а просто потому, что, ощущая социальную общность с собеседниками, они чувствуют себя счастливыми.

Отношения с другими людьми он будет выстраивать формальные: «деловые», «рабочие», «товарищеские», «конструктивные», — то есть рациональные, как «мыслитель» (по И. П. Павлову).

Необходимость коммуницировать с другими людьми «удовольствия ради» будет вос-приниматься им как своего рода повинность, наказание, которое надо просто перетерпеть.

Такому человеку реально сложно поверить, что другие люди стремятся проводить время друг с другом не из-за недостатка ума и не по принуждению, и не потому что «традиция такая», а просто потому, что им это нравится.

Как это может нравиться, «мыслителю» непонятно. Если «по делу», если ради какой-нибудь новой интересной информации, или обязательств ради, то — да, он готов потерпеть всех этих людей вокруг себя.

Но «просто так», а если ещё у них какие-то «дурацкие проблемы» — нет: это, как ему видится, немножко попахивает безумием, пусть даже и лёгким.

То есть буквально один фактор, связанный с отношением к физическому контакту[15], способен радикальным образом повлиять на выраженность нашего социального инстинкта (или, как его ещё называют, иерархического инстинкта, инстинкта самосохранения группы).

В результате мы получаем реально разные типы людей. В каком-то смысле это люди, и правда, с разных планет:

- у тех, у кого иерархический инстинкт выражен сильнее, будет больше социальных навыков (способность к взаимопониманию, эмпатии, чувственному сопереживанию, потребность в социальной поддержке и признании, уважении; они будут тяготиться, если другой человек в их присутствии расстроен или обижен и т. д.);

- у тех, у кого социальный инстинкт (или инстинкт самосохранения группы) выражен еле-еле, отношения с другими людьми будут носить больше формальный характер, в их отношении к отношениям (прошу прощения за тавтологию) будет куда больше «рациональности», «здравого смысла», «чёткости», что внешне может восприниматься их антагонистами по данному инстинкту как безразличие, чёрствость, холодность, безэмо-

---

15 Хотя таких факторов, конечно, достаточно много, и этот взят мною лишь в качестве примера.

циональность, высокомерие и т. д., что не так.

Впрочем, обо всех этих особенностях и нюансах поведения разных нейрофизиологических типов мы поговорим чуть позже.

ДОЧКА КАК ПАПА

Сейчас мне вспомнилась одна программа из цикла «Всё решим! С доктором Курпатовым» на телеканале «Домашний».

Тогда ко мне в студию пришла достаточно молодая женщина (буду называть её Татьяной), которая только что пережила тяжёлое расставание с мужем, а теперь стала постоянно срываться на свою двухлетнюю дочь.

Муж, по словам Татьяны, был тем ещё типом… Заводила, балагур. Напьётся с друзьями, где-то полночи пропадает, а потом заявляется домой и смотрит так виновато и ласково, что чуть нимб над ним не светится. Просит прощения, сыплет нежностями, пытается обнимать, целовать.

Татьяна же — человек строгий и чёткий. Все эти объятья и причитания ей абсолютно безразличны, а когда от мужа пахнет алкоголем (хотя бы чуть-чуть), — то и вовсе отвратительны.

Она с ним договорилась, что он больше так делать не будет, и он, значит, должен слово держать. Обещал больше не выпивать с друзьями — не должен выпивать.

В общем, воспитывала его Татьяна, воспитывала… И вдруг он сник окончательно и загулял. Выяснилось, что у него появилась другая женщина, и Татьяна приняла решение незамедлительно — собрала его вещи и выставила их за дверь.

Спрашиваю её:

— Переживаете?..

— Нет, — отвечает она. — Слава богу, что ушёл. Все нервы мне истрепал, я бы больше сама не выдержала.

— Хорошо, — говорю я. — А проблема тогда в чём?

— Проблема в том, что я больше не могу доверять своей дочери!

— В смысле? Ей чуть больше двух лет, правильно?

— Правильно, чуть больше двух, а ведёт себя как профессиональная обманщица! Чуть нашкодит, поймёт, что плохо поступила и сразу бежит ко мне — глаза такие круглые-круглые, жалостливые: «Мамочка, мамочка!», и давай меня за шею хватать, жаться, в глаза заглядывать, целовать…

— В общем, прямо как ваш муж, — продолжаю я.

— В точку! Один в один! — свирепеет Татьяна. — Всё это подлизывание, уси-пуси! Отвратительно. Я смотрю на неё и думаю: ну как такое может быть, что ребёнок ещё совсем маленький, а уже знает, как врать, обманывать и подлизываться?!

Поскольку это не имеет особого отношения к делу, не буду пересказывать эту историю дальше. Перейдём сразу к выводам.

Татьяна никогда не испытывала потребности в объятьях, ей никогда не нравились проявления нежности. Да и не было никогда этого в её родительской семье.

Страдала она от алкоголизма отца и от его рукоприкладства (поэтому такая реакция на запах алкоголя), а вовсе не из-за отсутствия объятий и поцелуев.

Муж ей, наоборот, попался такой, который очень в этих ласках нуждался. Ему всегда нужно было установить близкий эмоциональный контакт с другим человеком, чувствовать, что рядом компания родных людей.

Этот дефицит (а в отношениях с Татьяной соответствующий дефицит был налицо) он возмещал своими загулами — и с друзьями, и с женщинами. В общем, находил, с кем поласкаться.

Татьяне всё это, понятное дело, было совершенно чуждо и даже дико. И то, что другие, возможно, сочли бы за счастье, у неё ничего, кроме напряжения и негодования, не вызывало.

То есть сошлись в одной «ячейке общества» два предельно разных типа, выросших с разной психофизиологией и ориентированных, соответственно, на абсолютно разные форматы социального взаимодействия.

В общем, развод этой пары был, по сути, предрешён. Оба супруга, помыкавшись, пошли в отрыв и об этом уже не сожалели. Но Татьяна оказалась в своего рода ловушке, потому что их дочь унаследовала от отца ту же потребность в телесном и эмоциональном контакте, в обнимашках и ласке.

Татьяна же этого и в самом деле не понимала. Ей казалось, что если человек себя так ведёт, то он, несомненно, в чём-то провинился, и вместо того, чтобы просто сгореть со стыда и провалиться под землю, пытается этими «уси-пуси» загладить свою вину, желая избежать заслуженного наказания.

Конечно, двухлетний ребёнок был уличён Татьяной в поведении, на которое он ещё в принципе не способен (в этом возрасте мы ещё отстаём в своём интеллектуальном развитии от шимпанзе).

Слишком сложную Татьяна придумала для своей дочери роль в своей конструкции социальной действительности. По крайней мере, не по возрасту. В действительности всё было, конечно, намного проще.

Когда девочка делала что-то не так, она испытывала не вину, не угрызения совести, а простой, как угол дома, страх, что мама рассердится. А если она рассердится, то и без того ничтожный объём поглаживаний и прочих «уси-пуси» сведётся к абсолютному нулю. То есть никакого груминга малышке ждать не приходится. И в этом, собственно, состоял весь её ужас.

Что же оставалось делать двухлетнему ребёнку в данных обстоятельствах? Бежать к своей маме с протянутыми руками и со слезами на глазах умолять: мол, не лишай меня, матушка, и так недостающих мне обнимашек! Что угодно делай, только не сердись на меня! Я тебя люблю и т. д., и т. п. — с заглядыванием в глаза.

Но мама у неё не просто мама, а «железный Феликс», — рассудочная до мозга костей. Татьяна по самой своей внутренней, нейрофизиологической организации не могла понять такого рода социальных взаимодействий, а потому и истинных мотивов поведения собственного ребёнка она тоже не видела. И объясняла всё просто: такая же лживая уродилась, как и её отец!

И всё в реальности Татьяны было «логично». По опыту взаимодействия с отцом девочки Татьяна прекрасно знала, что всякие нежности и «уси-пуси» являются ничтожной и постыдной попыткой загладить вину и «уйти от разговора по существу».

Она интерпретировала поведение ребёнка как намеренную ложь и попытку ввести в заблуждение. В общем, предельно «недостойное» поведение! И это когда ребёнку было от роду чуть больше двух лет...

Да, чрезвычайно важно, как мы устроены. **Важно то, насколько выражен наш социальный инстинкт. Если он у человека (в нашем случае у Татьяны) не проявлен в достаточной степени, то вместо эмоций и чувств работает холодный рассудок, который опирается на прежний, уже осмысленный опыт.**

Поскольку опыт с отцом девочки у Татьяны был, прямо скажем, так себе, эта же логика была обращена и на поведение дочери. Если её отец вёл себя соответствующим образом после своих проделок, то и аналогичное поведение дочери свидетельствует о ней в таком же ключе. Вот такая реконструкция.

Вот почему рассудок в таких ситуациях не всегда помогает. Можно было, конечно, учесть и тот факт, что при всей внешней схожести поведения его мотивы у тридцатилетнего мужчины и двухлетнего ребёнка вряд ли могут быть идентичными, но Татьяна этого не сделала.

Впрочем, как только я обратил её внимание на это вполне очевидное противоречие (и, таким образом, добавил соответствующий пазл в её стройную конструкцию), Татьяна буквально на глазах поменялась в лице: она задумалась, пережила, так сказать, инсайт и невероятно обрадовалась собственной дочери.

Справедливости ради, впрочем, должен заметить, что обрадовалась Татьяна на самом деле всё-таки не собственной дочери. Она обрадовалась тому, что, наконец-таки, интеллектуальная модель, которой она до сих пор пользовалась, реконструируя свои отношения с дочерью, стала лучше отражать реальность.

В конце концов, в этой конструкции было много и других пунктов. Например, тот, что она, Татьяна, «должна быть хорошей матерью», но соответствовать ему в сложившихся обстоятельствах было крайне затруднительно.

Теперь же, когда «выяснилось», что её дочь не тот же самый «подлец», каким Татьяна считала её отца, она вполне могла позволить себе быть той самой «хорошей матерью». Да, чуть-чуть по команде, а не «от души». Но лучше так, чем никак.

На этом мы, собственно, тогда и порешили.

Пол и секс

У каждого человека есть желания,
которые он не сообщает другим,
и желания, в которых он не сознаётся
даже себе самому.
ЗИГМУНД ФРЕЙД

Если уж мы заговорили про обнимашки, не могу не затронуть и ещё один важный аспект... Возможно, вы замечали эту детскую особенность:

- кто-то из детей готов и даже очень заинтересован в деятельном, так скажем, затискивании — с физическим напором, ором, криком, беготнёй и дружным хохотом;

- а кто-то, напротив, хочет тихой ласки, чтобы его нежно гладили, голубили, обнимали, а всякой щекотки и прочих резких действий с его тельцем боится как огня.

Эта психофизиологическая особенность, конечно, — только один пазл из большой картины, но и он сыграет существенную роль в характере будущей сексуальности уже взрослого человека — повлияет на то, чего он будет ждать от сексуальных отношений, какую роль он будет в них занимать.

Таким образом, мы с вами вплотную подошли к третьему базовому инстинкту — инстинкту самосохранения вида или, проще говоря, к сексуальному или половому инстинкту.

Тактильные анализаторы, расположенные в постцентральной извилине[16], у разных людей имеют, так сказать, разные настройки (то есть разные люди по-разному воспринимают одни и те же тактильные раздражители).

Отчасти эти «настройки», конечно, формируются у нас в процессе жизни вследствие того тактильного опыта, который мы приобретаем.

Но поскольку уже младенцы, ещё не имеющие никакого жизненного опыта, всё-таки весьма по-разному реагируют на тактильные воздействия, то очевидно, что и генетическая предрасположенность имеет здесь большое значение.

Можно, конечно, думать, что всё дело в каком-нибудь загадочном фрейдовском бессознательном... Но зачем «умножать сущее без необходимости» (как завещал нам Уильям из Оккама)?

В основе любых наших поведенческих паттернов лежит множество нехитрых, незамысловатых, а зачастую почти невидимых глазом, индивидуальных психофизиологических особенностей, которые, сплетаясь вместе, и создают всю эту нашу «неповторимую уникальность», в том числе и в области пола.

Как говорят про большинство катастроф, они являются фатальным стечением не фатальных по существу обстоятельств.

Чтобы самолёт рухнул, в нём вовсе не обязательно должна быть заложена бомба. Как правило, всё куда проще: механик где-то гайку

---

16 «Анализаторы» не следует путать с «рецепторами»: рецепторы — это лишь чувствительные окончания нервных клеток, выходящие как бы на периферию нашего тела, а корковые анализаторы — это массы тел нейронов, находящихся непосредственно в коре головного мозга, где они и производят те ощущения, которые мы испытываем.

недокрутил, диспетчер что-то на своём мониторе прошляпил, датчик высоты какой-то завис, пилот зевнул — и всё, прилетели.

Ни одно из этих обстоятельств само по себе, не способно привести к катастрофе, то есть оно не фатально. Но вот как сложатся они все вместе во времени и пространстве, и всё — здравствуй, Фатум, и поминай как звали. Хотя вроде бы и на ровном месте.

Так и с нашей психикой: она порождается работой множества мельчайших нейронных структур, каждая из которых имеет свои особенности. Более того, все они «живые», то есть всё время находятся в каком-то своём «настроении-состоянии», «фазе возбуждения», на каком-то индивидуальном «уровне развития» и т. д.

> *«Мы разные, потому что, сами того не понимая, преследуем разные цели».*

А есть ведь ещё и их взаимодействие, то есть взаимное потенцирование, или подавление. То есть это динамический процесс, который, с одной стороны, приводит к формированию каких-то определённых паттернов поведения, но с другой — чрезвычайно чувствителен к воздействию внешних факторов, приводящих к переключению между разными нейронными паттернами.

Всё это я к тому, что «половой вопрос» — это отдельная и большая тема. Пазлов тут очень много, так что у меня нет возможности осветить даже самую малую часть этой «злободневной темы». Впрочем, главную, на мой взгляд, вещь мы должны уяснить...

Особенность полового чувства в его двойственности, оно как бы сплетено из двух разнонаправленных интенций, которые я называю «обладанием» и «принадлежанием» (звучит, может быть, и не слишком изящно, зато очень по существу)[17].

- «Обладание» — это преимущественно «мужская» интенция. Она характеризуется желанием завладеть объектом страсти.

  «Пришёл, увидел, победил!» — вот подходящий слоган для этого переживания, то есть в нём заключено желание схватывания, удержания, подчинения, повелевания.

- «Принадлежание» — это, напротив, преимущественно «женская» интенция. В ней есть желание отдаться силе другого существа, ощущать увлечённость собой со стороны другого человека, его чувственную силу, страсть.

  «Отдаться, забыться, раствориться в чём-то большем и значительном, чтобы потерять себя» — вот как звучала бы эта интенция, если бы её можно было высказать.

Определяя эти интенции, я говорю о «мужской» и «женской», но принципиальным здесь является другое слово — «преимущественно».

В каком-то смысле и мужчина покоряется, отдаётся своей страсти, теряет себя в момент переживания оргазма. Да и женщины, в свою очередь, стремятся к обладанию своим мужчиной, испытывая ужас от осознания, что он может бросить её и уйти к другой.

---

17 Более-менее подробно я рассказывал об этом в своей книге «Красавица и чудовище. Психология отношений мужчины и женщины».

Так что знаменитый символ Дао, в котором мужское «Ян» содержит капельку женского «Инь», а женское «Инь» содержит толику мужского «Ян», очень точно отражает единство и взаимодополнительность этих противоположных, казалось бы, психологических интенций.

Впрочем, «принципы» и «интенции» — это не какие-то действительные метафизические сущности (ничего такого на самом деле в природе не существует). Нет, это лишь понятийные концепты, которые помогают нам свести воедино тот самый огромный комплекс нейронных активностей, гормональных факторов, психофизиологических состояний и прочий «сор», «рождающий стихи».

Очевидно, что ребёнок, стремящийся к ласковой неге, и ребёнок, жаждущий напора и телесной схватки, в последующем сформируют в себе соответствующее сексуальное ожидание: кто-то будет искать чувства «принадлежания», кто-то будет движим желанием «обладания».

Впрочем, должен сказать, здесь много путаницы — весьма досадной и сбивающей с толку. Например, попробуйте ответить на такой вопрос: почему в природе самцы, как правило, обладают более яркой внешностью (и активно ею пользуются именно во время реализации своей половой потребности), нежели самки?

Разумнее, казалось бы, предположить, что тот, кто хочет принадлежать, отдаваться, как раз и должен привлекать внимание партнёра своей яркой внешностью.

Это, кстати, согласуется и с культурно обусловленным половым поведением у людей: женщины стараются продемонстрировать себя во всей красе и яркости нарядов, а мужчины, напротив, должны вроде как быть более сдержанны при подборе гардероба и уж точно не пользоваться румянами, помадой и тушью для ресниц.

Но давайте обратимся к так называемому половому деморфизму в нормальной природе, не искажённой культурой, традициями, модой и прочей противоестественной ерундой...

Возьмём в качестве примера каких-нибудь павлинов и рыбок-гуппи, львов и бабуинов, а затем добавим сюда бороды, бивни, рога, общие размеры тела и тому подобные отличия именно мужского пола. Почему эта публика, прошу прощения, одевается столь неподобающе?

Не нормальные мужики, а какие-то прямо кокетки размалёванные!

Но теперь давайте посмотрим на это дело с другой стороны...

Во-первых, в природе, как правило, не самец выбирает самку, а самка — самца.

Эволюционные предпосылки этого очевидны: последствием выбора брачного партнёра будет потомство, а тут у самки риски очевидно выше, чем у самца. Так что право выбора природа оставила «слабому полу», самцам же ничего больше не остаётся, кроме как соревноваться за его внимание.

Как это происходит, например, у тех самых павлинов, ставших в нашей культуре символом болезненного самолюбования?

У каждого самца-павлина своя небольшая территория, на которой он и токует — раскрывает свой пышный хвост и крутится во все стороны. Его конкуренты делают то же самое, но уже на своих квадратных метрах.

Дальше появляется невзрачная, как моль, самка и наблюдает за происходящей демонстрацией мужской прекрасности. Какая прекрасность произведёт на неё наибольший психологический эффект, на те квадратные метры она и отправится.

Хвост сделал своё дело — обаял, запал в душу, покорил, сбил практически с ног, произвёл, так сказать, эффект... Ну и пошла любовь-морковь.

То есть, самец здесь не является пассивной жертвой женской похоти. Нет, он выступает в активной роли: его хвост завоёвывает сердце дамы, производит на неё неизгладимый сексуальный эффект, завладевает, так сказать, самкой. А самка — что? Теряет голову, отдаётся страсти.

Отсюда, во-вторых — что должна испытывать и переживать самка, чтобы решиться на спаривание?

Вот именно, она, очевидно, должна войти в то самое состояние «утраты себя», впасть, так сказать, в «прелесть» — прельститься самцом, решиться ему отдаться.

Самцу же много не надо, чтобы кем-то прельститься: в конце концов, его дело — маленькое, поёрзал и отвалил, а с последствиями этого ёрзанья разбираться уже женскому полу. Разберётся — и хорошо, а нет — так он таких ёрзаний может целую кучу наделать — главное, чтобы самки соглашались.

Так что вот она — эволюционная логика полового отбора: самец должен быть ярким, чтобы привлечь максимальное количество самок, — демонстрировать им такую красотищу, чтобы они головы теряли.

По сути самой своей внешностью самец проявляет обладание, а самки, попадая под её очарование, поддаваясь зову, так сказать, этой красоты, проявляют готовность отдаться страсти. Вот вам и биологическая «мода».

В нашей же культуре, казалось бы, всё перепуталось и встало с ног на голову. Но на самом деле эволюционным принципам мы не изменяем.

Хороший жених — это тот, кто способен обеспечить потомство, а не тот, кто просто красив «как бог». Какая разница, как он одевается, если для выживания потомства важны его средства и профессиональные навыки? Да никакой.

Если же девушки всё ещё переживают, что где-то ходит их «красавец», то это лишь доставшийся им от биологических предков ата-визм.

«Красавец» — это, конечно, хорошо. Но биология требует от женщины терять голову от мужчин, которые способны дать её потомству лучшее. Так что мужская красота по-прежнему в цене, но, если речь идёт не о минутной слабости, то в мужчину нужно влюбляться состоятельного и успешного.

Но таких, как известно, днём с огнём и чтобы разумен, и чтобы при средствах. Так что теперь женщинам приходится покорять таких «видных» (и дефицитных) мужчин, а для этого они и стараются изо всех сил — превращая себя в то, от чего мужчины начнут терять голову, увлекаться и отдаваться.

Отсюда и все эти мечты: попу накачать, грудь с губами надуть, в облегающее облачиться и... занять место самца-павлина, ожидая, что достойный самец (исполняя, впрочем, поведенческую роль самки) увидит её эстетическое токование, придёт в восторг, потеряет голову и сам подсядет за её столик.

Да, вот что значат культурные предрассудки.

РОЛИ И ОРИЕНТАЦИИ

Здесь следует, наверное, оговориться, что речь идёт именно о сексуальной роли, а вовсе не о сексуальной ориентации.

С сексуальной ориентацией всё ещё сложнее, в её формировании принимает участие, как мы теперь знаем, целый ряд факторов (впрочем, существенность вклада каждого из них в конечный результат пока остаётся предметом научных дискуссий):

- специфические гены, влияющие, например, на морфологию и работу супрахиазматического ядра гипоталамуса;

- так называемые пренатальные факторы, связанные с колебанием гормонального фона матери во время беременности;

- обстоятельства формирования так называемой сексуальной фиксации.

Сексуальная же роль (в отличии от сексуальной ориентации) — это скорее ожидание определённого ощущения, не связанного напрямую с полом партнёра.

- Так, например, есть гетеросексуальные, но при этом нежные и чувственные мужчины, которым нравится, когда женщина в сексе более активна, деятельна и проявляет инициативу (хотя это и не согласуется с образом мужика).

- Есть, в свою очередь, гетеросексуальные женщины, которые действуют, так сказать, напролом, беря мужчину в оборот настолько лихо и агрессивно, что тот даже не успевает сообразить, как оказался в роли объекта страсти (подобное поведение тоже может восприниматься в обществе как неподобающее, поскольку оно не соответствует типичной сексуальной роли женщины).

- С другой стороны, есть гомосексуальные мужчины, которые предпочитают активную роль в сексе, а не наоборот. Есть гомосексуальные мужчины, которые предпочитаю пассивную роль в сексе, но при этом выглядят брутально и мужественно (хотя в обществе продолжает бытовать представление о том, что гей должен быть обязательно женственным).

- Да и гомосексуальные женщины могут быть как очень женственными, так и, напротив, мужественными, и даже, как говорят в таких случаях, мужеподобными.

Короче говоря, дело здесь не в биологическом поле как таковом — мужчина это или женщина, XY или XX, а в том, какие именно чувства хочет испытывать человек в сексуальных отношениях со своим партнёром: обладание или принадлежание.

Эта потребность проявляет себя ещё в очень юные годы (о чём я уже сказал выше) и весьма специфическим образом сказывается на формирующемся психотипе молодого человека любого пола.

- Если психофизиология ребёнка устроена таким образом, что ему важна нежность и чувственность, то желание «принадлежать» будет у него более выраженным, нежели желание «обладания».

  Это определит его мировосприятие, отношение к множеству вещей и явлений в окружающем мире. Ему будет важно, что о нём думают, как к нему относятся, насколько его понимают и чувствуют.

- Если психофизиология ребёнка, напротив, будет соответствовать желанию «обладания» (со всей его, так скажем, бурей и натиском), то ему важно чувствовать свою безальтернативность, значимость, силу.

  Да, он тоже будет хотеть ощущать себя в центре внимания, но уже по-другому — не потому, что он кажется кому-то милым и сладким, а потому что он сам в принципе неотразим и они, по его ощущению, это чувствуют (должны чувствовать).

Понятно, что такого рода чувства и желания трудно выразить в языке, слишком в них много диалектики. Да и сам наш язык весьма консервативен в этом смысле и, честно признаемся, не создавался для того, чтобы мы без умолку болтали о сексе и соответствующих чувственных наслаждениях.

С другой стороны, это тоже критерий:

- желание «принадлежания» сопряжено со словами нежности, любовными признаниями, уменьшительно-ласкательными определениями и т. д.:

- а вот страсть к «обладанию» вполне может быть выражена во всем хорошо известной и запрещённой к печати «ненормативной лексикой».

Таким образом, само устройство полового инстинкта (у каждого из нас в отдельности) определяет круг наших культурных интересов и предпочтений, а те, в свою очередь, накладывают ещё больший отпечаток на формирующийся у нас психотип.

Не надо думать, что инстинкты — это какая-то химера. Да, в каком-то смысле речь идёт об абстракции, но за этой абстракцией стоит реальная, предельно материалистическая (позитивистская, если хотите) психофизиология. А то, что мы не можем что-то формально определить, ещё не означает, что этого нет.

При этом сейчас мы говорили об особенностях организации лишь одного-единственного коркового анализатора, отвечающего за создание тактильных телесных ощущений. А им, как вы понимаете, наша нейрофизиология, мягко говоря, не исчерпывается.

Но, даже несмотря на кажущуюся несущественность вопроса — мол, подумаешь там, какие-то механорецепторы, — даже он важен, как выясняется, до чрезвычайности.

Один из моих великих учителей, выдающийся советско-американский психолог Лев Маркович Веккер говорил: «Сейчас я занимаюсь мышлением, — затем поднимал указательный палец вверх и добавлял: — А оно всё находится вот тут», — и показывал на кончик пальца.

Внутренний мир

План, что и говорить, был превосходный:
простой и ясный, лучше не придумать.
Недостаток у него был только один:
было совершенно неизвестно,
как привести его в исполнение.
ЛЬЮИС КЭРРОЛЛ

Итак, мы выяснили несколько важных вещей.

- Во-первых, то что наш мозг был создан эволюцией как инструмент реализации базовых потребностей индивида, члена группы и представителя соответствующего биологического вида — индивидуальный, групповой и видовой векторы инстинкта самосохранения.

- Во-вторых, мы также поняли, что эти «инстинкты» не являются какой-то метафизической сущностью, которая волшебным образом нами руководит. Нет, это всего лишь множество нейронных центров и нейрофизиологических феноменов, которые и дают соответствующий результат — выживание (индивида, группы и вида).

- В-третьих, стало очевидным, что указанные нейронные центры и нейрофизиологические феномены, будучи соматическими (то есть телесными — такими же, как, например, наши глаза, уши, пальцы и т. д.), имеют ряд индивидуальных особенностей, что обеспечивает разнообразие нашего с вами поведения.

Таким образом, мы представляем собой как бы разные типы людей, в зависимости от того, что лично для нас представляет наибольшую ценность:

- **личная физическая безопасность** (другая крайность — полное отсутствие адекватного страха и неизбежное в связи с этим хождение по лезвию/краю и без страховки);

- **социальная поддержка, уважение и лидерство** (другая крайность — социальная пассивность, аутизм, полное отсутствие амбиций и желания кому-либо что-либо доказывать);

- наконец, **чувственная сфера** — желание получить как можно больше вздохов и охов по поводу своей невозможной прекрасности (причём тут возможны два варианта: или всех повалить с ног, завладеть вниманием и хищно наслаждаться произведённым эффектом, или жертвенно принять власть чужого обаяния и безропотно ему отдаться), впрочем, очевидно, есть и противоположный полюс — асексуальный, когда вообще на всё это чувственное безобразие глубоко и бесчувственно наплевать.

Мы разные, потому что, сами того не понимая, преследуем разные цели. Поскольку же эта наша ориентация (специфическая нацеленность) пронизывает все уровни нашей психики, то и проявляется данная специфичность во всём: и в нашем восприятии, и в поведении, она же определяет нашу эмоциональную сферу и способ мышления.

С другой стороны, мы разные ещё и внутри самих себя. Разные области нашего мозга, как мы уже выяснили, отвечают за разные аспекты целостного инстинкта самосохранения — за безопасность, за социальность, за сексуальное поведение. И у каждого из нас все они есть.

Да, какой-то из инстинктов у конкретного человека может быть выражен в большей степени, соответствующие области его мозга реагируют первыми и сильнее, обеспечивая упомянутый бег впереди остального паровоза. Но другие мозговые структуры тоже не дремлют и также влияют на конечный результат.

Значит, когда вы сталкиваетесь с какой-то ситуацией, она имеет для вас сразу несколько измерений, и на каждое из них ваш мозг соответствующей своей частью откликается. То есть **вы несколько раз и по-разному реагируете на одно и то же, в один и тот же момент времени, но не осознаёте этого.**

> *«Способность строить сложные модели реальности – это ещё не гарантия, что мы получим "гения"».*

Вполне возможна ситуация, когда вы ощущаете угрозу, но при этом что-то щекочет ваши социальные амбиции, активируя желание доминировать, плюс к этому вы испытываете сильное сексуальное желание – попали, так сказать, под очарование «прелести».

И то, и другое, и третье – одновременно!

Возникает целая палитра чувств и интенций: бежать прочь и тут же провоцировать бой, чтобы помериться силами, желая во что бы то ни стало победить. А ещё — другой частью мозга — вам хочется отдаться страсти этого человека и испытать в этой страсти счастье «потери себя». Каково?.. Ужас!

Нам только кажется, что мы действуем разумно, рассудочно и целенаправленно. Нет, **мы действуем всем мозгом сразу — разными его частями, преследуя, соответственно, сразу несколько целей, зачастую совершенно несовместимых друг с другом.**

Вот она — естественная, органическая, данная нам самой природой — сложность восприятия мира.

Человек, чьи «инстинкты» проявлены специфическим образом, а не так, как у большинства других людей, да ещё мощно выступают единым фронтом, несмотря на разность их целей, как раз и способен создать нечто такое, от чего публика придёт в восторг.

Впрочем, с тем же успехом он может произвести и нечто совершенно непотребное. Но это уже другой вопрос: у человека может не оказаться профессиональных навыков, необходимых для выражения своей уникальности, или культура может находиться в состоянии, когда она не способна воспринять продукт его деятельности как ценность.

Хрестоматийные примеры такой несвоевременности: Иоганн Себастьян Бах, который стал культовым композитором, лишь вернувшись из столетнего забвения, или Ван Гог, который за всю жизнь не продал ни одной картины.

Но это только верхушка айсберга. Если бы художники, чьи картины оцениваются сейчас в десятки, а то и сотни миллионов долларов, узнали бы, сколько будут стоить их работы, они бы, скорее всего, нам не поверили, а если бы и поверили, то тронулись бы рассудком.

Впрочем, в науке то же самое. Демокрит, например, ещё в пятом веке до нашей эры смог создать интеллектуальную концепцию неделимых атомов. Но всё это были лишь словеса, красивая идея, не более того. Где доказательства?

Как можно было относиться к этим пассажам Демокрита серьёзно и считать автора этой завиральной идеи безусловным гением?

То, что атомы существуют, впервые было научно доказано Альбертом Эйнштейном, а результаты своего знаменитого исследования о движении броуновского тела он опубликовал лишь в 1905 году уже нашей, как вы понимаете, эры[18].

Способность строить сложные модели реальности: видеть то, что другим пока недоступно, создавать то, что другие не способны были даже вообразить, — это ещё не гарантия, что мы получим «гения».

«Гений» — это эффект общественного признания, а также тысячи часов, затраченные талантливым человеком на формирование профессиональных навыков, которые позволят ему выразить своё уникальное видение в форме, достойной всеобщего восхищения.

---

18 Правда, в другой статье этого же «года чудес», как называют его физики, сместил феномен неделимости с уровня атомов на уровень фотонов, частиц света.

То есть для достижения успеха девяносто девять процентов пота, о чём предупреждал нас ещё Томас Эдисон, всё-таки необходимы и даже обязательны.

С другой стороны, если у нас нет того самого одного, главного «процента» таланта, наш труд будет лишь воспроизводством чего-то уже существующего.

Чем же является этот «единственный процент гениальности»? Это не что-то мистическое, не «вдохновение», сходящее на нас с небес, а лишь **нейрофизиологическая особенность мозга**, нетривиально настроенного сразу по всем трём векторам инстинкта самосохранения.

Действительная пирамида гениальности образована тремя инстинктами — индивидуальным, социальным и инстинктом продолжения рода. Чем сложнее конструкция этой «пирамиды», тем нетривиальнее будет и результат её взаимодействия с окружающей действительностью.

Впрочем, у всякой медали, сколь бы прекрасна она ни была, есть и вторая сторона. В случае того самого «процента гениальности» — это трудности, которые испытывает одарённый человек, будучи обречённым на самого себя.

Его сложное и противоречивое «внутреннее устройство» даёт ему особое ви́дение, но оно же делает его в определённом смысле и дисфункциональным.

Чтобы управлять столь хитро сконструированным судном, каковым он является благодаря своему «гениальному проценту», и здоровой-то (нормальной) психики может оказаться недостаточно, а здесь она и вовсе, в каком-то смысле, ущербна.

Представляете, сколько обстоятельств должно совпасть, чтобы из «процента» получился «гений»:

- сложность самого́ внутреннего устройства человека;

- пройденный им долгий путь формирования профессиональных навыков;

- готовность аудитории воспринять то, что он создаёт, — понять это и оценить;

- наконец, сама внутренняя организация этого человека должна как-то умудриться посодействовать ему в том, чтобы он

  o во-первых, довёл-таки своё прозрение до физического продукта (научного исследования, художественного произведения и т. п.),

  o и, во-вторых, чтобы он выдержал долгий и весьма неприятный путь выхода своего продукта на «рынок».

История художественной литературы, например, буквально соткана из бесконечных конфликтов писателей с издателями, страданий авторов от отсутствия признания у публики, от тенденциозности критики и т. д., и т. п.

Поверьте, свои знаменитые остроты Оскар Уайльд выдумал не просто так — в них море страдания, скрытого, впрочем, от глаз непосвящённых. Вот все три указанных пункта, облечённые им в изящные афоризмы:

«Писатель не может не ненавидеть своего издателя».

«Публика на удивление терпима. Она простит вам всё, кроме гения»;

«Судя по их виду, большинство критиков продаются за недорогую цену».

То же самое, впрочем, касается музыки, театра, кино, живописи, науки...

Талант неизбежно сталкивается с «продюсером» (человеком, принимающим решения) — кем бы он ни был: директором театра, галеристом, начальником лаборатории или редактором научного журнала.

Что уж говорить об общей ситуации, если после окончания Политехникума в Цюрихе ни один профессор не захотел поддержать научные исследования молодого выпускника — Альберта Эйнштейна.

Они «закрыли мне путь в науку», — вспоминал он потом. Путь для будущего гения был открыт лишь — и тот не без труда, благодаря связям, — в Патентное бюро.

Про реакцию общественности на нечто новое и выдающееся и вовсе говорить неловко. Она невероятно консервативна, а её восприятие и отношение к чему-то новому очень зависит от «лидеров мнений»: как они скажут, так она и будет реагировать.

Каждый же «лидер мнений», не будем испытывать иллюзий, любит только «себя в искусстве» и «искусство в себе». Поскольку они не бесталанны, раз добились своего статуса, то и с иерархическим, и половым инстинктом у них «выше среднего».

Как следствие, каждый такой «лидер» считает свой вкус эталонным, свой профессиональный опыт — исключительным, свою способность к пониманию «настоящего» — запредельной. Ну и куда «новичку» с его неоперившимся рылом лезть в этот калашный ряд?

Счастье, если вообще заметят, если хотя бы как-то поддержат: как Белинский — Достоевского, как Рассел — Витгенштейна, как Планк — Эйнштейна.

Но приглядитесь внимательно — эта поддержка не бывает долгой. **Сложным людям непросто ужиться друг с другом — инстинкты бьют у них через край, а страдают в результате их взаимоотношения.**

Вот она — полоса препятствий, которую предстоит пройти одарённому человеку прежде чем его признают «гением» (после чего он только и сможет творить всё, что ему заблагорассудится):

- он должен умудриться удержать своё особое ви́дение, чтобы оно не растаяло, как дымка в лучах восходящего солнца (это и правда непросто, когда это лишь ви́дение, а ещё вовсе не готовый, отработанный в деталях продукт);

- он должен самозабвенно работать над самим продуктом, чтобы он из дымки превратился в «бурю и натиск»;

- он должен, наконец, постоянно доказывать свою состоятельность, уникальность, талант, договороспособность, умение следовать графикам, прислушиваться к требованиям заказчика и т. д., и т. п.

Как я уже говорил, даже от «здорового» человека требовать подобных подвигов — ещё та затея. Каково же в таком случае субъекту, который и сам изнутри разрываем собственными противоречиями?..

Если вас внутри раздирают, как в басне Крылова «лебедь, рак и щука», то быть по-настоящему эффективным, продуктивным и, скажем помягче, адекватным — это непросто.

Да, нетипичность даёт вам уникальное ви́дение, но мир-то, если вы собрались его своим ви́дение покорять (или просто его провозглашать, не интересуясь общественным признанием), существует по своим законам, и «нестандартные особи» неизбежно будут испытывать проблемы.

Двигаться вперёд, несмотря на эти сложности, несмотря на «инаковость» своего устройства, и всё-таки достигать результата — вот испытание, которое или проходит, или не проходит тот самый «процент».

И 99% пота будут очень к месту.

Ненормальная норма

Каждая личность — это
клубок противоречий,
а тем более личность одарённая.
ТЕОДОР ДРАЙЗЕР

Взглянем ещё раз на нашу троицу...

Нормально функционирующий инстинкт самосохранения требует от человека осторожности, учёта, по возможности, всех негативных последствий своих поступков. Причём не формально, не в рамках какой-то интеллектуализации, а буквально физически.

Вот, например, подходите вы к мотоциклу и думаете — «Ой-ой-ой... Это лишнее». Предлагают вам прыгнуть с парашютом, а вы говорите: «Спасибо большое... Пожалуй, воздержусь!» И при этом чувствуете, ощущаете изнутри — не надо, это как-то небезопасно, рискованно.

Если же вы боитесь чего-то, что сами выдумали (при том, что вокруг вас есть реальные риски), — это уже дефект, или, если угодно, особенность функционирования инстинкта самосохранения. И чем затейливее и страннее эти выдумки, тем хуже у вас с этим инстинктом.

Как избыточная тревожность по поводу всего на свете, так и отсутствие ощущения рисков там, где их чувствовать следовало бы, свидетельствуют о том, что ваш мозг рассинхронизирован, так сказать, с реальностью, что, согласитесь, трудно считать «здоровьем».

Кстати, вспомните о наших «пассионариях»: их смелость объясняется вовсе не какой-то особенной храбростью. Они просто живут в мирах, где из-за дефекта их инстинкта самосохранения не существует тех рисков и опасностей, которые наблюдают в своих мирах «нормальные» люди.

Здоровый иерархический инстинкт подталкивает нас к свершениям — мол, давай, дерзай, будь круче других, залезай на ступеньку выше, ты можешь!

В этом инстинкте, но как бы с другого конца, должно быть и осознание собственной недостаточности: «А могу ли я?», «А достоин ли я?», «А справлюсь ли я?».

Баланс этих двух разнонаправленных тенденций и создаёт «здоровый» социальный, или, иначе говоря, иерархический инстинкт.

Так что если вам «море по колено» и «берегов вы не видите», а авторитетов для вас не существует вовсе — это дефект указанного инстинкта. Будь вы в живой природе, так сказать, вам бы сильно не поздоровилось с таким подходом к жизни и обществу.

Но мы существа культурные, живём в мире общественных представлений, а в нём теперь можно многое: и «личное мнение» по любому поводу иметь, и «старших» на все известные буквы посылать. За это теперь не убивают, так что — пожалуйста, ведите себя как попало.

По идее, **если бы этот инстинкт работал как следует, вы бы ощущали «вверху» себя тех, кто сильнее, умнее, влиятельнее**. И старались бы получить их поддержку, чувствовали бы к ним уважение, действительно бы прислушивались к ним, а не просто «принимали к сведению» их вечные бу-бу-бу.

В отношении тех, кто находится «ниже», вы бы испытывали что-то вроде отеческой заботы: желание помочь, поддержать, готовность простить ошибки. Но всё это при условии, конечно, что ваша помощь принимается.

Если же нет, то это уже не члены вашей стаи, за которых вы несёте ответственность и на которых полагаетесь, а так — незадачливые попутчики, которые не вызывают у вас желания тратить на них свои ресурсы.

Наконец, **хорошо функционирующий половой инстинкт должен соответствовать вашему полу:** мужчина, по задумке, должен чувствовать свою крутость и желать покорять ею женские сердца, женщина должна видеть в мужчине силу и испытывать желание ей ввериться.

Но с этим, как мы понимаем, в нашей культуре возникли существенные проблемы. Культура фундаментальным образом изменила условия, в которых формируются наши с вами биологические инстинкты.

Поскольку наш половой инстинкт по самóй своей структуре двойственный (с одной стороны — обладание, с другой — принадлежность, а в остальном — их диалектическое взаимопроникновение), то и вариантов его развития много.

Например, мальчиков в нашем обществе воспитывают в основном женщины. То есть мальчик с самого детства привыкает к тому, что власть и право принимать решения узурпировано женщинами, что делает их, с одной стороны, пассивными, нерешительными, а с другой — эмоционально зависимыми[19].

Девочек же в современных обществах воспитывают вместе с мальчиками, а взрослеют они, как известно, раньше и интеллектуально, и физически. Так как же им теперь приучиться восхищаться мужчинами, если они встречают их на своём жизненном пути вот в таком сомнительном виде — хилыми и тупыми? Сложно.

Последующая эмансипация с феминизмом уже только лакируют у женщин это ощущение неполноценности мужской части народонаселения.

Из-за природной двойственности полового инстинкта ему такие культурные фокусы выдержать сложно. Зачастую он приобретает весьма затейливые формы, которые, впрочем, напрямую с сексуальностью не связаны, но зато существенно влияют на социальное поведение человека.

Человеку, страдающему от дефекта полового инстинкта, может казаться, что он «исключительный» и вообще «идеальный», «прекрасный» и «невероятно талантливый», но проблема в том, что другие его не ценят, не понимают, не восхищаются им и не падают в обморок от восторга в случае любого его чиха или минимального успеха.

Впрочем, о том, какие именно нейрофизиологические типы порождает эта игра базовых инстинктов, мы ещё поговорим. Хотя уже и сейчас очевидно, что они будут иметь отношение к разным, так сказать, полюсам:

---

19 В первобытнообщинных племенах этого не происходит: мальчиков, когда они достигают хотя бы некоторой зрелости, выводят из-под женского влияния, осуществляют обряды инициации и передают на воспитание взрослым мужчинам.

«шизоидному» (т. е. «мыслительному»), «истероидному» (т. е. «художественному») и «невротическому» (т. е. «социальному»).

И именно эти полюса — но в своём, так сказать, экстремуме, — и создают те самые эффекты «странности», «лёгкого безумия» и «таланта», которые мы привыкли определять для себя как «гениальность», то есть особое, специфичное, нетривиальное ви́дение.

ДРУГИЕ МИРЫ ДРУГИХ

Из-за особенностей организации наших базовых инстинктов мы буквально физиологически реконструируем окружающий мир по-разному.

Проще говоря, по сути, как бы живём в разных мирах:

- в мире тревог, опасностей и угроз или бесстрашия и интеллектуальной работы (I);

- социальных отношений и бесконечных переживаний по их поводу, или полного отсутствия такого рода переживаний (II);

- а также в чувственном мире, где всё имеет цель — произвести впечатление, покорить или, наоборот, покориться, отдаться, принадлежать (III).

Все эти миры — вовсе не какая-то надуманная абстракция. **Мы реально видим мир разным, в зависимости от того, что конкретно для нас важно, какие цели мы преследуем.** Как говорил в своё время великий Алексей Алексеевич Ухтомский, «мой мир — это мои доминанты».

В одном таком мире — как в той сказке, бродят ужасные ужасы. В другом — идёт бесконечная борьба за власть, и принцы никак не могут поделить отцовское наследство. А в третьем и вовсе случаются бесконечные приключения эротического свойства: от любовной тоски до сексуального насилия.

При этом то, в каком именно мире каждому из нас угораздило родиться, детерминировано генетически. Выбирать нам особенно не приходится: кому что выпало, тому с тем и жить, таким и быть.

Забавно, впрочем, что мы (каждый из нас в отдельности) не в курсе, что другим людям достался другой мир. Мы считаем, что тот, в котором живём мы, и есть настоящий и даже единственный, общий. Но это не так, их несколько, а с вариациями и вовсе несчётное множество.

Так что если вы теперь вообразите себе представителей трёх этих миров, общающихся друг с другом на одну и ту же тему, то, по моим расчётам, должны будете прийти в самый настоящий ужас.

Допустим, вы говорите с человеком о своей новой знакомой (или знакомом). Для одного — это какое-то чудище опасное вышло из леса, для дру-гого — власть покачнулась под троном, для третьего — началась любовная драма.

Речь вроде бы об одном и том же, а вот картинка у каждого своя, а потому и реакции будут разные, и восприятие будет разное, и вообще всё будет из разных опер.

Да, у «нормальных» людей инстинкты самосохранения должны быть в некотором смысле сбалансированы — на то они и «нор-

мальные люди». Но, как выясняется, это «должны» — недостижимый идеал, а в суровой действительности в каждой избушке свои погремушки:

- поэтому кто-то из нас более тревожен и видит опасности по всему контуру жизни, а кто-то — наоборот;

- кто-то более социально-чувствителен, кто-то, напротив, аутичен;

- кто-то нуждается в том, чтобы всегда находиться в центре внимания и производить впечатление на окружающих, а кто-то, наоборот, лишён подобной страсти напрочь.

Понятно, что данная ненормальность может проявляться как типологическими особенностями, так и разного рода психическими расстройствами пограничного уровня, специфичными для каждого из представленных типов и, соответственно, миров.

С другой стороны, именно эта «ненормальность», если она распространяется не на один только какой-то вектор инстинкта самосохранения, позволяет некоторым из нас создавать совсем странные миры, которые не способны разглядеть (придумать, представить себе или изобрести) другие.

Дальше, если нам повезло, то это ви́дение (придумывание, представление, изобретение) покажется другим людям, через результаты нашего труда, чем-то потрясающим, необыкновенным и... гениальным.

Так возникают все эти Лилипутии с Гулливерами, Средиземье с хоббитами и орками, Алиса, окружённая улыбками Чеширских Котов. И неудивительно, что эти выдуманные «миры», несмотря на всю их абсурдность и нелепость, кажутся их создателям даже более реальными, нежели настоящие.

Три базовых типа

Начну главу о «типах» мышления с парадоксального утверждения: я абсолютно не доверяю каким-либо типологиям. Каждый из нас уникален, а поэтому они просто не работают.

Впрочем, эта уникальность — не какая-то волшебная особенность, а лишь индивидуальное сочетание различных (универсальных для всех нас) механизмов и настроек психики.

> *«Здоровый иерархический инстинкт подталкивает нас к свершениям».*

Когда вы садитесь играть в шашки, перед вами только фигурки двух цветов и поле восемь на восемь. Разнообразие, согласитесь, сомнительное. Но начните играть, и ни одна игра не будет такой же, как другая.

В общем, **мы — уникальный результат тривиальной комбинаторики.**

Поэтому, если вам вдруг покажется сейчас, что речь идёт о каких-то конкретных типах людей, не обольщайтесь. Да, это действительно типы, но типы психических механизмов, обеспечивающих работу нашего мышления.

В первой главе я попытался дать общие очертания того, каким образом наш мозг создаёт три базовых «психических радикала»: «шизоидный», «истероидный» и «невротический» (именно они и определяют способы сборки тех интеллектуальных объектов, которые составляют нашу карту реальности).

Мы выяснили, что само наличие этих «радикалов» связано с особенностями проявления нашего инстинкта самосохранения, который сам, в свою очередь, представляет собой трёхглавого змия самосохранения индивида, группы и вида.

Чем оригинальней каждая из голов этого змия наших инстинктов, тем более нестандартным получается и результат: индивидуальный мир человека, порождаемый его мозгом, и, как следствие, поведение, которое данный человек демонстрирует.

Если же все три головы — ого-го какие оригинальные, то и вовсе — туши свет! Оригинальности будет полные штаны. Впрочем, эта нестандартность, необычность может вылиться и в обычную фриковатость (как правило, тем дело и заканчивается), но может стать и хорошей психофизиологической основой для чего-то и в самом деле «гениального».

Многое, таким образом, зависит от того, как мы пользуемся этими своими «оригинальностями», и моя задача сейчас прояснить их специфику.

К сожалению, любимая мною психиатрия в этом нам помочь уже не сможет. Исследуя человека как набор частных проявлений, то есть реализуя феноменологический подход, психиатры уподобились слепым мудрецам из притчи о слоне: их данные достоверны, но противоречивы.

Поэтому мы пойдём другим путём: мы попытаемся определить саму механику этой сборки интеллектуальных объектов наших карт реальности.

Как я уже рассказывал в книге «Чертоги разума»: всё, с чем мы имеем дело, — это интеллектуальные объекты.

На нейрофизиологическом уровне интеллектуальные объекты — это просто нервные клетки, объединённые в некие функциональные единства.

Но для нас с вами это уже «что-то»: визуальные образы, конкретные звуки, тактильные ощущения, двигательные автоматизмы, эмоциональные переживания, слова и значения этих слов, наши знания о чём-либо и т. д. То есть любой продукт психики — это по сути интеллектуальный объект.

Когда мы говорим о мышлении, речь идёт о нашей с вами способности создавать карты реальности. Мы строим эти карты из интеллектуальных объектов с целью, так сказать, ориентации «на местности» (нам нужно понять, что происходит, и как нам в связи с этим следует действовать, чтобы получить желаемый, необходимый нам результат).

Вот здесь, собственно, и возникает своего рода точка бифуркации — наш мир как бы распадается надвое: на мир физический (в нашей же голове) и на мир наших представлений (в ней же).

«Местность», на которой нам приходится ориентироваться, не такая, как у других животных. «Местность» безъязычных животных основана лишь на рецепторике, на восприятии физического мира.

Мы же с вами живём в мире наших отношений с другими людьми, в мире своих представлений, в мире «идеального». «**Идеальное» — это то, что мы считаем реальным, но не можем, грубо говоря, пощупать.**

Например, я думаю, что человек красив (реально так думаю и даже «вижу» его красоту), но рецепторы, способные воспринять «красоту», в моей нервной системе не предусмотрены. Так откуда же она берётся?!

Эту «красоту» я додумываю в себе, создаю как специфический интеллектуальный объект — вот такой, собственно человеческий, читай «идеальный»[20].

С другой стороны, мы, конечно, тоже животные, поэтому наш мозг создаёт и «рецепторный мир», но мы практически не обращаем на него внимания. В нём для нас слишком мало рисков: разве что машина рядом резко затормозит, и мы вздрогнем. Или если нам кто-то ногу захочет отрезать — это нас взбодрит крепко. Но это же не так часто происходит, правда? Тогда как в дикой природе подобные вздрагивания и бодрость — суть жизни, так сказать.

Куда больше нас заботит другой мир — мир, производный от наших отношений с другими людьми. И решения, которые мы в нём принимаем, касаются не «борьбы или бегства» (в физическом их исполнении), а наших знаний, представлений, социальных ролей, амбиций, верований, ценностей и прочих следствий нашего воспитания в культуре.

---

20 В методологии мышления такие интеллектуальные объекты относят к «миру интеллектуальной функции».

Проще говоря, мы по большей части живём и действуем в мире, который имеет «идеальную» природу. То есть сам тот мир, который мы считаем реальным, является полностью вымышленным.

В природе не существует «социальных обязательств», «стыда» или «вины», «культуры» или «греха», «денег» и «аттестатов об образовании», «бизнес-планов» и «чистой прибыли», «научных концепций» и «лженауки». Всё это — результат наших социальных договорённостей в вымышленном мире.

Но мы так не думаем, для нас это не игра какая-то. Для нас тут всё по-настоящему, «на самом деле». Эта «идеальная» реальность грозит нам «бедностью» и «одиночеством», «увольнением» и «поражением», «изменой» и «предательством», «унижением» и «страданием»...

В общем, понятно, почему эту «идеальную» (воображаемую) реальность, созданную языком и культурой, мы картируем с особым задором!

Способы, которыми мы собираем интеллектуальные объекты этой карты, естественным образом связаны с тем, как мы функционируем в социальной реальности, с тем, каковы мы сами, созданные этой социальной реальностью на основе той психофизиологии и нейробиологии, которая досталась нам в рамках генетического наследства.

Итак, наше мышление создаёт карты реальности и прокладывает на них маршруты, помогая нам получить то, в чём мы по тем или иным причинам нуждаемся.

Осталось понять, как базовые «радикалы» влияют на механику производства интеллектуальных объектов нашей карты реальности.

Да, выбор небольшой. Но и всё многообразие цветов окружающего нас мира мозг создаёт с помощью всего лишь трёх типов колбочек — цветовых сенсоров нашей сетчатки глаза.

Вроде бы те улавливают только синий, зелёный и красный, но оглянитесь вокруг...

Агрегат

Что же касается меня, то я когда-то пришёл
к заключению, что ничего святого ни во мне,
ни в других человеческих существах нет,
что все мы просто машины, обречённые
сталкиваться, сталкиваться и сталкиваться без конца.
КУРТ ВОННЕГУТ

Гениальность, структуры мозга, психотипы,
психофизиология, инстинкты... Кажется, какое отношение всё это имеет к мышлению?
Самое непосредственное.

Мы живём в иллюзорном мире собственных
представлений, навязанных нам культурой.
И согласно этим представлениям наше сознание (а там, читай, и мышление) — это чуть
ли не какой-то «Святой Дух», что поселяется
в нашем мозгу и творит там интеллектуальные чудеса.

Разумеется, это полнейшая ерунда. Наше сознание — это вообще производное ствола мозга (так что оно в каком-то его виде и у любой
рептилии есть), а наше мышление — это просто базовая функция мозга, обеспечивающая
производство интеллектуальных объектов.

Интеллектуальные объекты, созданные нашим мозгом, сильно отличаются друг от друга. Нам кажется, что это совершенно разные
вещи: зрительные образы наблюдаемого
нами мира, математические теоремы и научные теории, вызревшие в мозгах учёных,
смыслы слов, симфоническая музыка, умение кататься на велосипеде, сны и т. д., и т. п.

Но с точки зрения нейрофизиологии никакой разницы между этими «вещами» нет. Всё это интеллектуальные объекты, сконструированные и произведённые на фабрике мозга.

Разница лишь в том, что для создания соответствующих «вещей» использовались разные области мозговой коры: где-то затылочная доля (зрительные образы), где-то височная (музыка и смысл слов), где-то теменная (математика и научные теории), где-то центральные борозды (навык езды на велосипеде) и проч.

В любом случае это всегда интеллектуальные объекты — некая агрегация нервных клеток, которые и производят соответствующий эффект (объект).

Так что за всеми этими «Святыми Духами» стоит рутинная работа простых, ничем не примечательных «серых клеточек». Они подобны муравьишкам, которые трудятся, создавая огромный, многоэтажный, полный ходов, камер и кладовых, муравейник.

Каждый муравей (как и нейрон) — ничтожен и бессмыслен (хотя и сложно устроен сам по себе), но, организованные в систему, они способны творить настоящие произведения искусства, даже оленя какого-нибудь сожрут, если возможность такая представится, — не подавятся.

> *«Интеллектуальные объекты – это просто нервные клетки».*

Итак, всё, чем мы располагаем, эта куча клеток, которые делают разную работу, что зависит лишь от той области мозга, в которой они физически располагаются, и от того, в какую функциональную сеть они включены.

Именно к этим сетям нам и следует сейчас присмотреться. Как я уже рассказывал в «Чертогах разума», наш мозг имеет несколько режимов работы: восприятие информации, переработка информации и мышление как таковое (если сузить это понятие «мышление» до привычных рамок — того, что мы думаем, когда мы думаем).

За восприятие информации в нашем мозгу отвечает «сеть выявления значимости» (СВЗ), за переработку информации — «центральная исполнительская сеть» (ЦИС), а за мышление (в самом, так сказать, высоком и главном смысле этого слова) — «дефолт-система мозга» (ДСМ).

Поэтому ДСМ и интересует нас в первую очередь. Изначально это функциональное образование, в которое входят обширные отделы медиальной префронтальной коры, поясная и клиновидная извилина, теменная доля и многие другие зоны мозга, было предназначено эволюцией для создания образов наших соплеменников (см. рис. № 4).

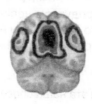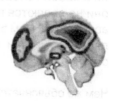

Рис. № 4 Области коры головного мозга, входящие в состав дефолт-системы

Чем лучше вы понимаете тех, с кем вам довелось коротать свою жизнь, тем больше ваши шансы на успех в самых разных делах — от выживания до продолжения рода.

Вот почему значение этой функциональной структуры мозга сложно переоценить. И понятно, что именно она в первую очередь и отвечает за то, как реализуется наш иерархический инстинкт.

КАКИМ МЕСТОМ МЫ ДУМАЕМ?..

Научившись создавать сложные интеллектуальные объекты (эти самые образы наших соплеменников), дефолт-система мозга превращается из простого социального барометра в хорошо запрограммированный сервер по обработке большого количества данных, имеющих, так скажем, виртуальную природу.

Вы же не видите отношений между другими людьми — от них, так сказать, свет не отражается. Вы видите лишь других людей самих по себе. Но откуда, в таком случае, вы знаете об их отношениях?

Кроме того, вы способны думать о других людях даже тогда, когда их нет рядом. То есть вы видите их в своей голове — в памяти, воображении, и они не являются продуктом непосредственного восприятия. Нам это привычно, и нас это не удивляет. Но с точки зрения психофизиологии это странно.

Чем же объясняется эта наша способность «видеть невидимое»?

Дело в том, что дефолт-система мозга как раз и предназначена эволюцией для того, чтобы вы могли работать с виртуальными («идеальными») образами: не с тем, что вы воспринимаете (видите, слышите, чувствуете — за это отвечают зоны сенсорной коры), а с тем, что вы себе представляете.

Это очень сложный навык, поверьте! И формируется он не сразу, а долгими, изнуряющими тренировками. Но именно им обусловлено существование таких вещей как культура, наука, искусство, мировоззрение и т. д. Все эти вещи по существу «виртуальны», они не существуют в действительности, а лишь в наших мозгах.

Возможно, вы так не думаете, но попробуйте...

Прелесть художественного произведения не в количестве краски, мрамора или бронзы, а в том, что вы способны увидеть (усмотреть, удумать) в том или ином художественном образе.

Ничего «такого» в нём на самом деле нет. И кошки, живущие в Эрмитаже, вряд ли являются бо́льшими эстетами, нежели коты из подворотни какого-нибудь спального района.

Мы видим в шедеврах живописи (и не только в этих шедеврах) то, чего в них на самом деле нет. Мы видим в них то, что мы о них думаем, когда размышляем о художественных стилях, о самих художниках, об образах, запечатлённых на полотне и т. д.

То есть глядя на картину, скульптуру или даже слушая музыку, мы воспринимаем нечто сверх неё, мы как бы привносим в неё то, что думает о ней наш мозг.

Думает он как раз тем самым сервером дефолт-системы мозга, на котором, согласно задумке эволюции, просчитывается информация о наших отношениях с другими людьми. Если мы ничем особенным не заняты, то эти размышления возникают в нас автоматически (учёные называют это состояние блужданием).

Но мы можем загрузить на этот сервер и информацию другого рода — например, наши представления о живописи, или информацию о своём бизнес-проекте, или об этой книге (как я сейчас это делаю и как это делаете вы).

И тогда этот же сервер эволюционно предназначенный для анализа отношений в нашей стае, племени, коммуне, будет обрабатывать уже эту информацию.

Заблуждение думать, что мы мыслим сознательно. Больше того скажу: к счастью, это не так. Ресурсы сознания крайне ограниченны: оно не многозадачно, способно учесть не более трёх аспектов ситуации, а продолжительность сознательной «мысли» всего три секунды.

Вас всё ещё расстраивает, что думает в вас не ваше сознание, а ваш мозг?

Да, лучше уж довериться в этом деле мозгу. Дефолт-система мозга рассчитана в соответствии со знаменитым «числом Данбара», на 150–230 элементов. Так что, по сравнению с сознанием, она способна просчитывать просто-таки огромные объёмы информации.

А чем больше элементов (составляющих) ситуации вы учитываете, чем больше связей между ними прокладываете, тем точнее ваша модель реальности и тем лучше понимание предмета, который вы изучаете.

Наши инстинкты базируются в подкорке, то есть глубже корковых отделов головного мозга. Ничего удивительного в этом нет: у животных, которые и вовсе корой не могут особо похвастаться (например, какие-нибудь рыбы, ящерицы и даже некоторые птицы), с инстинктами всё в порядке.

Ствол мозга благодаря специальным клеткам ретикулярной формации продуцирует психическую энергию, которая попадает в подкорковые структуры (так называемые лимбические структуры головного мозга), где эта энергия и приобретает, так сказать, соответствующий психический «смысл» (см. рис. № 5).

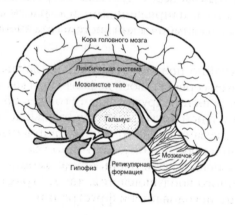

Рис. № 5 Схема лимбической системы мозга

Из простого психического напряжения она превращается в энергию наших важнейших инстинктивных потребностей — выжить как индивид (инстинкт самосохранения) и как вид (половой инстинкт).

Вот почему **подкорка — это святая святых наших эмоциональных реакций,** которые и служат нам как раз для целей выживания.

Реакция на внешнюю угрозу, страх и агрессия, голод и сексуальное возбуждение — всё тут[21].

Теперь же, если вы сопоставите схему дефолт-системы мозга со схемой лимбической системы, то увидите, что они отчасти совпадают (действительно, поясная извилина относится к лимбической системе и активизируется, когда мозг входит в режим работы дефолт-системы).

Так что и третий инстинкт — социальный (иерархический), — хотя он вроде бы и не относится к инстинктам первой эволюционной необходимости, тоже тут. Неслучайно наши отношения с другими людьми могут быть столь напряжёнными и страстными. Отсюда, из лимбической системы эта энергия.

Неслучайно поэтому и другое: когда мы используем серверы своей дефолт-системы мозга для решения других задач (то есть обсчитываем в ней другие интеллектуальные объекты, связанные, например, с творчеством, наукой или бизнесом), мы точно так же способны испытывать очень яркие эмоции как огромного воодушевления, так и страха, агрессии, негодования и фрустрации.

В каком-то смысле можно сказать, что дефолт-система как бы заряжается от возбуждённых отделов лимбической системы. Но дело, судя по всему, одной только подзарядкой не ограничивается...

---

21 Отсюда же в значительной степени регулируется и работа внутренних органов (вегетативная нервная система), без чего, конечно, никакой инстинкт реализоваться не может.

ИНТЕЛЛЕКТУАЛЬНЫЕ ОБЪЕКТЫ

Давайте попробуем вообразить, чем для вас является другой человек.

Формально говоря, это физический объект определённых размеров и свойств. Однако мы относимся к другим людям, мягко говоря, чуть сложнее. Мы представляем себе их как личности.

Но что вы знаете об их личностях на самом деле? Вы можете с уверенностью утверждать, что у человека есть две ноги, две руки, туловище и голова (если он конечно ничего из этого набора не потерял). Это факт.

Но что вы можете знать о его «чести» и «достоинстве», «характере» и «интересах», «пристрастиях» и «слабостях»?

Ничего этого вы не знаете наверняка, ведь этого не увидеть, не услышать и не пощупать. Об этом можно только догадываться, строить предположения.

Да, люди, с которыми мы имеем дело, это такие воображаемые штуки, которые живут в нашей голове, а конкретно, если говорить нейрофизиологически, — в дефолт-системе нашего мозга. Именно она строит модели других людей, которые мы ошибочно принимаем за реальных персонажей.

Впрочем, и мы сами — точно такой же, в сущности, сконструированный образ. На самом деле наше поведение зависит от обстоятельств, и мы не всегда ведём себя так, как нам бы самим понравилось. Мы можем чувствовать то, что не хотим чувствовать, думать то, что мы не хотим думать и т. д.

То есть есть некие реальные мы, которые что-то думают и чувствуют, а есть мы, которые сами себя оценивают: мол, этого думать не стоит, а чувствовать — тем более! И это наше виртуальное «я» — некое наше представление о самих себе, тоже нигде в реальности не существующее, кроме как внутри нашей собственной дефолт-системы мозга.

Посмотрите ещё раз на схему дефолт-системы мозга (рис. № 4): где-то там находитесь вы. Точнее, ваше представление о самих себе. А теперь взгляните на мозг целиком — это реальные вы. Не выдуманные, а ровно такие, какие есть.

Как же возникают эти наши виртуальные представления? Что эти представления, прошу прощения за тавтологию, собой представляют?

Как вы уже знаете, это просто интеллектуальный объект — то есть определённая взаимосвязь нервных клеток, которые объединены в целостную структуру, которую мы можем осознать как некий образ или мысль.

Когда мы мыслим (точнее, когда такую работу выполняет наш мозг), мы на самом деле лишь заставляем разные интеллектуальные объекты (нейронные комплексы) функционально сталкиваться в нашей дефолт-системе друг с другом.

- В одних случаях эти столкновения приводят к объединению нескольких интеллектуальных объектов в новый комплекс — это значит, что у вас возникла новая идея, новая мысль, новое представление (новый, более сложный интеллектуальный объект).

- В других случаях эти столкновения нейронных комплексов в нашей дефолт-системе не приводят к результату, и новый интеллектуальный объект не образуется.

- Как правило, мы испытываем сильное внутреннее напряжение, переживаем, пока, наконец, не закинем этот вопрос куда-нибудь на дальнюю полку и не переключимся на что-то другое.

Наконец, бывает, что какие-то интеллектуальные объекты настолько конфликтуют друг с другом, что нам ничего не остаётся, как искусственно создать поверх них своего рода саркофаг — некий «всё объясняющий» интеллектуальный объект, который спрячет от нас наличие действительной проблемы (реальное противоречие, которое мы так и не смогли разрешить).

Чаще всего мы, конечно, думаем о других людях (по большей части обмусоливаем конфликты с ними). Например, нас кто-то обидел. И этот «кто-то» — интеллектуальный объект в нашей дефолт-системе. Причём «обидел» — это ещё один интеллектуальный объект. Так что они у нас объединяются.

Дальше у нас возникает идея, как этот «кто-то» (родственник, начальник, брат-сват) должен к нам относиться. Это тоже интеллектуальный объект, который конфликтует с интеллектуальным объектом, возникшим в нас в результате нашей обиды. Мы пытаемся сопрячь одно с другим, и у нас ничего не получается.

Тогда мы придумываем другой интеллектуальный объект: например, «все начальники идиоты», «родственникам на меня наплевать», а «братьев-сватьев лучше вообще не заводить». Ну или что-то ещё, что, как говорится, придёт в голову.

И вот у нас уже есть «безразмерный» интеллектуальный объект, который мы как бы натягиваем на соответствующий конфликт и снимаем существующее в нас напряжение между не складывающимися в единое целое интеллектуальными объектами.

Впрочем, кроме «других людей» в нашей жизни есть ещё масса всяких разностей: проекты, которые мы делаем, бытовые задачи, которые мы решаем, увлечения, которые занимают нас. И так далее, и тому подобное.

Всё это — интеллектуальные объекты (нейронные комплексы), которые время от времени загружаются в нашу дефолт-систему и обсчитываются в ней. В результате чего у нас или получаются новые блестящие идеи, или получается какое-нибудь очередное безобразие.

В любом случае система мышления такая, и работает она так. Но, как выясняется, не у всех «радикалов» одинаково.

Ошибки диагностики

Есть три ошибки в общении людей:
первая — говорить прежде, чем нужно;
вторая — не говорить, когда это нужно;
третья — говорить, не наблюдая за вашим
слушателем.
КОНФУЦИЙ

Возьмите два павловских типа — «художников» и «мыслителей». У одних, как мы знаем, подкорка играет первую скрипку, у других — кора. Скажется ли это на том, как их дефолт-система будет собирать интеллектуальные объекты?

Допустим, вам надо осмыслить какую-то ситуацию, то есть развернуть соответствующие системы отношений и связей в вашей дефолт-системе.

Как это будет происходить, **если вы больше «художник»,** чем «мыслитель», то есть ваша подкорка стремительно и живо реагирует на новые вводные, а кора её только догоняет?

Если так, то ситуация оценивается вами, в первую очередь, с точки зрения ваших потребностей: хорошо это для вас или плохо, важно или не важно, хочется или не хочется.

Как только вы (ваша подкорка) определились со своей позицией по данному вопросу, ваша дефолт-система тут же принимается думать, как бы получить то, что для вас хорошо, важно и хочется, или, наоборот, избежать того, что для вас плохо, неважно или вам не хочется.

Замечу между делом, что выводы, которые сделала ваша подкорка, оценивая ситуацию, вполне могут оказаться ошибочными.

Думать там (в привычном понимании этого слова) особенно нечем, на то она и подкорка, а не кора. Её реакции более рефлекторны, что ли. Да и учитывает подкорка только первые, самые поверхностные признаки стимула, без проникновения в суть вещей, так сказать.

Так что, имея лишь подкорковую оценку ситуации, можно легко дать залп мимо цели. **Выбор подкорки, кажущийся вам правильным, вполне может статься, по-хорошему совсем вам не подходит, а то, что вам хочется — на этом, подкорковом уровне, — возможно, и вовсе катастрофа.**

Впрочем, сейчас мы говорим лишь о самóм принципе: каким образом дефолт-система мозга (система нашего мышления) работает в мозгах, которые по каким-то генетическим причинам устроены так, а не иначе.

Теперь представим себе, что **вы больше «мыслитель»**, чем «художник», то есть свою подкорку вы слышите плохо и через раз, но зато у вас, что называется, своя кора на плечах!

Вы точно так же сталкиваетесь с какой-то ситуацией, но, в отличие, от «художника», не можете оценить её с точки зрения субъективной значимости и ваших подкорковых нужд. Вы оцениваете её в соответствии с теми знаниями, которые хранит по данному вопросу ваша кора.

Допустим, вы узнали, что Иван Петрович Павлов разделил людей на два психологических типа — на «художников» и «мыслителей».

Что ваша кора может сказать нам (вам) по этому поводу?

Предположим, что она хранит информацию о том, что «Павлов занимался собаками», а ещё вы в своё время детально продумали типологию, созданную Карлом Густавом Юнгом, и сочли её верной. И как вам теперь быть?

Если вы должным образом не озадачены и вам любопытно, но не очень, то вы вполне можете заключить, что

1) у собак одна психология, у человека — другая,

2) следовательно, Павлов ничего дельного сказать о психологии человека не может,

3) Юнг, напротив, всю жизнь занимался психологией человека и зарекомендовал себя как серьёзный учёный,

4) пользоваться надо типологией Юнга.

Должен сказать, что всё это выглядит предельно логично. И опять-таки мы не будем обсуждать сейчас, верны представленные здесь выводы или нет. Нам главное ухватить сам принцип того, как человек думает, если главное влияние на его дефолт-систему имеет кора, а не подкорка.

«*Подкорка — это святая святых наших эмоциональных реакций*».

А принимает решение он, как мы видим, исходя из набора уже продуманных им как следует интеллектуальных моделей.

Он как бы берёт информацию, с которой он только что ознакомился, и сличает её с теми данными, которые в его коре зафиксированы.

Да, все мы не вчера родились, поэтому каждый из нас, конечно, опирается в принятии решений на свой прежний опыт. Но наши опыты разрозненны и мы совершенно неосознанно реагируем на раздражитель с учётом первого подвернувшегося нам воспоминания.

Однако «мыслитель» на то и «мыслитель», чтобы реагировать «системно». Впрочем, надо оговориться, что системность эта учитывает только часть опытов человека, причём меньшую их часть. Как правило, в привилегированном положении оказываются те воспоминания, которые были как следует проработаны языковыми центрами мозга.

Так или иначе, когда наш «мыслитель» решает, что он добыл уже достаточное количество информации из чертогов своего разума (она как бы подзагружается в дефолт-систему его мозга), в префронтальных областях коры (то есть в лобной доле) происходит, так сказать, «сличение».

Он сличает то, что он уже знает и понимает, с тем, что он только что узнал и собирается осознать.

Если сличение происходит удачно и противоречий «мыслитель» не чувствует, он присоединяет это своё новое знание к старому и образует некий новый интеллектуальный объект.

Если же данное сличение оканчивается неудачей, то эти новые вводные «мыслителем» просто удаляются, как не прошедшие проверки на достоверность — мол, муть, не стоит внимания.

Не могу сказать точно, был ли «отец ядерной физики» и нобелевский лауреат Эрнст Резерфорд «мыслителем» (очень может быть, что да), но рассказывают про него забавное: когда какой-то другой учёный подходил к нему с вопросом или какой-то идеей, Резерфорд выслушивал его в абсолютной задумчивости, глядя куда-то в сторону, а потом или резко что-то отвечал, или просто уходил, не удостоив вопрошавшего даже взглядом.

Что этот человек в тот момент чувствовал? Как ему на это было реагировать? Что вообще это значит? Данные вопросы «мыслителя» («шизоида») не интересуют вовсе. Но не потому, что он «сволочь беспардонная» или «хам трамвайный», а потому просто, что других людей он не идентифицирует как переживающих и чувствующих существ.

Они для него — «кусок информации». Если информация в тему и по делу — хорошо, даже замечательно, милости просим! Если информация — вообще никакая, то о чём говорить? Будет «какая» — тогда заходите, обсудим.

Понятно, что не всякому в рамках такого общения будет уютно. Но при чём тут, с другой стороны, уют, если мы по делу разговариваем? Впрочем, по-другому «мыслители-шизоиды» и не умеют.

Вот так и кора мыслителя: информацию загрузила, прокрутила, приняла решение и выдала ответ. Что там происходит вокруг? Какие ещё есть обстоятельства дела? Это её не интересует.

У неё своя жизнь: получаем, сличаем, реагируем, а там — трава не расти.

ОДНО ИЗ МНОЖЕСТВА УТОЧНЕНИЙ...

Как я уже сказал, понимать всё это слишком буквально, а тем более как руководство к диагностическому действию — нельзя.

Сейчас я на частном примере представил вам реакцию «истероидного» (художественного) и «шизоидного» (мыслительного) радикала на некую ситуацию:

- первый определяет, насколько она соответствует его потребностям,

- второй — сличает её со своими знаниями.

Но если бы всё было так просто...

Допустим, человек с превалирующим «истероидным радикалом» и искромётной подкоркой узнаёт о том же различии «типов», что и упомянутый «шизоид»: мол, жил-был такой Иван Петрович, и поделил он людей на два типа...

Теперь давайте попробуем представить, как «истероид» среагирует на эту новость?

Мы знаем, что им движут лишь его потребности, и на этом основании можем заключить, что его реакция будет зависеть от того, насколько он вообще интересуется типологиями: если есть у него такая потребность, то заинтересуется, а нет — так и нет, пошлёт всю эту инфу на небо за звёздочкой.

Но этот наш вывод будет, скорее всего, ошибочным. Дело в том, что сам стимул, который предъявляют двум разным «радикалам», видится ими по-разному (у них, как мы помним, разное ви́дение).

«Шизоид» в информации о типах увидит научную теорию, которая или соответствет «истине» (как он сам её понимает), или не соответствует.

Вот он и сравнивает эту теорию с другими теориями (уже принятыми им на вооружение), играет в такой интеллектуальный тетрис: если сложится-уложится — хорошо, если нет — конец дискуссии, начнём следующую партию.

«Истероиду» же, может быть, совершенно наплевать на все эти теории — мало ли кто там и что думает! Но ему важно, как он сам выглядит в глазах других людей (даже если эти глаза и существуют лишь гипотетически — в его воображении), а тут речь о каких-то типах...

«Истероидный радикал» укоренён в половом инстинкте, а поэтому понятно, что у него есть потребность быть лучшим и самым прекрасным. Что ж, мы предъявили ему типологию, как он на неё отреагирует?

Он немедленно захочет быть лучшим из всех её типов — типом всех типов, так сказать! Иначе как, скажите на милость, производить неизгладимое впечатление на всех вокруг в радиусе и по периметру?!

То есть «истероид» вполне может заинтересоваться данной информацией, но не как «теорией», а тем, как эта теория его позиционирует в окружающем пространстве.

Если выяснится, что эта теория возносит его на высоты прекрасности, то он, разумеется, скажет, что она гениальна, Павлов — светоч мысли, и вообще, боже, как же прекрасно жить на свете!

Но если теория окажется «неудобной» и выявит какие-то недостатки нашего «истероидного радикала» — что делать?

Самый надёжный способ — совершеннейшим образом её проигнорировать: мол, не слышал, не знаю, и, кстати, в огороде бузина, а в Киеве — дядька. Впрочем, есть и другой вариант: если эта информация сильно заденет самолюбие «истероида», он может и в лобовую атаку пойти, круша всё на своём пути и не разбирая броду.

То есть когда мы оцениваем некий «внешний стимул», то судить о его значении для того или иного «радикала» мы должны с учётом этого самого «радикала», а не формально (когда мы оцениваем лишь содержательный аспект стимула).

Теперь вернёмся к «шизоиду». Как мы уже поняли, для него важно соответствие новых вводных той информации, которая в его «чертогах» уже есть. Но если рассуждать, следуя этой логике, то получается, что они, эти «шизоиды», чрезвычайно скучные люди!

Не знаю, насколько вы знакомы с великими математиками (а почти все они — классические и гуттаперчевые «шизоиды»)… Если не знакомы, то просто поверьте мне на слово — скучными их точно не назовёшь! Да, если вы не математик, то быстро заскучаете в разговоре с ними.

Впрочем, они с большой вероятностью могут этого даже не заметить, продолжая фонтанировать новыми и новыми соображениями. Какое им дело, как вы реагируете, когда у них в «чертогах» целая Вселенная разворачивается невероятной сложности и красоты? Несопоставимый, так сказать, масштаб — в рамках статистической погрешности...

То есть вроде как должны быть скучными наши «шизоиды», а вот — не скучные. В чём здесь подвох? Подвох в том, что мы не учли одну чрезвычайно важную деталь: любопытство.

«Шизодный радикал» обусловлен, как мы уже с вами знаем, специфичностью (дефектом) индивидуального инстинкта самосохранения: перемещение «центра тяжести» из подкорки в кору делает человека в каком-то смысле более уязвимым. Но он опасностей-то и не видит, поэтому демонстрирует бесстрашие, а обратная сторона бесстрашия — какая? Правильно, то самое любопытство.

Другой вопрос, на что это любопытство будет направлено. Если мы узнаем, что некий человек заинтересовался типологией Ивана Павлова, то мы, вероятно, сделаем вывод, что он в принципе интересуется типологиям. Это логично. Но если этот человек движим «шизоидным радикалом», то есть шанс, что наша логика даст, так сказать, маху.

Вполне возможно, например, что эта новая информация заинтересует его каким-нибудь совершенно нетривиальным образом.

Например, почему только два типа? Потому ли, что главные понятия павловской теории — это «возбуждение» и «торможение»? Но как, в таком случае, эта типология связана с теорией «условных рефлексов» того же Ивана Петровича? И влияет ли принадлежность к тому или иному типу на сон, который, «по Павлову», является «разлитым торможением»?

Но это ещё не всё. В результате он может вывести из набора этих данных какую-нибудь, например, «теорию двоичного кода» или «психическую концепцию времени» (ведь условный рефлекс — это, по Павлову, временная связь). А если его голова полна эзотерических концепций, то, вполне возможно, нас ждут мощные выводы относительно управляемых сновидений, торможения желаний и работы с энергией на высшем уровне (Павлов же говорит о «высшей нервной деятельности»!).

В общем, то, куда именно отправится любопытство «шизоида», который принялся разрабатывать ту или иную тему, и с чем оно оттуда вернётся, сказать, мягко говоря, сложно.

Но можно быть уверенным, что пойдёт оно дорогами «логических» ассоциаций — путём необычным и странным, и заведёт, возможно, нашего героя туда и так, что найти его там и выковырять оттуда будет не так-то просто.

Вот почему мир «шизоида» может быть объёмным и сложным, что, казалось бы, противоречит утверждению, что вся суть «шизоидного радикала» в том, что он сравнивает внешний стимул с уже существующими в его распоряжении интеллектуальными установками.

Это всё я к тому, что не следует делать поспешных выводов, основываясь лишь на общих характеристиках того или иного типа мышления. В реальности каждый из них — это сложная и разветвлённая система, понять которую можно только в том случае, если вы способны ухватить все аспекты ситуации, в которой тот или иной тип себя проявляет.

Надеюсь, мне удалось показать, что сам подход «художников» и «мыслителей» к работе с информацией сильно отличается. А каким же образом дело обстоит **с третьим типом — с «невротиками»,** как назвал бы их Фредерик Пёрлз?

Точкой входа у данного «радикала» является, по сути, сама дефолт-система, точнее, та её часть, которая входит в лимбическую систему, то есть функционально относится ещё к подкорке, но анатомически уже является частью коры головного мозга.

Это значит, что «невротический радикал», так же, как и «художник», сохраняет при оценке ситуации существенный эмоциональный заряд — он чуток к собственным потребностям. Однако же, сама ситуация выглядит для него, что ли, более «мыслительно».

Но это не главное. Важно понять, почему первую скрипку в случае «невротического радикала» играет именно дефолт-система мозга. Всё дело в иерархическом инстинкте, избыточность которого и характеризует, как мы уже знаем, «невротический тип».

Именно дефолт-система мозга создавалась эволюцией под задачи формирования социальных групп — стаи, а потом и племени.

По сути эти области коры головного мозга являются чем-то вроде места дислокации «других людей», то есть их образов, с которыми мы и общаемся внутри собственной головы.

С реальными людьми, строго говоря, мы обмениваемся лишь колебаниями воздуха, выталкивая его через свои голосовые связки (ну и другими физическими воздействиями:

давлением на кожные рецепторы и химическими молекулами на рецепторы обоняния).

Собственно же само наше с ними общение нашу голову не покидает. **Всё, что мы думаем о других людях, как мы их воспринимаем, как к ним относимся — это уже продукт работы мозга, а именно той самой дефолт-системы.**

Это, как мы уже говорили, невидимые вещи, которые мозг должен сам в себе создать, реконструируя возникающие социальные ситуации.

Более того, мы сами — как «личность», как «индивид» — представляем собой как бы перекрестье этих образов «других людей» в своём собственном мозгу.

Да, в нём нет нашей «личности», какого-то особого «я», в нём есть только множество образов «других людей», через которых мы и определяем то, чем являемся.

Без них, без наших отношений с ними, мы были бы плоскими и реактивными — пустым местом, способным лишь отзываться на внешние раздражители.

Но когда мы находимся в определённых социальных отношениях, всё меняется: любой сигнал, который мы получаем извне, мы получаем не сами по себе, а как бы всей своей стаей и своим местом в ней.

Когда вам что-то говорят, это говорят не каким-то абстрактным «Пете» или «Маше», это говорят неким социальным агентам: отцу трёх детей или матери-одиночке, старому товарищу или подружке невесты, ветерану боевых действий или профессору кафедры искусствоведения, бизнесмену или домохозяйке, жиголо или «Мисс Вселенная — 2005».

То есть, когда к нам обращаются, к нам всегда обращаются как к какому-то социальному лицу. Это ваше (и моё) «социальное лицо» — по сути продукт тех отношений, в которых мы состоим. И понятно, что эта система может весьма специфическим образом отзываться на любой из внешних сигналов, на любую внешнюю информацию.

Представьте, что вы делаете предложение увеселительной прогулки отцу трёх детей или, как вариант, матери-одиночке, старому товарищу, подружке невесты, ветерану боевых действий, профессору кафедры искусствоведения, бизнесмену, домохозяйке, жиголо и «Мисс Вселенная — 2005». Чувствуете разницу?

Вот, это реагирует ваш «невротический радикал»! Он как бы всегда знает, кто вы, а кто тот, кому вы что-то говорите или предлагаете (например, увеселительную прогулку).

И ещё этот «радикал» практически на автомате чувствует (буквально — ощущает!), что данное предложение будет значить (в социальном плане) для другого человека и чем любое ваше высказывание может обернуться — то есть как другой человек отреагирует, что он о вас в связи с этим подумает и т. д.

Впрочем, у кого-то «невротический радикал» выражен ого-го как и бежит впереди паровоза (таковы все «невротики»), а у кого-то, в случае превалирования двух других «радикалов» («истероидного» или «шизоидного»), этот внутренний социальный детектор может и не включиться вовсе, или включиться слабо, или странно.

Например, может отреагировать «вычурно», «неуважительно», «неадекватно ситуации» и т.д., но это, конечно, только на взгляд «невротика» (поэтому и в кавычках). «Истероид» или «шизоид» так, конечно, не мыслят в принципе, их совершенно другие вопросы заботят.

Что ж, теперь попробуем представить себе, как «невротический радикал» реагирует на новые вводные: новую информацию, какую-то ситуацию.

У такого человека, понятно, сразу включается иерархический инстинкт, а это значит, что для него будет иметь принципиальное значение, от кого исходит данная информация или кто является участником соответствующей ситуации.

Если информация исходит от авторитетного человека (источника), которого «невротик» воспринимает как того, кто стоит выше его по иерархии (в данной конкретной сфере), то у него автоматически возникает чувство доверия к данной информации. И он, соответственно, начинает пересматривать уже имеющиеся у него к этому моменту данные, учитывая существенную значимость этих новых вводных.

Однако же, если человек (источник), от которого исходит данная информация, не воспринимается «невротиком» как «значимый» (то есть ощущается находящимся ниже его по социальной лестнице), то он будет думать, каким образом опровергнуть эту новую для себя информацию или как-то иначе, не так, как ему предлагают, её проинтерпретировать.

Причём аргументы, которые он в таком случае использует, тоже будут носить социальную окраску: «Да это же Клава из соседнего подъезда! Чего от неё ещё ждать-то?!» или «Ну это же сам Иван Иванович сказал, это серьёзно!».

Тут, впрочем, нужно учитывать одну важную деталь: то, как «невротик» определяет «верх» и «низ», может оказаться ошибкой.

Вполне возможно, что он считает кого-то «иерархическим верхом» — условного Ивана Ивановича, — а он на самом деле не обладает действительными знаниями и компетенциями, лишь только нужными регалиями обзавёлся и умеет подать себя правильно.

> *« "Социальное лицо" — по сути, продукт тех отношений, в которых мы состоим».*

Или наоборот, возможно, тот, кого «невротик» воспринимает как «иерархический низ» — ту самую Клаву, например, — в действительности и нужной информацией владеет, да и вообще не лыком шита, так что к её мнению имело бы смысл на самом-то деле прислушаться.

То есть «невротик» может неадекватно определять своё собственное место в иерархической структуре, что, само собой, учитывая логику его подхода, будет неизбежно приводить к серьёзным ошибкам.

Впрочем, это его «место» в виртуальной «иерархической пирамиде» легко может измениться, если источник информации похвалит нашего «невротика» (произведёт его интеллектуальный груминг) и тем самым сделает его членом своей стаи.

С «шизоидом» такой ход обречён на неудачу: ему совершенно безразлично, как конкретно к нему относится собеседник (источник информации). Ему важно, насколько всё в результате произведённой интеллектуальной работы получится логично, точно и непротиворечиво внутри его собственной модели реальности.

А кто и как к кому относится... Какое это имеет отношение к обсуждаемому вопросу?!

Думайте так же, как «шизоид», рассуждайте как он, следуйте той же логике и последовательности умозаключений — и всё, вы достойны симпатии, благосклонности и всяческой поддержки. Ну а если вы ещё и новые горизонты способны открыть его любопытству, то цены вам в его глазах не будет!

С «истероидом», впрочем, подобный хвалебный груминг, как и в случае с «невротиком», может неплохо сработать, но действовать надо крайне осторожно: **ваше восхищение должно быть абсолютным, без малейшего налёта критики, оно должно быть посвящено самому «истероиду», а не просто конкретному его достижению.**

Вы, наверное, и сами знаете, как одно какое-то неловкое слово или совершенно незначительное замечание может сбить всякий сексуальный настрой в пылу соответствующих нежностей, правда?

Вот и тут так — грумьте, пожалуйста, всецело, без оговорок! И это сравнение с сексом отнюдь не случайно: для «истероидного радикала» базовый инстинкт как-никак сексуальный (половой, видового самосохранения).

«ЧТО ЭТО Я ВСЁ О СЕБЕ ДА О СЕБЕ?!»

Однажды я опубликовал на одном модном портале, где меня попросили вести колонку, материал, в котором рассказывал об оборотной (и не лучшей, надо признать) стороне «гуманистической традиции» в философии.

Ничего плохого я своим текстом не замышлял, но редакция издания назвала его скандально — «Смысловой герпес», и скандальность ему в самом деле была обеспечена по полной.

На меня напала целая свора комментаторов — завсегдатаев этого сайта, которым сия «гуманистическая традиция» и «смыслы» дóроги, как выяснилось, страшно.

Меня ругали на чём свет стоит, обвиняя в «тяжких грехах» позитивизма, материализма и непонимания «смысла смысла».

В общем, у меня возникло очень странное ощущение, когда с тобой начинают оживлённо дискутировать люди, которых ты не знаешь, и более того — скорее всего, и не хотел бы знать никогда. Но что поделать?.. Такой, понимаете ли, формат теперь: все тебе всё могут написать, а ты и думай, что с этим делать.

Но каково же было моё удивление, когда в числе этих комментаторов я, вдруг, обнаружил автора одной очень толковой монографии по проблемам языка и современной культуры. Причём ругал он меня страстно, буквально поэтически, с таким апломбом и пафосом, что было за него даже как-то неловко.

Ну я ответил ему в том духе, что статья, мол, немного о другом, не о том, за что он меня ругает.

И это «немного», должен заметить, было уменьшительно-ласкательным словом — в целом, создавалось полное ощущение, что текста он не читал вовсе, а активную дискуссию вёл сам с собой и собственными демонами.

В ответе к его комментарию я между делом заметил, что мне немного странно слышать подобную позицию от человека, который написал такую-то книгу, которая произвела на меня в своё время весьма позитивное впечатление.

И что тут случилось! Это же просто диво дивное!

Я немедля получил огромный ответный пост, в котором этот же человек — тут же, после всего этого пафоса и апломба, на голубом глазу, — уверял меня в том, что я просто неправильно его понял, что вообще он о другом говорил, и факты, мною изложенные, прекрасны, и позиция моя важна необычайно, и сам я чуть ли не «светоч мысли» и практически биологический «отец русской демократии», о чём она, правда, не в курсе, а зря-зря-зря!

Но знаете, чем заканчивалась эта тирада? Не догадаетесь, если я не дам подсказку, поэтому вот она — «истероидный радикал». Да, тирада заканчивалась предложением обсудить его книгу!

Понимаете?! Я могу быть каким угодно, простите меня, мудаком, но если мне понравилась его книга, у нас появляется повод для содержательного разговора! Но разговор этот, разумеется, должен вестись исключительно про его книгу и ни о чём больше! О всём другом нужно, напротив, не медля забыть, чтобы не портить общее сладостное впечатление от предстоящего обсуждения.

Что было делать? Я указал в ответ несколько концепций и поворотов мысли в той самой книге моего заочного собеседника, ценность которых не вызывала у меня никаких сомнений.

Но этого, как вы уже, наверное, догадываетесь, ему показалось мало, и он накатал пост о том, что я не упомянул о том-то и том-то, но это очень важно в его книге, потому что то-то и то-то, и — внимание! — «Что вы об этом, уважаемый Андрей Владимирович, думаете?»

Ну конкретно об «этом» я, к сожалению, не думал ничего хорошего. Но, следуя правилам хорошего тона, выразился доброжелательно, хотя и очень обтекаемо. «На том конце провода» у меня затребовали уточнений — ещё и ещё. Я отползал как мог. Потом мне стали объяснять меня через ту его книжку и изложенные в ней теории, а это был уже сущий ад.

В конце концов моя неспособность находиться в постоянном и безоговорочном восхищении творением моего «истероидного» собеседника (а на самом деле — им самим!), обернулась сначала холодной многозначительной обидой, затем едкими комментариями уже под другими моими текстами.

В общем, буквально как в анекдоте, когда встречаются два писателя, и один битых два часа рассказывает другому о своих муках творчества, о невыносимости издателя, о нерадивости читателей и т. д. А потом вдруг, спохватившись, восклицает: «Да что мы всё обо мне, да обо мне?! Давайте, любезнейший, о вас поговорим! Как вам моя новая книга?!»

Но вернёмся к нашему «невротику», который, как мы уже выяснили, ориентируется в своём ответе на ситуацию, исходя из социального контекста. Какая диагностическая ошибка ожидает нас здесь, если мы опять-таки несколько бездумно воспользуемся соответствующим критерием?

Представим себе человека, который является топ-менеджером крупной компании. У него, соответственно, есть непосредственный начальник — руководитель этой компании.

При этом наш герой начальника своего уважает, считает, что тот добился выдающихся результатов, и не просто так, а благодаря уникальным талантам, напряжённой работе и блестящему уму.

Но, несмотря на всё это, он внутренне регулярно с ним спорит, не соглашается. Ему кажется, что есть лучший способ руководить и действовать.

То есть не то что бы он считал, будто бы его начальник в чём-то ошибается или вообще дурак... Нет, просто наш герой действовал бы по-другому: выбрал бы другую бизнес-модель, сделал бы ставку на других людей, поддержал бы другие направления развития компании и т. д., и т. п.

Глядя на такого персонажа, мы можем ошибочно заключить, что он «истероид», потому что игнорирует авторитет начальника и хочет заявить о себе.

С другой стороны, мы можем ошибиться, подумав, что это человек с «шизоидным радикалом», потому что он, что называется, «страх потерял» — гнёт свою линию, хотя никто его об этом не просит.

Вполне разумные выводы, должен признать.

Однако же нет. Речь идёт о классической реакции «невротического радикала», в основе которого лежит иерархический инстинкт и свойственная ему, так скажем, диалектика.

Иерархический инстинкт на то и иерархический, чтобы обладатели его модификаций страстно желали забраться на самый-самый верх любой подвернувшейся им по случаю социальной пирамиды.

С одной стороны, плох, конечно, тот солдат, который не мечтает стать генералом. И в этом смысле «невротик» — солдат просто идеальный: и авторитет руководства признаёт, и место за штурвалом занять хочет.

Правда, если солдат раньше времени облачится в генеральские лампасы, ничего хорошего из этого тоже не выйдет. А такое, к сожалению, с «невротиками» случается сплошь и рядом, особенно в юношестве и по неопытности.

Если же опять-таки отставить психологию в сторону и говорить только о механике принятия решений, то «невротик», даже неоправданно метящий в генералы, мыслит, конечно, социально:

- не из индивидуальных потребностей, как «художник»,

- не из неких абстрактных представлений, как «мыслитель»,

- а из тех соображений, как бы ему лучше обустроиться в рамках группы, чтобы все были довольны и он мог рассчитывать на поддержку.

Впрочем, и амбиции забраться на самый верх этой группы его тоже, как вы, наверное, уже догадываетесь, не покидают.

Люди и «радикалы»

О том, с каким «радикалом» мы имеем дело, становится понятно только по реакции человека на ту или иную ситуацию. Что он сам о себе думает — не важно. Каким он сам себе кажется — социальным, аутичным, эксцентричным — не имеет значения.

Мы не можем оценить себя объективно, потому что находимся в пределах своего собственного мира, а наше мнение о себе — лишь история, которую мы сами себе рассказываем.

О том, кто мы на самом деле, говорят наши дела, а не слова. О том, с кем вы имеете дело, можно понять опять-таки лишь по делам этого человека.

Вот почему так важна правильная реконструкция происходящего — не наше какое-то абстрактное мнение или представление, навеянное «общим впечатлением», а рассудочный анализ.

Наше личное отношение, оценка, ощущение — это проекция нашего собственного мира вовне, а для понимания другого нам нужна качественная реконструкция его поведения.

То есть мы должны понять: **каковы обстоятельства дела и что именно человек в этих обстоятельствах сделал.**

Сейчас мы разобрали те три способа, которыми разные «радикалы» взаимодействуют с новой информацией, как они воспринимают ситуации, в которых оказываются.

Даже при большом внешнем сходстве они фундаментально отличаются друг от друга:

- **«истероидный радикал»** исходит из собственных потребностей — для него существует только то, во что он может быть непосредственно вовлечён, и ситуации он видит исходя из того, какое они имеют к нему отношение, а решения принимает, пытаясь добиться максимального профита для себя;

- **«шизоидный радикал»,** напротив, глух к своим потребностям, он работает, так сказать, с «чистой информацией»: сопоставляет одно с другим, пытается встроить всё в свою стройную, как ему кажется, систему, и вовлекается в ситуацию, если только она позволяет ему эту его систему строить и усложнять;

- **«невротический радикал»** оценивает всё в рамках социального контекста: ему важно, кто является источником информации, относятся ли к нему как к члену стаи (уважают, защищают, оказывают поддержку и благодарны ли ему за помощь), параллельно с этим он мечтает об улучшении мира для всех; впрочем, действует при этом исходя из своего представления о том, как другим будет лучше, и при этом (может быть, неосознанно) ощущает себя лидером этого нового — «лучшего» — мира.

Что ж, перед нами три мира — три системы, где одна и та же информация (ситуация) опознаётся представителями этих систем по-разному. Да и поведение в результате, они также демонстрируют разное.

Однако, если вы не знаете об этих отличиях, этой разницы можно и не заметить. Отсюда нам следует сделать три важных вывода, которые мы обсудим последовательно.

Вывод первый: мы имеем дело с фундаментальными, но неявными отличиями.

Фундаментальность этого отличия состоит в том, что сами миры, в которых существуют представители разных типов, организованы разными принципами:

- в случае «шизоидного радикала» — это абстрактные закономерности,

- в случае «невротического радикала» — это социальные отношения,

- в случае «истероидного радикала» — это индивидуальные потребности.

В результате нам, например, может казаться, что два (или даже три) человека «говорят на одном языке», имеют «одни и те же факты» на руках, более того, нацелены вроде как на один и тот же общий результат. Однако поразительным образом договориться они не могут.

Дело в том, что нет никакой возможности по «внешним», так сказать, признакам определить, что на самом деле движет тем или иным человеком, понять, каким образом он видит ту или иную ситуацию. В общении, в разговоре, анализируя лишь сами высказывания, это невозможно или почти невозможно диагностировать[22].

Понимание, что тут что-то не так, возникает, когда люди начинают действовать, и их слова расходятся с делом. Хотя можем ли мы говорить о каком-то фактическом «расхождении»?

Нет, тут всё несколько сложнее: **будучи представителями разных типов, они изначально думали и воспринимали некую общую для них ситуацию по-разному.** То есть на самом деле они общались не друг с другом, а сами с собой.

СИГНАЛ СВЕТОФОРА

Понимаю, что это трудно представить, но давайте проведём своего рода мысленный эксперимент.

Допустим, что у нас есть три человека с нарушением цветовосприятия: один из них воспринимает красный цвет как зелёный, другой — красный как красный, а с остальными как-то путается, а третий — полный профан в цветах, но зато видит жёлтый как синий.

Дальше они обсуждают правила дорожного движения, согласно которым красный свет светофора означает — «стоп», зеленый — «поехали», жёлтый — «ждите».

Очевидно, что каждый из них качает головой в знак согласия: конечно, на «красный» останавливаемся,

---

22 Впрочем, здесь я имею в виду только содержание высказываний человека — то, что человек говорит. На самом деле, существует множество косвенных «внешних признаков», а именно: как он говорит, каковы его манеры, эмоциональные реакции, привычка одеваться и т. д.

на «зелёный» — едем, на «жёлтый» — ждём. Какие могут быть вопросы? Всё предельно понятно!

И вот они все вместе оказываются в автомобиле: за рулём первый из наших героев, двое других — пассажиры.

На перекрёстке горит «красный» сигнал светофора, но водитель воспринимает его как «зелёный» и давит на газ.

Первый из двух пассажиров начинает неистово кричать: «Стой! Это красный! Нельзя!!!» На что второй пассажир успокаивает его с заднего сидения: «Не волнуйся, дружище: светофор сломан! Водитель пользуется правилами проезда нерегулируемого перекрёстка! Что, конечно, тоже не так.

То есть вроде бы и говорили об одном, и договорились, а вот — на тебе... Пока вы обсуждаете что-то, пользуясь одними и теми же словами, вам кажется, что другие люди понимают смысл этих слов так же, как и вы. Понять, что это не так, можно лишь на практике.

На словах же почти всегда можно договориться, поскольку, даже общаясь с другим человеком, вы, на самом деле разговариваете с самим собой.

Вывод второй: отличия, о которых мы говорим, — это отличие соответствующих «радикалов», а не людей.

Было бы очень просто и удобно, если бы можно было сказать: мол, существуют «шизоиды», «истероиды» и «невротики», давайте каждый такой человеческий тип определим и будем знать, как они воспринимают окружающую действительность, чем мотивируются и как принимают решения.

К сожалению, речь идёт именно о «радикалах»: «истероидном», «шизоидном» и «невротическом». И в отдельно взятом человеческом субъекте могут присутствовать несколько «радикалов», причём зачастую почти на равных.

Мы все, хотим мы того или нет, являемся

- индивидуумами, то есть отдельными субъектами;

- стайными животными (даже если нам на это, мягко говоря, наплевать, как классическому «шизоиду»);

- а также представителями нашего биологического вида.

То есть все «радикалы» в каком-то смысле есть в каждом из нас (другое дело, что они не всегда достигают выраженности «радикала», о чём я скажу чуть ниже).

Конечно, принципиальное значение имеет первичность: какой из «радикалов» реагирует на входе, первым — по умолчанию, так сказать.

Тот «радикал», который у данного субъекта по какой-то причине выражен в большей степени, нежели другие, того в этой борьбе за первенство, как говорится, и тапки. Он стремительно выстреливает и задаёт своего рода направленность другим векторам («радикалам»).

Вот почему мы, с одной стороны, можем говорить о трёх базовых типах — «шизоидах», «истероидах» и «невротиках». С другой стороны, их поведенческий репертуар зачастую существенно дополняется проявлением других «радикалов». И иногда весьма красочно, так сказать.

Но как бы там ни было, о чём прозвучит эта песня сопутствующего хора, решает лидирующий вектор — наш основной, базовый «радикал».

Вывод третий: когда мы говорим о «радикале», мы говорим о том, что соответствующая потребность у человека и в самом деле организована специфическим образом.

Да, каждый из нас движим всеми тремя инстинктами, они есть у каждого, но наличие базовой потребности — в защищённости, в социальных отношениях, в половой востребованности — ещё не предполагает существование у нас соответствующего «радикала».

Особенным образом та или иная потребность проявляет себя далеко не у всех людей, и здесь мы имеем опять-таки некий континуум.

Радикальный континуум

Смотри без суеты
вперёд. Назад
без ужаса смотри.
Будь прям и горд,
раздроблен изнутри,
на ощупь твёрд.
ИОСИФ БРОДСКИЙ

Каждый из нас — это мозг, который решает задачи, предписанные ему эволюцией: выживание, совместное проживание с себе подобными и продолжение рода.

Он, со всей его сложностью, — такое же эволюционное приспособление вида Homo sapiens, как плавники у рыб, крылья у птиц, а клыки у хищников.

Но хвост может стать для своего обладателя настоящей катастрофой (хорошо павлиньим хвостом девушек охмурять, но не слишком удобно для существования в дикой природе), а клыки могут трансформироваться в бивни — и вот на тебя уже и охота открыта, и брёвна таскать заставляют.

Короче говоря, природа экспериментирует, а нам страдай. И страдаем мы в соответствии с тем местом, которое нам выпало на общей для всего человечества воображаемой оси континуума «радикалов».

С одной стороны этого континуума располагаются люди, чьи базовые потребности не имеют никаких специфических дефектов (особенностей). То есть, строго говоря, и «радикалов» как таковых у них нет — «всё в пределах нормы», как врачи говорят.

Выраженность потребностей и их баланс позволяют человеку с таким эволюционным бэкграундом неплохо адаптироваться к обычным, так скажем, условиям жизни. Но именно к обычным, рядовым.

Если же человек с такой сбалансированной («нормальной») системой потребностей оказывается в каких-то чуть более сложных ситуациях, всё выглядит уже не так радужно.

Например, ему трудно будет выдержать высокую социальную конкуренцию, связанную с постоянной борьбой за власть. А именно это его ждёт, если, волею судеб, он окажется, например, на высокой должности в какой-нибудь большой корпорации, в высших эшелонах научного сообщества, в политике и т. д.

Велика вероятность, что его там быстро и с аппетитом, как это говорится, схарчат.

И я совершенно не случайно использую здесь этот странный для моего лексикона оборот «волею судеб». Действительно, лица, у которых с иерархическим инстинктом, так скажем, «всё спокойно», редко оказываются на соответствующих высоких уровнях и должностях — только если, что называется, кто-то не помог, «по блату».

Зачастую такая помощь, этот «блат», оказывается для человека медвежьей услугой, поскольку субъект просто не приспособлен к такому уровню «социальной радиации», не адекватен ему.

Правда в том, что мы можем не оказаться там, где нам место, но мы точно не окажемся там, где нам не место. Ну или нас туда просто «занесло» — с чьей-то помощью, по чьей-то глупости — и ненадолго.

Проще говоря, если у вас нет «невротического радикала», то вы или не окажетесь на вершине какой-либо социальной иерархии, или окажетесь, но транзитом снизу — вниз.

То же самое касается и других инстинктов. Думаю, что нам, например, трудно будет отыскать альпиниста, пожарника, дрессировщика тигров или воздушного гимнаста, у которого не было бы хотя бы лёгкой «шизодности».

Если человек намеренно и осознанно (не по наследству, не под влиянием минутного помутнения сознания) выбирает профессию, очевидно связанную с риском для жизни, он просто не ощущает этот риск так же, как ощущают его люди, чей индивидуальный инстинкт самосохранения в полном, так сказать, порядке.

Если же у человека всё тихо и спокойно с половым инстинктом — всё, так сказать, в рамках статистической погрешности, то он вряд ли пойдёт в массовики-затейники, станет работать аниматором, тамадой или танцовщицей в гоу-гоу шоу.

Если же он решит, например, пойти в торговлю, то и здесь, скорее всего, это будет какой-нибудь спокойный продуктовый магазин. Торговать брендовой одеждой, косметикой и фейерверками он вряд ли захочет.

Наши «радикалы» определяют и наши жизненные выборы. Это можно использовать и как диагностический критерий (но с осторожностью: вдруг «блат», например?), а можно просто понять как подлинную причину того, где мы есть: почему наш мозг привёл нас именно туда, куда он нас привёл.

То, что нам кажется случайностью, когда мы смотрим на свою жизнь, на самом деле никакой «случайностью» не является. Это закономерный результат работы нашего мозга, который устроен у каждого из нас так, как он устроен, движим теми силами, которыми движим.

Как бы это ни прозвучало, мы или рождаемся «с шилом в одном месте», или нет. Данное «шило» — это не хорошо и не плохо. Да, это своего рода дар, «благословение небес», но ровно в той же степени этот дар является бременем и «небесным проклятьем».

Если в вас зудит потребность вершить великое, очаровывать массы и броду вы не видите совершенно (или, напротив, боитесь всего на свете), то это, конечно, ресурс.

Возможно, вы, гонимые этим «шилом», и вправду совершите нечто грандиозное, завоюете сердца, пройдёте там, где другие убоятся, или, боясь всего, на столько от этого всего застрахуетесь, что переиграете в конечном счёте всех.

Но проблема в том, что само по себе это не принесёт вам счастья. Вы в лучшем случае (если всё прошло хорошо и соответствующие цели вами достигнуты) лишь достигнете того состояния, в котором многие люди находятся от рождения.

Да, можно избавиться от мучительного зуда и почувствовать облегчение. Но можно же его и не иметь изначально...

Именно таковы люди, которые располагаются в той части нашего воображаемого континуума инстинктов, где всё тихо и спокойно — нормально и без затей. У них ни зуда, ни «шила», а обычная, нормальная, вполне себе размеренная и удовлетворительная жизнь.

Делает ли это их счастливыми? Нет. Ровно так же, как и избавление от «инстинктивного шило-зуда», вас на небеса не вознесёт. Хотя, возможно, вам это грезится.

О том, почему счастье — это всегда лишь мираж, я уже подробно рассказывал в книге «Красная таблетка». Здесь же нам важно понять, что **несчастье, которое нас мучит, является непосредственным производным наших желаний.**

И избавление от этого несчастья, от этих «мук шила» возможно только в том случае, если вы хорошо понимаете, с чем имеете дело: — какой инстинкт вас гложет больше остальных, и как сделать так, чтобы эта избыточная потребность была удовлетворена.

Последнее утверждение, как вы понимаете, касается уже тех «пассионариев», которые расположились **с другой стороны нашего воображаемого континуума «радикалов»:** здесь находятся люди, у которых каждый из трёх инстинктов имеет специфические особенности.

Это и приводит к тому, что их обладатель, мягко говоря, выделяется из общей массы.

Представьте себе человека, которым движет отчаянное желание быть в центре всеобщего внимания (половой инстинкт), который категорически не терпит конкуренции и лезет вверх по головам, словно это не люди, а скалодром какой-то (иерархический инстинкт). Ну и приплюсуйте сюда для полноты картины патологическое бесстрашие (индивидуальный инстинкт самосохранения). Что вы получите в результате? Например, Владимира Вольфовича Жириновского...

ИНТЕРВЬЮ НА ПОРОХОВОЙ БОЧКЕ

Так случилось, что Владимир Вольфович Жириновский был в числе героев моего документального фильма, посвящённого двадцатилетию ГКЧП.

Я брал у него большое интервью и поверьте, все три часа этого действа были демонстрацией буквально выпрыгивающих из человека «радикалов».

Он превратил наше общение под камерами в самый настоящий спектакль, а у меня было полное ощущение, что я сижу на пороховой бочке. Что случится в каждый следующий момент времени, было абсолютной загадкой!

Он был готов бесконечно резонировать по поводу своих невероятных политических подвигов. Но мои вопросы по поводу этих подвигов ему, понятно едело, не нравились. Несколько раз он выбегал из кабинета, в котором проходили съёмки.

Дальше следовали уговоры и поглаживания, после чего он исправно возвращался на съёмочную площадку (софиты манили страшно!). Так что острые вопросы я задавать не боялся: было понятно, что «истероидный радикал» сделает своё дело, потребность в публичности возьмёт своё, и мы продолжим съёмку.

В личном же общении, не на камеры, Владимир Вольфович демонстрировал прекрасные человеческие качества высококлассного «невротика»: умение наладить с собеседником эмоциональный контакт, создать доверительную атмосферу, проявить заинтересованность.

Поверьте, отнюдь не случайно этот человек уже двадцать пять лет держится на политическом плаву!

С другой стороны, и в бесстрашии, обусловленном специфичностью индивидуального инстинкта самосохранения, Владимиру Вольфовичу трудно отказать.

Перед каждым интервью я внимательно изучал биографии моих героев, расположившихся по всему, так сказать, политическому спектру — от Михаила Сергеевича Горбачёва и до Наины Иосифовны Ельциной, от Анатолия Борисовича Чубайса и до Геннадия Андреевича Зюганова.

И надо признать, что Владимир Вольфович, по сравнению с многими другими весьма выдающимися фигурами, буквально кладезь клинических эпизодов бесстрашия.

Его готовность вовлекаться во все возможные авантюры заявила о себе ещё до начала его бурной политической деятельности. Когда же карьера политика пошла в гору, он и вовсе, как многие помнят, действовал ва-банк: лез в драку с оппонентами, таскал за волосы журналисток и обещал расстреливать налево и направо всех, кто его критиковал.

Так себе инстинкт самосохранения, согласитесь… Но когда я расспрашивал его об этих эпизодах его биографии, а также о его достаточно рискованной предпринимательской деятельности на заре перестройки, о последующих его политических выходках и тому подобных вещах, он был спокоен, как танк.

Он и в самом деле не видел угроз там, где они фактически имели место быть.

Почему он при этом выходил сухим из воды? Именно благодаря двум другим «радикалам»: «невротическому» и «истероидному». Где-то, где это казалось уже невозможным, он как «невротик» умудрялся договариваться. А где-то, проявляя «истероидность», он ловко переворачивал доску, чтобы вести переговоры уже в другой плоскости.

В общем, просто так люди «наверху» не удерживаются, они действительно обладают массой уникальных качеств. Не хороших и не плохих, а именно уникальных, нестандартных, исключительных, повергающих остальных сограждан то в оторопь, то в состояние восхищения, то в ошарашивающее недоумение.

И даже если такие люди кажутся вам никчёмными, несерьёзными и фриковатыми, поверьте, это не так. Это мощные фигуры с буквально термоядерным устройством психического аппарата.

Впрочем, Владимир Вольфович — лишь очень показательный, несколько даже шаржированный пример этого универсального правила.

На самом деле любой представитель «элиты» — политической, экономической, культурной (мне довелось общаться со многими из них) — обязан своему «месту под солнцем» выраженностью базовых инстинктов, их специфичностью, странностью, даже дефектностью.

Просто **в одних случаях эта странность и уникальность успешно камуфлируются, сглаживаются, прячутся за счёт высокого уровня интеллекта и сбалансированности «радикалов»,** а где-то, наоборот, выпирают со всей мощью и не всегда, к сожалению, удачно.

Поэтому бо́льшая часть из тех, кто находится на данном полюсе «особенных людей» с перекрученными «радикалами», конечно, не слишком успешны. И это мягко сказано.

Как правило, такая «чрезвычайность» психического устройства приводит людей не к победам и не к покорению социального Олимпа — к деньгам, власти и славе, а наоборот — к провалам и поражениям.

Почему же кто-то их этих людей оказывается гиперуспешен, а кто-то, наоборот, скатывается в самый низ, и ощупывает социальное дно?

Это объясняется достаточно просто и даже, в каком-то смысле тривиально. Однако именно за этой тривиальностью можно рассмотреть что-то по-настоящему прекрасное...

Распорядились случаем

Еще в раннем детстве я приобрёл
порочную привычку считать себя
не таким, как все, и вести себя иначе,
чем прочие смертные.
Как оказалось, это золотая жила!
САЛЬВАДОР ДАЛИ

Конечно, значительную роль в жизненном успехе человека играет случай. Но не в том смысле, о котором вы, возможно, подумали.

То, что нам обычно кажется результатом «случая»: лихая удача, роковое невезенье, таковым на самом деле не является. Или, если приглядеться, этот «случай» не оказывает существенного влияния на финальный расклад.

И напротив: **те факты и обстоятельства, на которые мы зачастую не обращаем ни малейшего внимания, в действительности, как выясняется, оказываются триггерами, спускающими со стапелей фундаментальные закономерности.**

Вот банальный пример. У ребёнка, который родился в богатой, знаменитой или, например, академической семье, формально говоря, шансов и возможностей больше, чем у ребёнка, родители которого спившиеся алкоголики с тремя классами образования.

Но сможет ли наш «счастливчик» этим случаем распорядиться?

Наверное, да, если гены в его роду, производящем богатых и знаменитых, не выродились за давностью рода окончательно. Но и это, как оказывается, не так важно (евгенитические попытки осеменять женщин спермой нобелевских лауреатов, как известно, ничем выдающимся не закончились).

Как убедительно показал знаменитый историк науки, профессор Университета Беркли Фрэнк Саллоуэй, порядок рождения — первый вы ребёнок в семье, второй, третий или единственный — играет куда большую роль в вашем жизненном успехе, чем социальный статус ваших родителей.

РОЖДЁННЫЙ ПОРОЖДАТЬ!

Вроде бы, мы с нашими братьями и сёстрами принадлежим к одной генетической ветви, имеем одних и те же родителей, воспитываемся примерно одинаково, но результат, как вы сами знаете, получается разным: кто-то достигает многого и причём по разным направлениям, кто-то — меньше, а кто-то — совсем чуть.

Фрэнк Саллоуэй объяснил, почему это так, в своей ставшей бестселлером, книге «Рождённый для протеста: порядок рождения, семейная динамика и творческая жизнь». Дело в том, какие социальные ниши отводит нам наше место в порядке рождения.

Старшие дети занимают нишу суррогатного, как Соллоуэй это называет, родителя: они старшие, они должны следить за младшими, а ещё они могут дать им пинка.

Младшие тоже, конечно, могут дать пинка старшим, только вот отдача замучает. Поэтому младшие дети, как правило, предпочитают идти в обход: они ищут свободные ниши — не те, что достаются старшим детям от родителей, как трон первенцу, а какие-то оригинальные.

Если старшему ребёнку, условно говоря, досталось родительское копьё, то младшему почти бессмысленно пытаться победить его в метании копья. Но он, пораскинув мозгами, может взяться за лук и стрелы. Если же его место и вовсе третье, придётся изобрести арбалет...

Таким образом, **из старших детей, как правило, вырастают традиционалисты-консерваторы, а из младших — революционеры и новаторы.**

Это происходит испокон веков, причём на историческом материале XX века показано, что и с девочками аналогичная история. Думаю, кстати, вы не сильно удивитесь, узнав, что сам Фрэнк Саллоуэй — третий из братьев.

Его удивительное, революционное и даже скандальное исследование вызвало невероятную научную дискуссию. Результаты многократно перепроверялись учёными и целыми научными группами чуть ли не на всех континентах.

Традиционалисты не могли смириться с саллоуэйевской выходкой. Да, сложно поверить, что такой пустяк, как порядок рождения, способен настолько сильно влиять на нашу жизнь. Но вот, как я и говорил, из подобных пустяков и складывается на самом деле наша жизнь.

Петер Кристенсен из Университета Осло и Тор Бьеркедал из норвежского Военного института эпидемиологии решили опровергнуть выводы Фрэнка Саллоуэйя и подготовили для журнала Science статью, в которой использовались данные IQ (коэффициента интеллекта) 241 310 человек.

По этим данным получалось, что в возрасте 18 лет второй ребёнок в семье отстаёт от первого в среднем на 2,3 единицы IQ, третий от первого —

на 4. В общем, совершеннейшая ерунда! Но не спешите с выводами, предупреждает Саллоуэй...

Если два человека с разницей в 2,3 единицы IQ будут бороться за одно место в вузе, то у первого шансы примерно на 30% выше, чем у второго. Как прокомментировал это сам Саллоуэй: «Если у нового лекарства обнаруживается терапевтический эффект такого масштаба, это становится сенсацией».

А ведь со временем эффекты только накапливаются: после Оксфорда — научная степень, престижная работа, социальный статус. Через 20 лет 2,3 единицы превращаются в весьма значительную круглую сумму!

В общем, когда мы говорим о «случае», нужно понимать, что всё куда сложнее, чем кажется. Зачастую очень незначительные события приводят к принципиально иному результату. Можете, если хотите, назвать это «эффектом бабочки»[23].

Посмотрим с этой точки зрения на то, чем могут обернуться для нас различия в «радикалах».

Прежде всего — историческое время. **Ложка, как известно, хороша к обеду, а индивидуальная структура «радикалов» — к тому или иному историческому времени.**

Например, в какие-нибудь Средние века человеку для головокружительной карьеры потребовалось бы другое, нежели сейчас, соотношение бесстрашия (готовности к физическому противостоянию) и «истероид-

---

23 «Эффект бабочки» — формулировка, которая принадлежит одному из основателей теории хаоса, математику и метеорологу Эдварду Нортону Лоренцу: «Бабочка, взмахивающая крыльями в Айове, может вызвать лавину эффектов, которые достигнут высшей точки в дождливый сезон в Индонезии».

ности» (способности производить взрыв в общественном сознании — как теперь говорят, хайп).

Да и во времена Советского Союза избыточная «истероидность» могла пойти человеку на пользу только если он принадлежал к каким-нибудь творческим сферам. Если же он с этой своей уникальностью полез бы в тогдашнюю политику, то от него бы быстро оставили рожки да ножки. Для успешной политической карьеры в СССР куда важнее был «невротизм», сдобренный специфической «шизоидностью».

А вот в пору перестройки, напротив, «истероидность» была востребована невероятно. Достаточно вспомнить франта Анатолия Александровича Собчака, большого политического «художника» Бориса Николаевича Ельцина с его «загогулинами» и целую толпу всяческих экстравагантных Марычевых, Глебов Якуниных и Аланов Чумаков.

Впрочем, совпадение «радикалов» с историческим временем — это точно не главное. В любую эпоху любому «радикалу» найдётся применение (хотя и не во всякой сфере), если есть главное — **взаимодополняющая функция «радикалов», их «волшебное», так сказать, сочетание.** Это и есть «случайность» номер два.

Там, где человеку не хватает чувства страха («шизоидность»), его поведение может корректироваться большей, нежели у других людей, социальностью («невротизм»).

То есть он, не зная, где ему следует притормозить, а где, напротив, правильно было бы неплохо поднажать, может компенсировать этот недостаток за счёт своего «невротизма».

Будучи более чувствительным к социальным подсказкам (хотя, возможно, он и интерпретирует их слегка по-своему), он не наломает дров.

Если же он, наоборот, в упор не видит других людей (не испытывает к ним сострадания, не считается с их чувствами), эта его асоциальность («отрицательный невротизм»), приводящая в других случаях к бесконечным конфликтам, может компенсироваться, например, за счёт чрезвычайной страсти к тому, чтобы быть в центре внимания, «любимцем толпы» или чем-то ещё в этом роде («положительная истероидность»).

В этом случае человек будет внимателен к другим людям, но не потому, что он испытывает внутреннюю потребность поддержать их, построить с ними доверительные отношения, войти с ними в отношения взаимовыгодного обмена.

Нет, его внимательность будет продиктована желанием завладеть их вниманием, вызвать у них определённые реакции (того самого восхищения, например), что обеспечит ему определённый уровень социальной адаптивности.

«Невротик», впрочем, тоже может создать массу конфликтных ситуаций. Вроде бы, он у нас большей степени социально-ориентирован, но, с другой стороны, он и крайне требователен к другим людям: имея зачастую жёсткий набор внутренних установок — представлений о том, что «правильно», а что «неправильно», он может многим и достаточно неожиданно создать ощутимые проблемы (кто ж от него такого ждал?!).

Да, любая иерархия, даже просто сидящая у нас в голове, это всё-таки репрессивный аппарат. Забавно, однако, что подобная «социальная жёсткость» «невротика» может (при удачном стечении обстоятельств) компенсироваться как раз двумя другими «радикалами» — «жёсткими и холодными», на первый взгляд, — «истероидным» и «шизоидным».

- «Шизоидность», например, может позволить такому «невротику» находить странные и неожиданные объяснения поведению другого человека, чем его оправдывать и уводить, таким образом, из-под удара «социального возмездия», орудием которого «невротик», ощущающий собственную миссию внутри иерархии, может себя считать.

- «Истероидность», требующая от человека следовать зову своих потребностей (в частности, желания всеобщего восхищения), может смягчить тот же удар «социальной справедливости», когда у «невротика» уже руки чешутся. Необходимость оставаться с людьми или даже толпами людей в отношениях того самого вселенского обожания смягчит «удар».

Принадлежность к смешанному типу, конечно, может стать для человека дополнительным испытанием на прочность: больше потребностей — больше проблем. Однако при удачном сочетании «радикалов» его жизнь может и упроститься, причём существенно не утеряв при этом своей яркости.

Да, какой-то из «радикалов» всегда является ведущим и определяет тип мышления своего обладателя, но другой или другие «радикалы», будучи лишь сателлитными, способны компенсировать недостатки, вызванные особенностями строгого типа.

Если же этого счастливого совпадения «радикалов» не происходит, то судьба человека, которому вроде бы по той самой судьбе написано стать личностью выдающейся, может оказаться совсем безрадостной.

И наконец, **третья «случайность», которая и вовсе, на мой взгляд, является принципиально важной — это тот самый упомянутый уже мною высокий уровень интеллекта.** Но что это такое — «высокий уровень интеллекта»?

По сути речь идёт о том, что наши инстинкты (базовые потребности) могут побуждать нас на некие действия, которые выходят «за рамки приличия» и будут осуждаться пресловутым «общественным мнением», и нужно каким-то образом с этими неловкими ситуациями справляться.

Мощность интеллекта — это в определённом смысле способность человека контролировать собственные импульсы, желания, потребности.

Конечно, конкретный обладатель интеллекта будет это делать не просто так, не забавы ради, а потому что это ему почему-то выгодно и полезно, но до этого тоже надо дойти, причём умом.

За соответствующую функцию сличения «веса потребности» (желания, импульса) и «тяжести последствий» (положительных и отрицательных) её удовлетворения и отвечают, как мы теперь знаем благодаря нейрофизиологии, лобные доли (так называемая префронтальная кора).

В ней, как я уже рассказывал в «Чертогах разума», происходит постоянный просчёт вариантов: какое действие предпринять, чтобы в результате остаться в выигрыше?

Не случайно именно в префронтальной коре локализуется и наша способность «заглядывать в будущее» (то есть умение представлять себе возможное развитие событий и, соответственно, последствия наших дествий).

То есть если совсем грубо и просто: мощность интеллекта — это в каком-то смысле результат эффективности работы наших лобных долей (префронтальной коры).

Понятно, что речь идёт о вполне конкретной психической функции, имеющей достаточно строгую нейрофизиологическую локализацию. Так что неудивительно, что эта функция может быть хорошо развита у людей разного типа: хоть у «шизоидов» (им, казалось бы, сам бог велел быть максильно разумными), хоть у «невротиков» с «истероидами».

Но почему сам этот интеллект так тут важен?

«Радикалы» на то и «радикалы», что создают окружающим массу проблем или, по крайней мере, беспокойств. Никто выскочек не любит, а прокрустово ложе — это вообще жизненное кредо любого общества.

Если же природа одарила вас мощным «радикалом» и соответствующим «шилом», то, конечно, прокрустово ложе — не ваш размер, и вы будете постоянно выделяться из общей массы — хоть где-то, хоть чем-то, хоть как-то, и чтобы вам чего не отрезали в этот момент, интеллект, как ни крути, понадобится.

Допустим, у вас «шизоидный радикал» ведущий, и вы не слишком чувствительны к другим людям.

То есть если вам предложить, например, принять решение по вопросу, связанному с обслуживанием инвалидов или работой хосписов, то вы, возможно, будете рассуждать так: данной категории граждан особенно помочь нечем, при этом сами они мучаются, так что и терять им тоже нечего, а расходы на их обслуживание большие.

«Нечем», «нечего», «расходы»... В общем, вы рассудите вполне логично, если предложите инвалидам и онкобольным принудительную эвтаназию.

Звучит, надо полагать, несколько безумно, но «шизоиду» подобное решение может показаться очень даже неплохой идеей: в конце концов, лучше помочь тем, кто сможет вернуть обществу сделанные в него инвестиции.

Однако я сомневаюсь, что данный план развития здравоохранения так же оптимистично оценят социально ориентированные «невротики» или любящие примерять любую ситуацию на себя «истероиды».

«Шизоид», у которого всё в порядке с созданием будущего (префронтальная кора работает хорошо), подумает об этих рисках и учтёт их перед тем, как вынести свою «блестящую» рационализаторскую идею на общее обсуждение.

То есть «мощный интеллект» позволит ему, оставаясь «шизоидом», действовать в согласии с общими умонастроениями, а во многих случаях даже интроецировать в себя (сделать своей частью) те установки, которые исповедуют представители других типов.

Только вот если «невротик» чувствует, что «каждая жизнь обладает ценностью», «слабым надо помогать» и «как ты с другими, так и они с тобой», то «шизоид» будет придерживаться перечисленных установок лишь благодаря своей префронталке, то есть по зову своего разума — читай «мощного интеллекта».

Не меньшей проблемой для «общественного мнения» может быть, как это ни парадоксально, и «невротик» со своим специфичным отношением к власти. Ведь «невротический радикал» может работать в социальном плане как «в плюс», так и «в минус».

- В одном случае, человек будет самолично стремиться к власти (не обязательно государственной, куда чаще к символической: чтобы его признали самым умным, безусловно правым в чём-то, самым компетентным, самым важным, в общем, самым-самым).

- В другом случае, он, напротив, требует от всех и вся, чтобы они подчинялись некоему третьему лицу: хоть государственному лидеру, хоть корпоративному, хоть какому-то божеству.

  Такому человеку важно иметь «начальника» (Отца), и он будет всячески избранную им «отцовскую фигуру» пестовать.

Понятно, что это может приводить к негативным последствиям.

- **Во-первых, «невротик» может сам сильно получить по голове за своё избыточное стремление занять священную вершину виртуальной социальной иерархии.**

Претендентов там обычно много — «наверху» всегда толчея, и для успеха в этой конкурентной борьбе одной заявки на победу не достаточно.

Необходимо правильно рассчитать силы и возможности. то есть сделать правильные предсказания развития событий. Затем необходимо сколотить команду — без команды он точно не справится, потому что цели у него, понятно, общественного свойства.

Наконец, ему предстоит поумерить свои аппетиты и долгое время довольствоваться теми ступенями в социальной иерархии, которые он сейчас способен осилить.

Если же он будет бессмысленно и непродуктивно страдать из-за того, что власть не дана ему вся, сразу и в полном объёме, то его срежут обязательно конкуренты — лихо и без особых сантиментов.

- **Во-вторых, «невротик» может пострадать, если будет настаивать на том, что его «Отец Всевышний» требует всех ему поклониться, а сам он верит, что никак иначе невозможно.**

Результат бывает плачевным: то ко львам в Колизей, то на Соловки в советский концентрационный лагерь, то бомбу на пояс — и в метро.

То есть «невротик» может и не хотеть личной власти, своего собственного влияния на умы, но зато испытывает потребность служить власти так истово, так всецело, что и сам превращается в диктатора, хотя бы и по отношению к самому себе.

Однако, если у «невротика» всё хорошо с префронталкой, то у него есть шанс, что он заглянет в своё будущее, задумается о последствиях своей «радикальности», и его стратегии поведения окажутся достаточно эффективными, чтобы и овцы, и волки были довольны.

В результате он, возможно, даже поумерит аппетиты собственного стремления к власти, что, кстати, вполне вероятно, сделает его куда более эффективным в её достижении (долгих обходных путей никто не отменял, равно как и тот факт, что они, как правило, и оказываются самыми быстрыми).

Или же наш «невротик», благодаря тому самому интеллекту, может сообразить, что его представление о «Всевышнем» — это лишь его личное представление (пусть даже многие его с ним разделяют) и не надо пытаться навязывать его всем подряд.

Да, он, скорее всего, будет продолжать чувствовать «в глубине сердца своего», что есть это «высшее и лучшее», чему он служит, но сможет удовлетвориться этим своим собственным служением без жертв с чьей-либо стороны и конфликтов с «Фомами неверующими».

Всё это в той же мере касается и «истерои-да»: «истероид» с хорошей префронталкой — это куда лучше, чем «истероид» без неё.

Причём «лучше» — это опять-таки, в первую очередь, для него же самого.

Потребность производить впечатление на окружающих, вызывать в них бурю восторгов — это вроде бы безопасное мероприятие, но проблема в том, что они — эти окружающие — просто так не готовы впечатляться, а ещё могут восторгаться и со знаком «минус».

Вроде бы это и не страшно, но это «не страшно», если со стороны смотреть, не будучи «истероидом». А самому «истероиду» — это удар под дых, ниже пояса и ещё серпом по одному месту.

Если префронталка у него не развита и мощность интеллекта не позволяет подобный удар по самолюбию пережить, то можно в такой ситуации и с катушек слететь.

Возникают конфликты, обиды, скандалы, обвинения, месть, слёзы ручьями и навзрыд, приступы негодования и холодного презрения... И это, как вы понимаете, далеко не полный список, если наша «прекрасность» не оценена по заслугам (как мы их себе представляем), а потом ещё и отвергнута «с позором».

В общем, мощная работа префронтальной коры нужна «истероиду» и для того, чтобы с собой справиться, и, конечно, для того, чтобы найти путь к сердцам будущих поклонников.

Просто так никто в нашем мире ни перед вами, ни передо мной, ни перед кем-либо другим падать и в штабеля укладываться не будет (в противном случае по улицам просто нельзя было бы из-за этих штабелей пройти).

Так что если цель завоевать сердца миллионов в человеке есть, то ему крайне необходим мощнейший интеллект, чтобы суметь произвести что-то, что этим миллионам зачем-то нужно.

Причём понятно, что с первого раза не получится и со второго тоже. Придётся долго и упорно трудиться, терпеть неудачи, выстраивать новые стратегии...

«Истероид» со слабой префронталкой этого не понимает, а с недостаточно сильной — не сдюжит с предстоящей нагрузкой. Ему кажется, что он уже, самим фактом своего существования должен подобные эффекты на общественность производить. Что, конечно, не так.

Поэтому если нет у него интеллекта, то и эффекта ждать не приходится.

ЗЕФИРКУ, СЭР?..

Когда мы рассматриваем эти ситуации под таким углом зрения, куда лучше становятся понятны удивительные предсказательные результаты знаменитого «зефирового теста» Уолтера Мишела, о котором я уже много раз рассказывал.

Действительно, это ведь очень странно, что хвалёные IQ-тесты, к великому сожалению, не позволяют ответить на простой, казалось бы, вопрос: вот у молодого человека такой-то уровень IQ, насколько он будет успешен в карьере и жизни?

Специалист по IQ-тесту — будь это хоть сам Альфред Бине (автор идеи этого теста), хоть Ганс Айзенк (автор самого теста) — разведёт руками, он не знает.

Между нашей успешностью и коэффициентом интеллекта нет никакой корреляции: вы можете суперуспешно решать ребусы, придуманные Гансом, а жизненный успех придёт к кому-то другому.

И мы точно знаем, что придёт он к взрослому, который, будучи ребёнком, оказавшись перед альтернативой съесть одну зефирку сейчас, или две, но через двадцать минут, выбрал второй вариант.

Казалось бы, ничего особенного — простейший тест: съесть одну вкусняшку сейчас или подождать двадцать минут и получить вторую. Последний вариант очевидно предпочтителен: прибыль в 100% за 20 минут — это ли не сделка века?

Но с точки зрения эволюции это не так очевидно: наш рептильный мозг не заглядывает в будущее, он работает на удовлетворение своих потребностей здесь и сейчас. Что там будет через десять, двадцать минут или пять лет — кто знает? Синица в руках — это ему понятно, а что там, в небе — это вопрос…

И чтобы ответить на него, надо уметь заглядывать в будущее, создавать в себе реалистичный образ этого будущего, видеть не существующее ещё будущее как нечто реальное, настоящее, действительное.

Вот почему блистательно придуманный Уолтером Мишелом «зефировый тест» демонстрирует нам, в чём заключается подлинная мощность, а не просто производительность интеллекта человека.

Производительность интеллекта — это способность человека решать абстрактные ребусы. Мощность интеллекта — это умение человека (и прежде всего его префронтальной коры)

держать под контролем его же собственные базовые потребности.

Да, «зефировый тест», по существу, изучает способность «холодного мозга» (как его называет сам Уолтер Мишел) контролировать только одно действие — искушение сладким. Ничего другого он, казалось бы, не проверяет: ни способности контролировать амбиции, ни способности контролировать потребность в восхищении, ничего.

Но, во-первых, как мы знаем из результатов последующих исследований того же Мишела и большой группы его коллег по Стэнфордскому университету, этого — одного только пищевого контроля — уже оказывается вполне достаточно, чтобы дать хороший прогноз: справится этот ребёнок со своей судьбой, когда вырастет, или судьба справится с ним.

Во-вторых, сумей мы изучить и другие потребности человека, а также возможности их контроля со стороны «холодного мозга» (префронтальной коры, мощного интеллекта), то наш прогноз, скорее всего, просто стал бы точнее. Всё потому, что суть здесь одна: если есть «шило», то оно пойдёт в дело, а насколько продуманно пойдёт, настолько хорошим будет и результат.

Наконец, самое важное, что мы должны вынести для себя из пыток детей зефиром. Лаборатория, созданная под руководством Уолтера Мишела, прекрасна не только тем, что она нашла этот, как теперь говорят, «лайфхак»: проверь способность человека контролировать свои влечения и узнаешь, насколько успешным он станет.

Мишел выяснил и ещё кое-что, а это уже и правда лайфхак лайфхаков: **практически любой ребёнок способен выдержать двадцатиминутное**

издевательство лежащим перед ним зефиром и дождаться второй порции, если он — цитирую по самому У. Мишелу «мыслит о вознаграждении по-другому».

Действительно, психологи, долгие годы наблюдавшие за поведением детей в лаборатории Стэндфордского университета, поняли, что дети интуитивно используют различные стратегии борьбы с искушением. Например:

• кто-то прячет зефирку (убирает её под стол, или сам под него залезает), чтобы не смотреть на лакомство и не искушаться ещё больше;

• кто-то придумывает себе развлечения (танцует, поёт песенки и т. д.), чтобы отвлечь внимание от вожделенного зефира;

• кто-то занимается самовнушением (взглядом гипнотезирует зефир или сам себе даёт инструкции вслух).

Вариантов множество, и главное, чтобы у конкретного ребёнка был правильный, эффективный именно для него способ интеллектуального контроля своих влечений.

То есть если он сможет воспользоваться ресурсами своей дефолт-системы для того, чтобы создать различные версии развития событий (увидеть их как нечто реальное), а затем столкнуть эти версии в своей префронтальной коре, то всё у него получится.

Это и значит «помыслить о вознаграждении по-другому»: изобрести иной способ думать о себе в ситуации, на которую его обрекли.

В конце концов, мощность интеллекта — это то, что позволяет вам выскочить из-под давления ситуации и ситуативных факторов. Обычно это крайне сложно сделать. Наше поведение, как мы знаем благодаря обстоятельным и дотошным исследованиям социальных психологов, управляется ситуацией, а вовсе не тем, что мы о себе думаем.

Но важно ведь и то, как именно мы воспринимаем ту или иную ситуацию. И если нам удаётся пересобрать своё представление о ситуации, увидеть её иначе, то и результат её воздействия на нас будет другим.

То есть реальность всегда дана нам как-то, а мы каким-то обычным для себя образом её воспринимаем и дальше действуем так, как надиктовали нам соответствующие условия уравнения. Но их можно и усложнить.

Итак, суть мощного интеллекта в том, что его обладатель

- во-первых, способен сдержаться (чем сложнее ваша модель ситуации, тем больше шансов, что это получится, чем она проще, тем меньше у вас вариантов для манёвра);

- во-вторых, может пересобрать элементы наличной ситуации по-другому и увидеть другие траектории движения на этой своей новой, пересобранной карте реальности.

То есть мощный интеллект, без которого успех невозможен — это вовсе не результат какой-то мистической «силы воли», когда вы заставили себя «сесть и подумать».

Нет никакой такой «силы», есть лишь навык мозга — умение видеть реальность в объёме, моделировать её сложно, используя большой арсенал возможных сборок интеллектуальных объектов, хранящихся в чертогах вашей дефолт-системы.

Проще говоря, **нет ни IQ, ни воли, а лишь наше умение собирать (и, при необходимости, пересобирать) интеллектуальные объекты, относящиеся к делу — восприятие ситуации как таковой и себя в ней.**

Именно к этим «специальным сборкам» мы сейчас и переходим.

ГЛАВА ТРЕТЬЯ

Три способа думать

> Теперь ты отбросил очки твоей личности,
> так взгляни же разок в настоящее зеркало!
> Это доставит тебе удовольствие.
> **ГЕРМАН ГЕССЕ**

Все вы, я полагаю, что-то слышали про «пирамиду потребностей» Абрахама Маслоу, но не каждый знает, что одним из главных исследований этого ставшего легендарным основателя гуманистической психологии было исследование... гениальности.

Абрахам Маслоу (а точнее, Абрахам Самуилович Маслов — его родители эмигрировали из России в Штаты в начале XX века) говорил, что Фрейд показал лишь больную (худшую) сторону человека и её следует восполнить здоровой (или лучшей).

В поисках этой «лучшей» стороны Маслоу и принялся изучать людей с высокой степенью одарённости, людей по-настоящему выдающихся лучших, так сказать, представителей человечества.

Для своего исследования он выбрал восемнадцать человек: половина была современниками Маслоу, которых он знал лично, вторая половина — исторические личности.

Таким образом, среди его «подопытных» были Бенедикт Спиноза, Авраам Линкольн, Томас Джефферсон, Уильям Джеймс, Альберт Эйнштейн, Джейн Адамс, Альберт Швейцер, Олдос Хаксли, Рут Бенедикт, Макс Вертхаймер и многие другие.

Маслоу собирался найти в них силу «самоактуализации» — это внутреннее, как он считал, скрытое в нас стремление к реализации личностного потенциала.

Впрочем, как вы, наверное, догадываетесь, результаты исследования несколько удивили учёного, пожелавшего обнаружить нашу «светлую сторону», изучая гениев.

«Очень скоро я пришёл к выводу, — писал впоследствии Абрахам Маслоу, — что великий талант не только в большей или меньшей степени не связан с добротой или здоровьем, но также, что мы мало знаем о нём».

Действительно, подойти с привычной меркой к субъектам, которые очевидно выбиваются из общих правил, было, мягко говоря, достаточно смелым решением. С другой стороны, все персонажи, которых Маслоу выбрал для своего исследования, вполне могли бы претендовать на гордое звание «пассионариев», которые нечасто бывают мимишными.

Каждый фигурант «дела Маслоу» был, по сути, революционером в своей сфере — в науке, в философии, политике, общественной деятельности, литературе. И понятно, что сложно представить себе революционера хотя бы без лёгкого налёта безумия, а потому биографические сведения о каждом из них, хочешь не хочешь, заставляют вспомнить о Чезаре Ломброзо...

Спиноза, например, умудрился вдрызг рассориться с родной еврейской общиной, был из неё изгнан и стал вечным скитальцем. Линкольн страдал тяжелейшей эндогенной депрессией и постоянно думал о самоубийстве. Уильям Джеймс, будучи поистине выдающимся учёным, впал на старости лет в мистицизм и активно участвовал в спиритических сеансах.

Младший сын Эйнштейна страдал шизофренией, да и вообще все в этом семействе

были слегка не в себе. Так что, скорее всего, соответствующих генов и у автора теории относительности было предостаточно. Впрочем, безумцев, самоубийц и прочих отклонений в роду большинства гениев всегда хватает.

Но конфликтность и психические расстройства — это, как вы понимаете, далеко не полный перечень «особенностей» гениев.

Взять хотя бы самое начало философии и рассмотреть его с точки зрения наших трех базовых инстинктов. Поверьте, мы придём в ужас, глядя на то, что вытворяли эти лучшие из умов человечества, заложившие, между прочим, основы всей нашей с вами современной культуры.

> *«Между нашей успешностью и коэффициентом интеллекта нет никакой корреляции».*

Гераклит умер от удушья, когда «лечился», обмазавшись навозом (он был уверен, что это спасёт его от лихорадки). Сократ согласился на смертную казнь, хотя вполне мог её избежать. Перед этим, впрочем, он регулярно рисковал жизнью — так что удивляться его решению не стоит.

Платон вовлёкся в большую политику, консультировал тиранов и в результате загремел в рабство, из которого его потом с трудом выкупили. Зенон и вовсе участвовал в заговоре, а на допросе откусил себе язык и плюнул им в лицо уже другому тирану, чтобы не выдать соратников.

Что вытворял на афинской агоре Диоген, даже пересказывать неловко: мастурбировал при всём честном народе, плевался людям в лицо, задирался ко всем подряд, а встретив Александра Македонского, попросил его «не загораживать солнце». В общем, без чувства опасности был человек, а ещё и с абсолютной уверенностью в собственной непогрешимости.

Или вот Эпиктет, например. Это к вопросу о болевом пороге. Когда хозяин стал выкручивать ему ногу, философствующий раб спокойно сообщил ему: «Ты её сломаешь...» Предупреждение не подействовало. И когда нога, наконец, треснула, Эпиктет, сохраняя полное спокойствие, лишь пожал плечами: «Я же говорил, что сломаешь».

Вот такие бывают философы-рабы... Не без пассионарного сдвига, так сказать.

В общем, не нужно быть семи пядей во лбу, чтобы заметить, что все перечисленные философы находились, мягко говоря, в непростых отношениях с собственным инстинктом самосохранения. Что и отметил Лев Николаевич Гумилёв, вводя своё понятие пассионарности. Но только ли это бесстрашие отличало поведение данных субъектов?..

Мы достоверно знаем, что большинство из них были весьма высокохудожественными натурами, знавшими себе цену. Об этом свидетельствуют и сохранившиеся тексты, и сообщения о том, в каких отношениях они находились с согражданами.

Ощущение собственной избранности, особенности, исключительности — характерная черта философов, учёных, великих исследователей

и прочих творцов всех видов и мастей, причём на протяжении всей истории человечества (что, как вы понимаете, не означает,
что всякий человек, испытывающий нечто
подобное, гениален).

С другой стороны, этих персонажей всегда
живо интересовали отношения с другими
людьми.

- Но у кого-то эта избыточная социальность проявлялась в «позитивном»
  ключе: они вечно оказывались в аван-
  гарде каких-то скандалов, интриг, ре-
  волюций и прочих заварух — как тот
  же Платон, например, Зенон или Спиноза.

  Плюс смело добавляйте сюда Альберта Эйнштейна, Бертрана Рассела,
  Лайнуса Полинга, Жан-Поля Сартра,
  Андрея Дмитриевича Сахарова, Мишеля Фуко... Им нет числа.

- У других, напротив, это заострённое
  чувство социальности имело, так сказать, «негативный» эффект: философ
  или учёный боялся других людей как
  огня, страдая при этом самой настоящей паранойей — идеями преследова-
  ния, предательства, заговора и т. д.

  Эта «негативность» выражается в изо-
  ляционизме — намеренном удалении
  от мира, нежелании с кем-либо встре-
  чаться, участвовать в каких-либо публичных мероприятиях.

  Тут тоже, можете не сомневаться, богатый список: от упомянутого уже
  Гераклита до современных нам Александра Гротендика и Григория Перельмана. В их компании и Кант с Шо-

пенгауэром, и Ньютон с Дарвином, и Фреге с Гёделем, и, например, да Винчи с Ван Гогом, Мунком, Ротко, Мондрианом et cetera.

То есть гении с «позитивной (деятельностной) социальностью» вечно стремятся к переустройству социального мира и со всей своей страстностью побуждают других людей к переменам.

При этом они проявляют выдающееся бесстрашие, пренебрежение собственной жизнью, а также недюжинные лидерские качества.

Вспомните того же Андрея Дмитриевича Сахарова — великого физика, академика, создателя водородной бомбы, которого за его научные открытия трижды удостоили звания Героя социалистического труда.

Внешне он выглядел болезненно слабым человеком, что не мешало ему открыто противостоять давлению коммунистического режима, устраивать бесконечные голодовки, а потом — под неистовый ор и захлопывания — требовать от Съезда народных депутатов принять решение о выводе советских войск из Афганистана.

Гении с «негативной (отрицательной) социальностью», напротив, болезненно ощущают агрессию окружающего мира (часто, конечно, ими же и выдуманную).

Таким асоциальным гениям кажется, что весь мир буквально ополчился против них, что, впрочем, свидетельствует лишь о том, что они себя центром этого мира как раз и ощущают.

Так или иначе, всё это причуды иерархического инстинкта. Но многие из «гениев» были, так скажем, и большими затейниками по части полового инстинкта.

Какой-нибудь Курт Гёдель, например, создатель той самой великой «теоремы о неполноте», выглядит — посмотрите на его фотографии — совершеннейшим божьим одуванчиком, невинным, как слеза младенца.

Но познакомившись с его перепиской и свидетельствами очевидцев, от этого одуванчика в вашем воображении не останется и следа... Кроме разве что пестика и тычинки.

Или вот Ландау, например, Лев Давидович, или Ричард Фейнман, описывающий зачем-то свои трогательные нежные томления в автобиографической книге, посвящённой вроде как становлению учёного.

Или, наконец, возьмите какого-нибудь Иммануила Канта или Сёрена Кьёркегора... Тут будет, правда, обратная картина, но не менее, впрочем, завораживающая.

Иммануил по каким-то причинам отказался от сексуальной жизни вовсе — по крайней мере, так принято считать. Однако же великий Кёнигсбергский философ был признанным гурманом, бильярдистом и любил модно одеваться. Так что, возможно, его сексуальность была просто такой, что её приходилось тщательно скрывать и удалось скрыть.

Для Сёрена Кьёркегора сексуальность стала источником постоянной проблематизации и причиной острой душевной боли. Философ считал её настолько греховной, что ожидал своей смерти (как и всех своих братьев) в возрасте до тридцати трёх лет. Таковым, по его мнению, было проклятье, нависшее над родом Кьёркегоров за внебрачную связь главы семейства.

С другой стороны, именно перу Кьёркегора принадлежит весьма фривольный для того времени, куртуазный и чувственный текст «Дневника обольстителя». Да и сам Сёрен считался в Копенгагене первым модником, заядлым театралом и большим франтом. Неожиданно, правда?

Правда. Особенно если учесть, что единственный, судя по всему, сексуальный опыт, на который Сёрен всё-таки решился, был связью с проституткой. Об этом мы знаем из его настоящего дневника. Запись, впрочем, предельно лаконичная: «Этот отвратительный смех... Ужас... ужас... ужас...»

Талант, дарование, особое ви́дение одарённого человека — это не какой-то мистический «дар Небес», а физиология — то есть фактические особенности устройства его мозга.

До тех пор, пока мы думаем, что «гениальность» — это какой-то «божий дар», мы и создаём о гениях легенды, не имеющие ничего общего с реальной действительностью. Да, такие легенды красивы, но абсолютно бесполезны.

Если же мы смотрим на феномен «гениальности» (что бы это ни значило) объективно, с материалистических, так сказать, позиций, то у нас, напротив, появляется инструмент для развития собственных дарований.

Конечно, всё не так просто — пришёл, разобрался, как мозг работает, и стал гением. Но по крайней мере теперь мы понимаем, за что нам следует ухватиться в реальности, чтобы начать движение к этой цели — увеличению собственного интеллектуального и поведенческого функционала.

Природа ума

Кем бы мы с вами ни были — «мыслителями» («шизоидами»), «художниками» («истероидами») или «невротиками» — думает в нас всегда дефолт-система мозга, о чём я достаточно подробно рассказал в книге «Чертоги разума».

Дефолт-система мозга — это большой объём различных областей коры, которые объединены под одну весьма нетривиальную задачу: видеть невидимое.

Каждая область коры головного мозга запрограммирована на создание определённого рода интеллектуальных продуктов.

Например:

- зрительная кора, находящаяся в затылочной доле, создаёт «картинки» (то есть всё что в неё попадёт, визуализирует);

- слуховая, располагающаяся в височных долях, производит «звуки»;

- здесь же есть и узкоспециализированные зоны, ответственные за понимание смысла слов и способность к их высказыванию (зоны Вернике и Брока);

- теменная доля обеспечивает наше восприятие эффектом «объёма» — здесь и пространственное мышление (или «топографический идиотизм»), и создание «схемы тела», например;

- при этом телесные ощущения производятся уже в лобной доле, в так называемой прецентральной извилине.

Это, как вы понимаете, далеко не полный список; добавьте сюда вкус, обоняние, проприоцептивные ощущения и т. д., и т. п. (общая схема на рис. № 6).

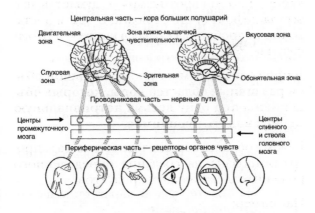

Рис. № 6. Зоны коры больших полушарий, отвечающие за создание внутренних образов внешнего мира на основе физической стимуляции рецепторного аппарата

Перечисление и детализацию можно продолжать долго, но эти нейрофизиологические подробности для нас сейчас несущественны.

Важно понять принцип: наш мозг создаёт для нас реальность, он буквально её рисует — цветом, звуком, запахами, тактильными ощущениями и т. д. Всё это, по большому счёту, только галлюцинация — субъективное переживание на основе реальных данных.

Реальными данными являются фактические физические раздражители, воздействующие на наш рецепторный аппарат: фотоны света (зрение), колебания воздуха (слух), давление материальных объектов (осязание), химические молекулы (вкус, запах) и т.д.

В общем, мир, в котором мы живём, создан нашим же мозгом на основании, впрочем, реальной информации (физико-химических воздействий), поступившей к нему извне и преобразованной им же в некую «картинку» с большим количеством «измерений».

Но разве наш мир этим исчерпывается?.. Нет. В нашем мире при внимательном рассмотрении обнаруживается масса вещей, которые по сути являются виртуальными.

То есть мы видим то, чего, по большому счёту, просто не можем видеть, потому что этого не существует физически. Подумайте, например, о таких вещах:

- вы знаете, как к вам относятся ваши родители;

- вы знаете, какой характер у вашей второй половины;

- вы знаете, какие идеи роятся в голове у ваших детей;

- вы знаете, что любят или не любят ваши друзья;

- вы знаете, каков профессиональный уровень ваших коллег по работе;

- вы знаете, что важно вашему руководителю, а на что ему наплевать.

Опять-таки я могу продолжать это перечисление до бесконечности. И всё это **вещи, которые для вас абсолютно реальны, но правда в том, что ни одна из этих ваших мыслей не имеет никакого физического**

выражения — вы не можете ощутить эти «явления» каким-либо своим органом чувств.

Родительские чувства не испускают фотоны, мысли и профессиональные навыки других людей не имеют физической тяжести или твёрдости.

Человеческие характеры, допускаю, могут «пахнуть» (приятно и неприятно), но точно этот запах не переносится химическими соединениями.

Это я шучу, конечно, но мы действительно постоянно используем физические метафоры для обозначения того, что никакого отношения к фактической физике не имеет.

Когда вы говорите, что у человека «светлая голова», «тяжёлый характер», «острый ум», а сам он «едкий», вы, я надеюсь, понимаете, что это не физическая реальность.

Иными словами, **вы каким-то чудесным образом способны воспринимать то, для чего природа не удосужилась создать рецепторного аппарата.**

Если же быть совсем честным, перечисленные явления вообще не природны, они умозрительны. Мы видим их как результат реконструкции, которую производим в самих себе мозгом.

Давайте попробуем избавиться от привычных иллюзий и взглянуть на происходящее здраво: с чем вы имеете дело, когда общаетесь с другим человеком?

Вы имеете дело с фотонами, которые от него отскакивают, с колебаниями воздуха, которые он создаёт своими голосовыми связками, а ещё он пахнет, например, и когда трогает вас — это приятно (или неприятно) на ощупь. Не так уж и много объективных данных, должен вам сказать...

Фотоны, которые отлетают от этого человека, попадают на сетчатку вашего глаза, там они преобразуются в сигнал, который, благодаря нервному возбуждению и нейромедиаторам, передаётся в области вашей зрительной коры, которая начинает этот сигнал обсчитывать.

В результате уже ваша зрительная кора, используя свой опыт, знания и настройки, выдаст вам «физическое изображение» лица, фигуры, одежды этого человека.

После этого ваш мозг подтянет к этому «изображению» ваши «художественные» наклонности, и вы решите — сами в себе и сами для себя, — что этот человек «красив», «обычный», «уродливый» и т. д. То есть даже этого вы не видите — это плод вашего воображения, основанного на прежнем опыте, тренировках и, например, сексуальном возбуждении.

Аналогичная ситуация и с колебаниями воздуха, которые созданы речедвигательным аппаратом вашего собеседника.

Воздух ударяет вам в барабанную перепонку, сила этого удара передаётся на аппарат «среднего уха» (так называемые слуховые косточки: молоточек, наковальня, стремечко) и уже оттуда — в улитку и полукружные каналы, где в специальной лимфе болтаются волоски слуховых рецепторов.

Болтание этих волосков в лимфе и производит сигнал, который затем направляется по нервным путям в слуховую кору височной доли. Но, думаю, вы отдаёте себе отчёт в том, что смысл слов колебаниями волосков в лимфе передать сложно.

Конечно, всё, что вы слышите — от тембра голоса вашего знакомого до интонации, с которой он произносит те или иные слова, — есть продукт работы вашего мозга. Но ещё более удивительным его продуктом является смысл слов, который вы угадываете в высказываниях вашего собеседника!

За каждым словом из тех, что мы используем, скрывается какое-то наше индивидуальное значение. То, что я понимаю под словом «любовь» — не то же самое, что понимаете под ним вы. У нас с вами разный «любовный опыт», так сказать, не говоря уже о культурном опыте и научных знаниях по соответствующему вопросу.

Но «любовь» — это так, для примера. Проведите простой эксперимент, с которого я начал эту книгу: попросите своих знакомых рассказать вам, что приходит им в голову, когда они слышат слово «стул».

Уверен, вы сильно удивитесь: одни будут рассказывать вам об «офисных стульях», другие — о стульях «эпохи Людовика XV», пятые, после соответствующей звуковой стимуляции, и вовсе увидят в своей голове железные табуреты, венские кресла или дизайнерские стулья какого-нибудь Карима Рашида или Филиппа Старка.

Слово вроде бы одно, а представление за ним у каждого своё собственное, и вы не знаете, что на самом деле воображает человек, когда использует то или иное слово.

Впрочем, вы его хорошо «понимаете», потому что с лёгкостью присваиваете его словам свои значения (те образы и представления, которые у вас с соответствующим словом связаны).

Теперь пройдём ещё дальше и добавим в нашу историю социальный контекст. Откуда вы, например, знаете, что ваш друг любит «зло пошутить»? Ниоткуда, вы так придумали. Да, вы могли оказаться в ситуации, когда некий человек, который, по вашему мнению, заслуживал сочувствия, оказался поводом для саркастического высказывания вашего друга.

То есть вы реконструировали у себя в голове образ некоего человека, например, больного раком. Вы представили, что он чувствует, переживает в этой ситуации, какую нужду испытывает и т. д. После этого вы, исходя из этой реконструкции, решили, что ему плохо и он нуждается в сочувствии.

А затем появляется ваш друг (который тоже на самом деле лишь ваша собственная интеллектуальная реконструкция) и, вопреки вашему представлению о сострадании, заявляет об этом онкологическом больном: «Пожил — и будет! Ему уже на кладбище прогулы ставят!»

Объективно ли ваше суждение — действительно ли у вашего друга «язык без костей», да ещё и «злой» он? Наверное, да. По крайней мере, оказавшись в подобной ситуации, испытав неловкость, вы вполне можете это утверждать. Впрочем, это утверждение как было лишь вашей оценкой этой социальной ситуации, так оно ею и останется.

Во-первых, другой человек, который рассуждает так же, как этот ваш знакомый, не увидит в подобной реплике ни «зла», ни «злого языка».

Во-вторых, может статься, что ваш друг страдает лёгкой формой аутизма, и его зеркальные нейроны не способны считывать эмоциональные реакции других людей. Так что он и вовсе не думал кого-то обижать.

Такова реальность невидимого: она «очевидна» для нас, но в действительности это лишь наше представление, созданное в данной конкретной ситуации из имеющихся у нас данных.

Проще говоря, «невидимое» — это модель, в которую собраны наши знания о том или ином предмете, явлении или ситуации. И эти модели кажутся нам реальными, хотя, конечно, это лишь возможные версии событий, ситуаций, отношений и т. д.

Мы вроде бы и видим всё это, воспринимаем красоту, понимаем смыслы, ощущаем социальные отношения, но на самом деле это лишь конструкции нашего мозга, производная производных.

Мы оказываемся в тех или иных ситуациях, и нам надо знать, как действовать, поэтому мозг и рисует нам картинку невидимого: мол, дело обстоит так-то и так-то, а значит — действуй так-то.

Для того чтобы создавать такие интеллектуальные конструкции, мозгу и приходится связывать фрагменты информации, произведённые разными частями мозга.

Когда вы думаете о другом человеке, в структуру его образа, созданного вашим мозгом, входят все те характеристики, о которых мы уже говорили — внешность, тембр его голоса, его запах, слова, которые он вам говорил и которые вы сами используете для того, чтобы его описать.

Плюс к этому его образ будет состоять из множества ваших воспоминаний о том, как он повёл себя в той или иной ситуации, что вы сами чувствовали в этих ситуациях, что вы ждали, на что рассчитывали, что переживали потом.

Чтобы собрать такую сложную модель, вашему мозгу нужно использовать данные из самых разных областей: гиппокампа, зрительной и слуховой коры, префронтальной и теменной долей...

А теперь посмотрите на то, как выглядят нервные связи, которые и составляют дефолт-систему нашего мозга, по которым эта модель и собирается — рис. № 7.

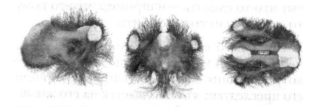

Рис. № 7. Система нейронных связей различных отделов мозга (коннектом), составляющая дефолт-систему мозга[24] (вид сбоку, вид сзади, вид сверху)

Дефолт-система — это не просто режим работы мозга, а по сути виртуальный сервер, запрограммированный на сборку сложных интеллектуальных объектов, состоящих из большого количества элементов, которые, в свою очередь, созданы в других отделах мозга.

Образы, которые создаёт наш мозг в зрительной или, например, слуховой коре, это, безусловно, тоже интеллектуальные объекты, но они созданы на основе реальных данных — фактических физико-химических раз-

---

24 По данным исследований А. Хорма, Д. Оствалда и др., проведённым с помощью технологии дМРТ (диффузионной магнитно-резонансной томографии) в Институте человеческого развития Макса Планка и Медицинского университета Берлина в 2013 году.

дражителей. А дефолт-система мозга уже из них создаёт нечто новое, своеобразную «надстройку понимания».

В случае тяжёлых психических заболеваний (например, при шизофрении) эта надстройка может и вовсе, так сказать, оторваться и заявить о себе как о самостоятельной реальности, существующей без связи с остальным миром.

Например, пациент, страдающий шизофренией, видит «внутренним взором» людей, которых нет, странных существ, которых, понятное дело, тоже нет, а ещё, например, «слышит голоса». Эти голоса приказывают ему что-то сделать — например, что-то кому-то сказать или кого-то убить.

И ещё у него возникает «понимание» (причём предельное и ясное!) многих весьма животрепещущих вопросов: например, почему его преследуют, кто покушается на его жизнь, с какой стати на нём проводят эксперименты, зачем он понадобился инопланетянам, какую миссию на него возложил Господь Бог и т. д., и т. п.

Всё это позволяет нам с уверенностью говорить, что **реальность, которая создаётся нашей дефолт-системой, — это и есть наш с вами «внутренний мир», как мы привыкли о нём думать.**

Как правило, если мы, конечно, не страдаем шизофренией, не объелись LSD и не допились до «белой горячки» (алкогольного делирия), наш внутренний мир воссоздаётся в нас как бы «по мотивам» мира действительного.

Но лишь «по мотивам», потому что о многом (очень многом), что составляет этот действительный мир, мы не можем знать непосредственно, у нас нет соответствующих рецепторов.

Эволюционное значение дефолт-системы мозга — помочь нам построить отношения с другими людьми (членами нашей животной стаи, а затем и соплеменниками).

Для этого нам нужно понимать их мотивы, правильно идентифицировать положение соответствующего субъекта в групповой иерархии, находить способы, чтобы в своих корыстных целях иметь возможность задобрить, запугать или соблазнить окружающих.

Наш мозг научился создавать образы других людей, но не просто их внешний облик, а то, какие они «изнутри» — как таковые, как соци-альные субъекты.

Так и возникла реальность невидимого — через реконструкцию других людей. Мы превратили их для себя из физических объектов (которыми они на самом деле для нас являются) в объекты психической жизни — чувствующих, мыслящих, желающих, переживающих и т. д.

Да, другие люди, скорее всего, действительно думают, чувствуют, что-то желают и о чём-то переживают, но мы об этом знать не можем. Мы можем только поверить им на слово, что это так.

Внутрь внутреннего мира другого человека проникнуть нельзя. Поэтому мы можем лишь реконструировать в себе некий образ его сознания — додумать (выдумать) его мысли, чувства, желания и т. д.

Проводить подобную реконструкцию могут многие животные, в частности, приматы, о чём, как я уже говорил, подробно и красочно рассказывает в своих работах Франсуа де Вааль.

Но никто из них не обладает уникальным человеческим свойством — языком. Без языка нам наш собственный «внутренний мир» не построить, а тем более чей-то чужой не смоделировать.

ЗАЧЕМ НАМ ЯЗЫК?..

Язык вроде бы возник как средство коммуникации между людьми — где-то сорок, а, может быть, сто тысяч лет назад (по меркам эволюции в любом случае — чуть).

Но последствия того, что мы стали пользоваться языком, оказались куда более существенными для нашего вида: **с помощью языка мы не только что-то стали сообщать окружающим, но ещё и получили инструмент, который позволяет нам картировать собственный внутренний мир.**

Допустим, вы переживаете какое-то состояние: как его зафиксировать, чтобы запомнить и использовать этот свой опыт-знание в будущем? Это можно сделать на очень примитивном, автоматизированном уровне нервной организации — именно этой цели и служит так называемая процедурная память.

Например, вы коснулись раскалённой плиты. Вам больно, и мозг запомнил — эту штуку больше не трогаем! Он запомнил это событие ожога как бы рефлекторно, без участия сознания. С этим справится любое животное, имеющее хоть какую-то нервную систему. Но что будет, если вы ещё и назовёте произошедшее?

Допустим, вы используете для этого слова «горячее», «раскалённое», «больно», «плита», «огонь». Что это вам даёт? Многое.

Теперь, когда вам говорят: «Не трогай лампочку — она раскалилась и очень горячая!», вы тут же вспомните про прежнее своё «больно» от «горячего» и не будете её трогать.

Ну, может, потрогаете в исследовательских целях, но уже аккуратно, осмысленно, а дальше уж точно запомните, что, когда говорят про «раскалённое», лучше руками не лезть.

Использование слова «огонь» научит вас не лезть в костёр, в камин и доменную печь. Слово «плита» обозначает плиту и дровяную, и газовую, и электрическую, а поэтому, узнав о том, что «плиты» бывают «горячими», вы, обжёгшись только на одной из них, легко распространите своё знание и на остальные «плиты» в окружающем вас мире.

Наконец, само слово «больно» обретёт для вас дополнительное наполнение, станет объёмнее в своём значении. Да, когда болит живот — это больно, когда вы коленкой ударились — больно, когда крапивой обожглись — тоже больно, а когда вам по попе наступали — больно, безусловно, но больше даже обидно. Термический ожог болит иначе, хотя эффект, если верить только слову, тот же — больно.

Теперь, когда человек раскроется перед вами и скажет, что у него «душа болит», вы не будете думать, что это «как живот болит», или «как попа болит от обиды». То есть благодаря обозначению ожога как «больно» в вашем внутреннем арсенале появляются и другие обертоны смысла, что позволяет вам лучше понимать собеседника, давать ему более точную обратную связь, что приведёт к созданию более тесных и поддерживающих отношений.

Впрочем, когда вы уже знаете про «больно» столько всего разного, возможны и другие эффекты. Например, вам вдруг говорят, что поведут вас к стоматологу, где возможно, будет чуть-чуть больно. Всё ваше знание о «больно» в эту секунду собирается в один большой фобический кулак, вы буквально физически ощутите предстоящие вам страдания.

Казалось бы, ничего хорошего в этом нет, но бла-годаря этому — означенному — опыту, вы, возможно, сможете в последующем наладить гигиену рта. Это станет возможным именно благодаря связанным языковым конструкциям, обозначающим ваши опыты «боли», «стоматолога», «чистки зубов» и т. д.

Представьте себе собаку... Её, конечно, можно напугать стоматологом, но вряд ли она после этого будет сама испрашивать у своего хозяина спе-циальные палочки для стачивания зубного камня.

Предощущение боли в стоматологическом кресле, спровоцированное языковой актуализацией соответствующих центров вашего мозга, может побудить вас избегать посещения врача. Это, я полагаю, не лучшая идея, но избегать ситуаций, где вообще может быть «больно» — стратегия в целом неплохая.

Поэтому — да, есть издержки, но в целом, если вы внутри самих себя маркируете какие-то события как потенциально «болезненные», вы будете куда аккуратнее, приступая к соответствующему делу. То есть знание о том, что может быть «больно», способно уберечь вас от лишних травм.

И здесь я хочу, чтобы вы в порядке мысленного эксперимента задумались: способно ли вас остановить предостережение о возможной «боли», если вы сами никогда чувства боли не испытывали?

Вряд ли. И дело не в том, что вы рассудочно знаете, что есть «боль». Нет, всё дело в том, что, **когда вы думаете о «боли», ваш мозг собирает ваши опыты боли в единый нейрофизиологический комплекс.**

Иными словами, вас останавливает или делает более осторожными не само слово «боль», а те чувства, ощущения, которые в вас возникают, когда вы слышите слово «боль», а ваш мозг собирает-подтягивает к нему (к этому слову) все ваши прежние ощущения, связанные с болью.

Но мозг сможет сделать это только в том случае, если эти ощущения были тогда отмаркированы как «боль», иначе он просто не будет знать, что нужно активизировать соответствующие нервные центры.

Итак, задача языка не только в том, чтобы обеспечить нам коммуникацию с другими людьми и взаимную передачу знаний. Этот эффект очевиден и лежит на поверхности.

Но есть и другой, не менее существенный, значение которого мы, на мой взгляд, недооцениваем: **мы используем язык, чтобы организовывать наш собственный опыт, образуя таким образом саму структуру нашего внутреннего мира.**

Если лишить нас языка, мы, конечно, сможем как-то ориентироваться в окружающем мире, но мы не сможем строить долгосрочные планы и контролировать свои порывы, мы не сможем оценивать эффективность принимаемых решений и понимать мотивы других людей.

Проще говоря, без языка, организующего наш внутренний мир, мы будем сильно ограничены в том, чтобы видеть невидимое. А это «невидимое» и есть по большей части действительная реальность человека, жизнь которого так или иначе полностью разворачивается в системе социальных отношений с другими людьми, также пользующихся языком.

Когда мы говорим «власть», «деньги» и даже «секс», мы на самом деле указываем на то, чего нет — на невидимое.

Да, есть «институт государственной власти», но он, согласитесь, существует лишь в нашем воображении. Мы, при всём желании, не можем с ним столкнуться. В лучшем (или худшем) случае, мы столкнёмся только с конкретными людьми, которые, как считается, имеют эту власть — чиновниками, полицейскими, судьями и т. д.

Мы можем думать, что «деньги» — это те бумажки, которые лежат у нас в кошельках. Но на самом деле это не так. Деньги являются «деньгами» только до тех пор, пока существенное количество людей верит в них как в «деньги». Как только большинство людей откажется в них верить и менять товары-услуги на эти бумажки, они перестанут существовать как «деньги».

Наконец, «секс» — это же тоже не какой-то конкретный половой акт (для конкретного полового акта эволюции миллион лет никаких слов, как вы понимаете, не требовалось). «Секс» — это сложная история, нагруженная моральными ограничениями, взаимными обязательствами, знаниями о том, как его «можно» делать, а как «нельзя», в каких ситуациях он «неуместен», а в каких, напротив, «обязателен» (если только, конечно, у вас голова не болит).

Всё это, иными словами, несуществующие вещи, которые, впрочем, кажутся нам вполне реальными. И эта реальность несуществующих вещей, составляющих пространство нашего собственного внутреннего мира, обусловлена наличием языка.

Если бы не было этих слов, мы бы не испытывали тревоги, встречаясь с чиновниками и другими представителями власти, мы бы, не спрашивая и не оплачивая, брали с полок магазинов то, что нам нравится. Да и к сексу мы бы приступали только в случаях действительной необходимости, а возможности использовали бы, какие придётся.

В общем, без языка мы бы стали в значительной степени реактивны, лишились бы осмысленности и перестали бы замечать установленные культурой правила. Мы бы жили по указке своей процедурной памяти, что сделало бы наше существование в обществе культуры (со всеми его предрассудками и условностями, призванными удержать наши биологические инстинкты «в рамках приличия») невозможным.

Процедурная память (в отличие от декларативной, обусловленной именно языковыми связями с опытом) недостаточна для того, чтобы видеть то, что не существует как физическая данность, а такова, по существу, вся наша культура.

Культура по сути вся находится в наших представлениях, и реальна только потому, что мы разделяем друг с другом эти представления.

Определённые прогнозы процедурная память, конечно, позволяет нам сделать — например, она предоставляет шанс избежать вторичного наступания на грабли. Но если мы сталкиваемся с реальностью, которая не сообщает нам о себе фактическими физико-химическими раздражителями, без декларативной (языковой) памяти уже не обойтись.

Иными словами, наш «внутренний мир» структурирован языком, и мы пользуемся словами языка как рыболовными сетями, которые мы закидываем в то содержание (наши опыты и знания), которое хранится в «чертогах нашего разума», и выуживаем из всего его объёма именно то, что поможет нам создать модель реальности для конкретной жизненной ситуации.

Загадки дефолт-системы

Образ может изображать отношения,
которые не существуют.
ЛЮДВИГ ВИТГЕНШТЕЙН

Другие люди — это физические объекты, обладающие определёнными физическими свойствами (они имеют определённые размеры и формы, характерным образом перемещаются в пространстве, издают звуки, запахи и т. д., и т. п.). Если бы вы страдали аутизмом, то это было бы для вас очевидным фактом.

Но, к счастью, большинство из нас аутизмом не страдает, а это значит, что у нас с вами неплохо работают зеркальные нейроны и дефолт-система достаточно активна[25]. И именно благодаря этим функциональным единицам нашего мозга мы и воспринимаем других людей как нечто большее, чем просто физический объект со специфическими свойствами.

Повторю ещё раз: **другие люди — это просто физические объекты материального мира, а то, что мы думаем о них, — это уже результат психологической реконструкции, которую мы создаём для каждого человека в своём же собственном воображении.**

То, что вы воспринимаете других людей «живыми», предполагаете, что они что-то «чувствуют», «думают», «переживают», чего-то «хотят», как-то к вам «относятся» и т. д., — это то, что ваш мозг почти буквально дори-

---

25 Как я уже рассказывал, нейрофизиологический коррелят аутизма — это как раз слабость зеркальных нейронов и низкая активность дефолт-системы мозга.

совывает (приплюсовывает) к фактической (физически воспринимаемой) реальности.

- Зеркальные нейроны помогают нам понять намерения и мотивы других людей. Это происходит за счёт того, что эти нервные клетки, по существу, как бы заставляют нас мысленно повторять за другим человеком его движения.

  Нашему же мозгу известно, с какой целью мы бы сами стали делать эти движения, а потому он может догадаться (почти почувствовать, ощутить), какие цели другой человек преследует — зачем ему это.

- Дефолт-система мозга решает задачу «расшифровки» поведения других людей чуть иначе. Исследования ДСМ показали, что эта система мозга является своего рода фабрикой по производству образов «других людей», которые мы субъективно воспринимаем как своего рода истории (нарративы) о них.

  При этом каждая такая история (на то она и нарратив) имеет, так сказать, свою «мораль», как в басне: какой-то смысл, к которому мы тенденциозно подтягиваем свои знания о данном человеке.

  В результате мы учитываем только те факты, которые этой «морали» подходят, а остальные — отбрасываем, чтобы не портить «красоту» нашей картинки.

То есть в этих образах куда больше вас, чем реальных других людей (с их действительными переживаниями, состояниями, отношениями и т. д.).

В действительности ваше собственное отношение к ним (полезны или нет, комфортно вам с ними или нет, возбуждают они вас или нет) и породило соответствующие смыслы («мораль»), вокруг которых ваш мозг лишь виртуозно пожонглировал фактами.

Указанные нейрофизиологические механизмы создания образов «других людей» абсолютно одинаковы для любого человеческого мозга. Но, как мы уже с вами знаем, наши мозги, по крайней мере по части создания моделей реальности, существенно друг от друга отличаются.

Образы «других людей» — это как раз модели, описывающие некую реальность, то есть действительных других людей. И, соответственно, разные «радикалы» будут по-разному моделировать других людей, и не столько в содержательной части (это всегда больше культурологическая специфика), сколько структурно.

Грубо говоря, у «шизоидного радикала», поскольку он по-своему создаёт модели реальности, будут получаться одни «другие люди», у «истероидного» — другие «другие люди», у «невротического» — третьи.

Если у вас что-то не в порядке с инстинктом самосохранения, то ваш мир будет сильно отличаться от мира того человека, у которого избыточен, например, иерархический инстинкт и страсть к лидерству. И понятно, что тот, у кого половой инстинкт от природы, выражен сильнее, увидит реальность ещё как-то.

Да, разные «радикалы» видят в этом мире разные вещи: для кого-то куда важнее безопасность, для кого-то отношения власти и подчинения, для кого-то — секс, производство впечатления и т. д. Но дело не только в этом...

Сам способ сборки этих интеллектуальных объектов (образов «других людей») будет у них существенно отличаться, поскольку для этих целей разные «радикалы» задействуют, условно говоря, разные функциональные части мозга.

То есть, если образно: нейронные программы (а наш мозг — это множество распределённых и специфическим образом запрограммированных серверов) по производству образов «других людей» у разных «радикалов» разные. Соответственно, и итоговый результат будет существенно отличаться.

«Эволюционное значение дефолт-системы мозга – помочь нам построить отношения с другими людьми».

В «Чертогах разума» я уже рассказывал о механизме возникновения синестезии. Это когда человек слышит, например, музыку, но в этот же момент видит и какие-то цвета, даже если его глаза полностью закрыты или он находится в абсолютной темноте. Как такое возможно?

Звучит музыка — и нервный сигнал, рождённый во внутреннем ухе, поступает по специализированному нервному тракту в слуховую кору, которая и производит из него ощущаемый нами звук. Но нервные тракты ветвятся и часть изначально «звукового» сигнала у некоторых людей может по таким коллатералям попадать в зрительную кору. А зрительная кора, так уж запрограммирован этот сервер, превращает любой попавший в неё сигнал в визуальный образ.

В целом ничего странного. Как показали последние нейрофизиологические исследования, у слепых от рождения людей зрительная кора не атрофируется, а программируется для создания так называемого слепозрения.

Клетки зрительной коры научаются как-то «видеть» пространство, используя звуковые сигналы (благодаря эффекту эхолокации), а ещё они могут «видеть» текст, хотя человек лишь ощупывает кончиками пальцев выпуклости шрифта Брайля (то есть сигнал учится добегать в зрительную кору от рецепторов, которые, по идее, отвечают лишь за тактильные ощущения и имеют своим «местом прикрепления» постцентральную извилину теменной доли).

Иными словами, многое зависит не только от того, что мы делаем — слушаем музыку, ощупываем предметы или производим гипотетические образы «других людей», — но и от того, какие именно области нашего мозга (какие его сервера) играют в этом деле первую скрипку.

- Если ею — этой первой скрипкой — становится подкорка, то объект (например, человек и его поведение), который вы воспринимаете, будет прежде всего пугающим или успокаивающим, возбуждающим и впечатляющим или, например, вызывающим отвращение.

- Если же лидерство возьмёт на себя префронтальная кора, то в основе вашего образа «другого человека» будет лежать набор рациональных утверждений, вынесенных на обозрение сознания. Далее последуют попытки их — эти утверждения — как-то структурировать, чтобы получилась более-менее логичная картина.

- Если же ведущую роль возьмёт на себя непосредственно дефолт-система мозга, то первостепенное значение для образа «другого человека» будут иметь не «эмоции» и не «логика», а то, как он соотносится с другими образами «других людей» в вашей голове.

Что ж, теперь, когда мы уже достаточно подробно разобрали то, как наш мозг в принципе создаёт реальность невидимого и прежде всего образы «других людей», давайте скорректируем это наше знание дополнительными вводными.

Дефолт-система мозга была эволюционно предназначена для того, чтобы создавать образы «других людей» — додумывать то, что, как нам кажется, они хотят, что чувствуют, как к нам относятся, какие они (в чём, так сказать, их «мораль»?) и т. д. И тренировать свой навык производства невидимого мы начали именно на этом — социальном — материале.

Уже существенно позже — благодаря усвоению языка (а вместе с ним огромного массива «культурных» знаний) — мы научились использовать ту же дефолт-систему и для других целей: мы учим её производить такие интеллектуальные объекты как, например, цифры или деньги, этические и эстетические ценности, научные теории и то, что мы зовём своим мировоззрением.

Всё это, как вы понимаете, вещи не существующие, но они очевидно реальны, потому что влияют на то, что с нами происходит. И поскольку эволюционно в нашем мозге не было предусмотрено областей, которые бы могли обрабатывать соответствующую информацию, мы используем для этого те части мозга, которые более-менее способны с этим справиться.

СОЦИАЛЬНОЕ ПРОСТРАНСТВО

Приведу лишь один частный случай возникающего здесь соответствия: возьмём, например, математику и социальность нашей дефолт-системы мозга.

Чтобы думать математику, соответствующие знания — о цифрах, математических операциях, леммах, теоремах и множествах, — должны быть как-то представлены и развёрнуты в нашем головном мозге.

Однако же очевидно, что наш мозг не был эволюционно приспособлен к математике. То есть, чтобы как-то запихнуть в него математику, мы должны были воспользоваться какими-то областями мозга (его серверами), которые способны делать что-то подобное.

Все мы с вами знаем, что такое числа, и, более того, можем увидеть, какое число «больше», а какое «меньше». Но как мы это делаем? Почему, например, 2-ка меньше 5-ти? На их написание затрачивается одинаковое количество краски...

Да, дело не в знаках, которые мы используем для обозначения чисел, а в том, что мы имеем в виду — нечто невидимое, — когда используем этот знак.

Как мозг может «понимать» такую сложную и на самом-то деле совершенно неочевидную абстракцию? Сейчас мы знаем, что он делает это ресурсами коры теменной доли мозга, которая отвечает за нашу ориентацию в пространстве.

При этом известно, что теменная доля входит в дефолт-систему мозга. Но зачем, если дефолт-система — это о людях, а теменная доля — за территорию, пространство вокруг и т. д.? Потому что другие люди создают наше «социальное пространство».

Вы чувствуете, например, что кто-то из людей, с которыми вы имеете дело, вам «ближе», а кто-то, наоборот, — «дальше». Но даже «близкий» человек может, как известно, «отдалиться», вы можете ощутить между вами «границу», «преграду», «отчуждение».

При этом одни люди составляют ваш «ближний» (или даже «внутренний» круг), хотя вы с ними и не «близки» психологически — таковы, например, многие наши родственники. Это ещё одна, и далеко не единственная, опция развёртки вашего внутреннего социального пространства.

Или вот, например, когда вы пытаетесь понять человека, вам иногда кажется, что вы пускаетесь в долгое путешествие — идёте, идёте и идёте, что-то разузнаёте, но он всё равно словно «вдалеке», непонятен вам. Опять же пространственное ощущение.

Какой-то человек может показаться вам «огромным» за счёт своей харизмы: «глыба, махина человечище!». И напротив, чьи-то поступки могут создать у вас ощущение, что человек вам попался «мелкий», «неглубокий», «поверхностный». То есть всё сплошь пространственные характеристики.

Русская литература очень любит образ «маленького человека». Что здесь имеется в виду? Карликовость? Генетическое заболевание? Нет, конечно. Какие-то люди воспринимаются нами как «маленькие» просто потому, что таков их социальный статус: они не обладают влиянием, вынуждены подчиняться всем правилам, идти на поводу у «сильных мира сего».

Само «социальное устройство мира» для нас пространственно: есть те, что «наверху», есть те, что «внизу», есть те, кто «сбоку» и «сбоку припёка».

Есть, впрочем, буквально территориальный аспект наших социальных отношений — это то, что мы, будучи по сути животными, воспринимаем как «свою территорию». Действительно, нам сильно не понравится, если чужаки будут хозяйничать в нашей квартире, в нашей уборной или спальне.

Наконец, есть территориальный аспект и в восприятии так называемого личного пространства: это та дистанция, на которой вы держитесь от других людей в зависимости от того, насколько хорошо вы их знаете.

Одних вы легко допускаете непосредственно до своего тела, от кого-то пытаетесь держаться на расстоянии вытянутой руки, а с кем-то предпочли бы иметь ещё большую дистанцию (с каким-нибудь начальником, например, высокопоставленным чиновником или просто неприятным вам человеком).

Близкий друг может вас взять в охапку, и вы, возможно, будете этому даже рады. Но если какой-то незнакомец повиснет у вас на шее и начнёт что-то жарко шептать вам на ухо, вы, я думаю, комфорта не испытаете — он подошёл слишком, непозволительно «близко», нарушил вашу «личную границу».

Теменная доля, созданная эволюцией для того, чтобы мы могли ориентироваться на местности, используется дефолт-системой для того, чтобы мы находили своё место в виртуальном и не существующем на самом деле (лишь в нашем воображении) «социальном пространстве».

Так мы натренировались видеть «большее» и «меньшее» там, где никаких объективных свидетельств «величины» нет. Судя по всему, именно этот навык видеть «размеры» несуществующего и помог нам сформировать знание о математических величинах — абстрактных «больше», «меньше», «в квадрате».

Мы создали числовые ряды, абстрактные координаты и векторы. А ещё мы на полном серьёзе говорим о плюс и минус бесконечности, что, понятное дело, и вовсе представить себе как нечто объективно существующее невозможно.

Если вы об этом задумаетесь, то обнаружите, насколько это на самом деле сложная штука — «взять корень из». Что это вообще такое — «взять из»? Что-то из ничего? А что такое «возвести в степень», «применить формулу» и т. д., и т. п.?

Но в социальном пространстве мы именно это и научились делать, а потому и соответствующие математические фокусы смогли впоследствии освоить.

В общем, кажется вполне естественным, что по интенсивности работы дефолт-системы мозга мы можем сделать заключение, что человек относится к социальному («невротическому») типу, потому что она у него вроде как ведущая. Засунем человека в томограф, дадим его мозгам «поблуждать» и вынесем суждение.

Однако это не так. Всё, как выясняется, куда сложнее.

Действительно, если мы засунем человека, прошу прощения, в томограф и дадим ему задание «ничего не делать», у него включится дефолт-система мозга и он примется думать о каких-то условно проблемных ситуациях своей жизни (то, что в психологии называют «незавершёнными гештальтами»).

В его сознании будут чередой всплывать образы: что происходит у него на работе (отношения с сотрудниками, начальником, необходимость сделать какой-то отчёт или проект, написать письмо), мысли про семейные отношения (что происходит у него с партнёром, родителями, детьми) и т. д.

Плюс, конечно, много частных моментов. Например, вспомнит, что плохо поговорил с другом (подругой) в последний раз или встретил симпатичного человека, с которым хотелось бы что-нибудь «замутить», но не понятно, надо ли, а если надо, то как? То есть он будет как бы перепрыгивать лучом своего внимания с одной ситуации на другую — блуждать по своему внутреннему социальному пространству. Человек как бы «обходит дозором» свою «внутреннюю стаю», а мы, отслеживая потребление кислорода его нервными клетками с помощью фМРТ, увидим, как бурлит его дефолт-система[26].

- Если человек страдает аутизмом, то его дефолт-система по причине своей генетической неразвитости будет в такой ситуации функционировать еле-еле и едва-едва.

- Если же это будет шизофреник, находящийся в активной фазе болезни (то есть с бредом и галлюцинациями), то его дефолт-система будет гореть, как безумная новогодняя ёлка, чрезвычайно активно.

  Эти образы «других людей» в его дефолт-системе будут настолько яркими и реалистичными, что он, возможно, их даже услышит и увидит «внутренним взором» (слуховые и зрительные галлюцинации[27]).

Всё вроде бы логично, но и человек с проявлениями аутизма (в ДСМ тихо как в могиле), и шизофреник (активность ДСМ льётся через край) очевидно страдают слабостью (дефектностью) инстинкта самосохранения.

Да, чуть по-разному, но по сути — одно и то же:

- аутист оторван от реальности, поскольку социальных отношений (как мы их себе представляем, как мы их

---

26 Продолжительность зависания на каждой такой «мизансцене», как мы знаем, равняется примерно десяти секундам. Не так уж и долго (и вообще ничто, если вы действительно хотите какой-то вопрос основательно продумать и решить). Но на то это и «дозор», на то и «блуждание». Подробно я рассказываю об этих механизмах в книге «Чертоги разума», так что здесь позволю себе на этом подробно не останавливаться.

27 Галлюцинации, которые испытывает человек, страдающий шизофренией, психиатры называют «псевдогаллюцинациями» (синдром Кандинского-Клерамбо), потому что больной «видит» их не снаружи, не в окружающем мире, а как бы внутри себя самого, «внутренним взором».

чувствуем) он вообще не видит, не понимает, что они есть;

- для шизофреника реальность буквально заслонена (вытеснена) его собственной психической активностью, галлюцинации полностью завладевают его вниманием.

Понятно, что разрыв с реальностью — это для самосохранения животного не очень хорошо. Дефект соответствующего инстинкта налицо, но с точки зрения дефолт-системы мозга может быть и так, и так: и тихо, и громко. Как это понимать?..

Конечно, шизофреник и «шизоид» — это совсем не одно и то же. Тут как бы вектор организации психики один, но болезнь — это болезнь, у неё своя нейронная механика, своя биохимия. Однако особенности работы дефолт-системы «шизоида» на примере шизофрении рассмотреть можно, а в чём эта специфика, мы поговорим чуть позже.

Пока же давайте попробуем представить себе, каким образом будет вести себя дефолт-система мозга у человека, чьи интеллектуальные объекты (например, образы «других людей») создаются прежде всего под контролем и воздействием художественной, чувственной и страстной подкорки. Да, я об «истероидном радикале»...

Совершенно очевидно, что страстность, эмоциональность — это в некотором смысле лишь проявление остроты, интенсивности, избыточности реакции на раздражитель.

«Истероиды» в некотором смысле более чувствительны, более впечатлительны, эмоциональны, нежели представители других типов. Иногда они вообще «как оголённый нерв».

Это, конечно, не значит, что «шизоид» или «невротик» бесчувственны, просто у них это по-другому. Возьмём какую-нибудь стрессовую ситуацию (хотя для каждого типа она будет своей), и мы увидим три достаточно мощные эмоциональные реакции:

- «Шизоид», например, будет навязчиво крутить проблему в голове и может почувствовать невероятный ужас, словно человек, потерявшийся в бесконечном пугающем лабиринте.

- «Невротику», скорее всего, будет казаться, что решение проблемы где-то на поверхности, просто другие люди не могут или не хотят его увидеть — сесть, поговорить по душам и всё прояснить.

  Он будет страшно из-за этого переживать, вести бесконечные внутренние (то есть в своей голове) диалоги с «другими людьми»: что-то им эмоционально объяснять, страстно доказывать, яростно просить понимания.

- «Истероид» же — нет: он просто вдруг обнаруживает себя на вулкане страстей. Его буквально колотит мелкой дрожью (а то и крупной — до припадка), и он не может найти себе места.

  Спроси мы его — что случилось? — и в ответ услышим (если услышим) бессвязный поток сознания: обвинения, негодование, презрение, ужас, панику и вселенское ощущение катастрофы — «всё пропало!».

То есть эмоционируют все, но если «шизоиды» делают это, потому что путаются в рациональных конструктах, «невротики» остро ощущают социальный конфликт и пытаются как-то его разрешить, то у «истероидов» эмоции просто бьют через край.

Вот именно в этом смысле «истероиды» куда «более» эмоциональны, чем представители двух других типов.

Представим себе такую социальную ситуацию: «шизоид»-начальник отчитывает двух подчинённых — «истероида» и «невротика». Ну сцена как сцена, ничего особенного: начальник наругался, подчинённые — обтекли.

А теперь попробуем заглянуть им в голову...

«Шизоид» будет уверен, что он сказал очень важные и серьёзные вещи, а потому все должны сделать правильные выводы на будущее, всё понять и испытать от этого неподдельную радость.

Он доволен, что довёл до масс некое ценное и глубоко продуманное знание, за которое они, конечно, должны быть ему благодарны.

«Невротик» оценит социальную диспозицию и успокоит себя тем, что, мол, начальник у нас с приветом, поэтому не надо на него обижаться за резкие высказывания.

Для «невротика» абсолютно естественно, что человек действует согласно той «морали», которая характеризует его образ (допустим, взбалмошного, самовлюблённого, слегка тронувшегося умом от нагрузки руководителя).

Кроме того, для «невротика» тут всё ещё и в рамках иерархии: на то начальник и начальник, чтобы отчитывать подчинённых. Так что приятного, конечно, мало, но проблем в целом нет. Надо думать, как вернуть себе профессиональную репутацию и заслужить уважение руководства.

Но каким образом выволочка на начальственном ковре срезонирует в «истероиде»? О, тут может случиться самая настоящая «свечка»...

- Во-первых, «истероиду» совершенно безразлично, что там думает его начальник. У него такое мнение, у нашего героя — другое, и что теперь? «Ещё неизвестно, кто прав! И разве это повод на меня кричать?!» — просто ужас что такое.

- Во-вторых, «истероид», скорее всего, уверен, что он всё сделал прекрасно и большой молодец! Он сильно старался, всё бросил и потратил уйму своего драгоценного времени на выполнение «дурацкой работы».

  А теперь, вы только задумайтесь (!), этот «придурок», «неотёсанный болван» и «бесчувственная скотина» (начальник, в общем), вместо того, чтобы восторгаться, падать в обморок и говорить приятные вещи, не только не оценил проделанную работу и ратный подвиг, но ещё и отчитал!

- В-третьих, «истероид» точно задумается о том, как всё произошедшее выглядит со стороны... Он постоянно рассказывает своим сослуживцам, насколько он гениальный и неповторимый (а если и не рассказывает, то они и сами должны это понимать).

Тут же его взяли и, как маленького котёнка, отмутузили, да ещё и в присутствии третьего лица (нашего «невротика») тыкали носом в испражнения!

Это же вообще какая потеря лица?! Теперь надо выйти из кабинета в openspace офиса и увидеть эти ехидно-злорадные лица! Катастрофа!

Что в таких обстоятельствах, как вы думаете, будет твориться в дефолт-системе мозга нашего героя с «истероидным радикалом»?..

Взрывы ракет, трагедии вселенского масштаба, искры, брызги и смертоубийство. И всё это — мягко сказано...

Наиболее впечатлительные «истероиды», чьи психологические особенности достигают патологического уровня, могут реально видеть, что лица других людей искажены гримасами презрения, отвращения, издевательскими улыбками, ухмылками.

То есть в реальности ничего такого, конечно, нет, но они «видят» — всё тем же «внутренним взором» (хоть и не так, как шизофреники). Грубо говоря, **образы «других людей», живущих в дефолт-системе их мозга, становятся настолько активными, яркими, что заслоняют собой реальность.**

> *«Другие люди создают наше "социальное пространство"».*

Да, дефолт-система мозга «истероида», переживающего мощный психологический стресс, тоже будет активна до безобразия. Хотя, казалось бы, ведущей зоной мозга у них является подкорка как таковая. Да, именно она и ударит, так сказать, в голову «истероиду» — в его дефолт-систему.

Представьте, что вы идёте по базарной площади. Многолюдно. Вдруг какие-то наглецы нападают на вас: срывают одежду, кричат гадости, унижают всеми возможными способами. И никто не бросается вам на помощь, а наоборот — всем нравится ваше положение, они ржут в голос, подзадоривают ваших обидчиков, тычут в вас пальцами.

И вот все эти лица — каких-то отвратительных торговцев за прилавками, унижающих вас подлецов, глупых зевак, местных юродивых и попрошаек... Эти морды смотрят на вас с жадным любопытством, возникают из общей массы своими уродливыми гримасами и хохочут, плюют вам в лицо...

Образно, да? Вот примерно так — ярко, красочно и болезненно — «истероид» может ощущать социальную реакцию на своё «унижение», им же самим, впрочем, и придуманное. Зачастую подобные переживания возникают у «истероида» буквально на ровном месте, когда никто и не думал его унижать, а случайным свидетелям и вовсе не до него.

Но «истероида» реальное положение дел в этот момент не интересует, да он и не может его заметить. После того, как его подкорка со всей своей мощью ударила по его дефолт-системе, эти образы «других людей» уже живут в ней своей жизнью, красочно изображая всю эту «мерзость, — цитирую И. П. Павлова, — межлюдских отношений».

Таким образом, сама по себе активность дефолт-системы мозга не является чётким признаком социального типа («невротика»). Так в чём же фокус?..

Фокус обнаруживается, когда мы сравниваем структуру дефолт-системы мозга у «шизоида», «истероида» и «невротика».

К сожалению, мы не можем увидеть виртуальную по сути структуру дефолт-системы мозга с помощью современных методов нейрофизиологического исследования (по крайней мере, пока).

С помощью фМРТ мы можем лишь фиксировать активность тех или иных нервных центров, а поэтому используем обходной манёвр.

Этим «манёвром» является, в частности, упражнение, которое подробно описано в книге «Чертоги разума» и называется «структура дефолт-системы мозга». По сути это даже не упражнение, а своего рода инвентаризация вашей «внутренней стаи».

СТРУКТУРА ВАШЕЙ «ВНУТРЕННЕЙ СТАИ»

Когда мысли человека отправляются в «блуждание» (то есть его мозг переходит в дефолт-режим), он совершенно автоматически вспоминает людей, с которыми его связывают какие-то дела, отношения, обязательства, надежды, напряжения и т. д.

По сути это просто образы «других людей», находящиеся в дефолт-системе вашего мозга, которые оказываются перед внутренним взором вашего сознания, и вам кажется, что вы о них думаете. Но если вас спросить в данный момент, о чём вы, собственно, думаете, то этот образ, скорее всего, тут же растает.

Как я уже не раз говорил, благодаря «числу Данбара» мы знаем, что **количество людей, на которых был эволюционно рассчитан наш с вами мозг, весьма ограниченно.** Это вполне логично: мы были приспособлены к тому, чтобы удерживать в голове образы людей, которые соседствуют с нами в одном племени, а это в среднем 150 человек.

Думать о ком-то ещё, кроме соплеменников, и тратить на это драгоценный и энергетически затратный психический ресурс было бы совершенно бессмысленно.

Но на смену «племенам» пришла урбанизация, а затем и вовсе «информационная, — если пользоваться терминологией Элвина Тоффлера, — волна», когда каждый буквально в одном клике от тебя.

Да, теперь мы знаем о существовании миллиардов людей, но это знание лишь теоретическое. Фактические ресурсы, которые есть у мозга для поддержания социальных отношений, остались прежними.

Многие, впрочем, попытались оспорить выводы Данбара: мол, всё развивается, и наша социальность тоже. Но наука всегда и всё расставляет по своим местам.

Большая исследовательская группа Робина Данбара проанализировала фактические связи, которые мы устанавливаем в социальных сетях — Facebook, Instagram и т. д., — а затем чтобы уже и вовсе закрыть все бреши, изучила нашу активность в Twitter, других мессенджерах и, наконец, телефонные звонки (учёные получили доступ к шести миллиардам звонков, сделанных 35 миллионами людей).

В общем, в 2016 году в журнале Social Networks была поставлена жирная точка в этой дискуссии. Да, если смотреть не на формальные цифры в аккаунтах и не на общее количество звонков всем подряд, а на реальные связи — кто, кому и что, — то выясняется, что прежнее «число Данбара», показавшееся кому-то маленьким, должно быть пересмотрено в сторону ещё большего... уменьшения, а вовсе не увеличения!

Вот наша реальная «внутренняя стая»:

- 5 самых близких друзей, включая родственников, если вы с ними в хороших отношениях (это те, на чью поддержку вы психологически рассчитываете, если с вами вдруг что-то случится);

- плюс к ним ещё 10—15 приятелей, составляющих ваш постоянный круг общения (тут и сослуживцы, и просто хорошие товарищи);

- плюс к ним ещё около 30—35 хороших знакомых (тех людей, о которых вы много знаете, с кем общаетесь достаточно регулярно).

Вот и весь наш более-менее «ближний круг», состоящий всего из 50 с небольшим человек. Если же говорить о вашем круге общения, в целом, то это 150 человек, которые, как вы уже поняли, распределены по соответствующим слоям (теперь они называются «слоями Данбара», см. рис. № 8).

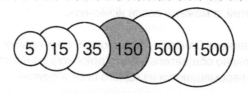

Рис. №8. «Слои Данбара». Примечание: 5 человек — это те, кому вы доверяете и на кого рассчитываете, и 15 — те, кому

вы просто доверяете; 35 — это те, кого вы готовы пригласить на свой день рождения, и 150 — это те, с кем у вас товарищеские отношения, а также: 500 человек, о которых вы помните, как вы, например, с ними познакомились, и 1500 — вы помните их имена и/или лица

Данбар утверждает, и не без основания, что эти «слои» являются столь же универсальной константой, что и «число», названное его именем.

В частности, когда был проанализирован весь этот огромный пул телефонных переговоров, о которых я уже упомянул[28], и учёные выявили, кому мы уделили максимальное количество своего телефонного времени, оказалось, что это те самые три слоя: максимум телефонных разговоров в среднем достаётся от каждого из нас 4,1 людям, чуть меньше мы говорим с группой в 15,1 человек, а третий слой, соответственно, 44,9 человек.

60% своего времени мы тратим на представителей первых двух слоёв — 5 человек плюс 15. Робин Данбар объясняет это просто: чтобы социальные связи удерживались, вы должны тратить на этих людей время, общаться, что-то делать вместе, заниматься с кем-то из них сексом, выпивать совместно и т. д., и т. п.

Если вы не будете инвестировать в ваши отношения с этими людьми такое количество времени, то ваши с ними дружеские отношения постепенно охладятся. В результате человек, когда-то бывший вашим близким другом, перейдёт во второй «слой», потом в третий, а может и вовсе исчезнуть.

По данным Данбара, 40% людей, с которыми вы регулярно общаетесь в сети (дружите), за полтора года перемещаются из одного слоя в другой.

---

28 Конкретно это исследование проводилось группой Данбара в 2007 году, т. е. ещё до появления iPhone и последовавшей за этим эпидемии мессенджеров.

Три карты

Сознавать — значит видеть.
ВИКТОР ГЮГО

Если вы позволите своему мозгу «поблуждать» и будете записывать имена людей, которые в этом состоянии как бы самопроизвольно «приходят» вам «на ум», то вы наберёте определённое число персонажей, которые почему-то живут в вас.

Скорее всего, общее их количество окажется в районе 150–200 человек[29]. Однако это число действительно среднее...

В «Академии смысла», которую мы организовали в Петербурге с целью развития мышления, интеллектуальных навыков реконструкции и изучения поведения, все студенты второй ступени много работают над процессом сборки карты ДСМ (карты своей дефолт-системы мозга).

У кого-то в ней действительно обнаруживается порядка 150 человек, но есть и те, у кого количество таких внутренних субъектов едва дотягивает до сотни (и то со скрипом). Впрочем, у кого-то быстро набегает, так сказать, и больше 300 человек.

Это кажется странным и вроде бы противоречит теории, но, поверьте, удивляться тут нечему.

---

29 Подробности методики изложены, как я уже сказал, в «Чертогах разума».

Большинство людей почему-то думает, что всякий научный факт должен совпадать с их самоощущением — полностью, в деталях, иначе же они «не согласны». Причём данный вывод, как правило, делается без серьёзного и потому достаточного погружения в соответствующий вопрос.

Да, наука говорит о вещах универсальных и фундаментальных, но учёные обычно оперируют средними показателями, то есть говорят о «большинстве» (понимая при этом, что любой такой показатель — лишь «среднее по больнице»).

Классическую кривую распределения никто не отменял: любой признак может быть выражен у разных людей в разной степени.

> «Весь наш, более-менее ближний круг состоит всего из пятидесяти с небольшим человек».

Поэтому всегда кто-то оказывается с одной стороны от большинства, а кто-то с другой, но всегда в разумных пределах (не плюс-минус километр). Так что, конечно, есть число 150, есть и 100, есть и 300. Впрочем, и тут не всё так однозначно, но к этому мы ещё вернёмся, а сейчас важно другое...

Попробуйте предугадать, кто из наших типов окажется в центре и по краям нашей колоколообразной кривой распределения по количеству «других людей» в дефолт-системе мозга?

Кто будет на куполе, где среднее количество — 150 образов, а кто слева, где меньше, и справа — где больше?

Вы не ошибётесь, если скажете, что среднее положение на кривой, то есть те самые 150 человек, характерны для представителей социального типа, для «невротиков».

У «шизоидов» людей в дефолт-системе, как правило, меньше. И при первой сборке своей «внутренней стаи» они редко набирают больше ста человек.

У «истероидов» же, наоборот, всегда перебор, целая толпа — как правило, больше двухсот человек (причём подчас значительно).

Впрочем, на этом особенности устройства дефолт-системы у наших типов не заканчиваются. Дело не столько в количестве, сколько в связях.

Если вы посмотрите на карту «внутренней стаи» человека с базовым «невротическим радикалом», то обнаружите, что она представляет собой своего рода «семейства».

То есть это, например, те пять больших групп, по числу основных друзей (включая родственников): соответственно, такой закадычный друг-родственник, а вокруг него целое облако связанных с ним людей (его жёны-мужья, родственники, друзья, начальники, сотрудники и т. д.) — человек двадцать может быть или даже тридцать.

Дальше уже на периферии, мы обнаружим несколько групп размером поменьше — там тоже всегда есть какой-то центральный персонаж, вокруг которого ещё три человека, может быть, пять. Главное, что тут практически нет одиночных людей, все находятся в той или иной «компании».

Для социального по своей природе «невротика» важно, в каких отношениях человек находится с другими людьми. Когда он думает о каком-то человеке, он думает не просто о нём, но о том, как на его поведение, настроение, ситуацию влияют другие люди.

То есть люди не возникают в его блужданиях по одиночке, они возникают сразу в каком-то социальном окружении. Иногда «невротик» может даже не знать, какие именно люди создают социальную ситуацию (давление, стимуляцию и т. д.) на данного человека, но он всё равно будет их предполагать, учитывать. Очень схематично, буквально как принцип, покажу это на рис. № 9.

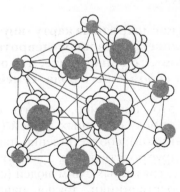

Рис. № 9. Схема организации «внутренней стаи» в дефолт-системе «невротика»

В общем, здесь в основном грозди, агрегации, но не случайные, не формальные, а именно поведенческие — один человек действует определённым образом и ведёт себя так, как он себя ведёт, потому что «у него жена и дети», а другой — например, преподаватель, — и «у него студенты, за которых он очень беспокоится, поэтому он что-то делает или не делает», у третьего — «проблемы с работой, потому что он никак не может построить нормальные отношения с другими людьми» и т. д.

Причём всё это зачастую на уровне некой социальной интуиции, то есть иногда бывает, что и студенты эти полумифические, и жена с детьми взяты с потолка («Должны же они быть у человека!»), и так далее. То есть вполне возможно, что эта «интуиция» совершенно ошибочна, неверна, но она всегда, как бы по умолчанию, присутствует.

Дело в том, что «невротик», в буквальном смысле этого слова, не может вообразить себе человека вне каких-то определяющих его образ социальных связей.

Именно эти связи придают его образу своего рода объём, вес и вообще некую материальность. Именно они помогают «невротику» объяснить самому себе (внутри самого себя) поведение другого человека.

Кроме того, **социальные связи, которые мы видим в дефолт-системе «невротика», как правило, организованы некой внутренней иерархией.**

Здесь все люди как бы или выше, или ниже друг относительно друга. Даже друзья — те самые пять человек — имеют некий порядок очерёдности. Впрочем, она далеко не всегда очевидна.

Если вы хотите понять, кого «невротик» считает более весомым человеком, чем он сам (если такой у него есть), то, анализируя карту его «внутренней стаи», обращайте внимание на мега-группы. То есть на такие группы людей, которые сливаются друг с другом, потому что они увязаны с ключевой фигурой одного из «семейств».

Если такие мега-объекты в карте «внутренней стаи» у «невротика» появляются, то они могут существенно изменить саму конфигурацию этой карты, её вектор, внутреннюю направленность.

Такой «тяжёлый объект» в дефолт-системе мозга «невротика» может подмять, как бы завести, замкнуть на себя большинство других «семейств» или связей.

То есть вы можете разглядеть в карте «невротика» специфическую иерархию, которая, впрочем, на первый взгляд, как правило, не очевидна.

Почему она прячется? Потому что «невротики» почти никогда не вписывают себя в свою карту, и если бы там появился этот «секретный ингредиент», то вся система связей тут же выстроилась бы как «вертикаль власти»[30].

«Невротики» всегда чувствуют в себе иерархический инстинкт, который предполагает готовность человека:

---

30 Впрочем, как я уже рассказывал в «Чертогах разума», мы сами — каждый из нас — это результат всех отношений этой социальной системы нашей дефолт-системы мозга. Мы как бы её интегральный показатель. Поэтому, конечно, при составлении своей «внутренней стаи» вносить себя в неё в принципе неправильно.

- с одной стороны, подчиниться «сильной фигуре» (а эта сила очевидно коррелирует с количеством связей и отношений, которые мы находим вокруг указанного «мега-персонажа»);

- с другой стороны, «невротик», испытывая давление иерархического инстинкта, и сам, как правило, не прочь побороться за власть (он тот солдат, который мечтает стать генералом).

Так или иначе, но карта ДСМ «невротика» очень напоминает поселение примитивного человеческого племени: там одно «семейство» квартирует, тут — другое.

При этом все друг друга знают, все со всеми связаны, а ещё есть вождь, который хоть, возможно, и не принимает активного участия в деятельности группы, оказывает на неё специфическое, иногда трудно верифицируемое воздействие.

Таким человеком (инстанцией власти) может оказаться начальник нашего «невротика» или, например, его супруг/супруга, иногда родители и очень редко (хотя бывает и так) близкие друзья.

Если вы посмотрите на карту «внутренней стаи» человека с базовым «шизоидным радикалом», то увидите, что она не только относительно немногочисленна, но и составлена по формальным признакам.

То есть это не какие-то естественные социальные агрегации, не то, в каких отношениях эти люди состоят друг с другом на самом деле, а группы с неким вменённым им общим признаком (зачастую совершенно абстрактным).

Например, это может быть отдельная группа «родственники». Причём в ней вполне могут оказаться как кровные родственники, так и родственники второй половины нашего «шизоида», даже если в реальности эти люди никогда не встречались (ну или, может, один раз — на свадьбе, двадцать лет назад).

Группа «работа», скорее всего, внутри самой себя будет организована по формальному признаку: или согласно должностному расписанию — начальники, подчинённые, а возможно, например, просто по отделам в компании, или опытные сотрудники и молодёжь. Или, что тоже вариант, — сотрудники компании и её основные клиенты, или бэкофис и производство.

То есть человек с базовым «шизоидным радикалом» как бы не видит (или, можно сказать, на неком автомате игнорирует) те реальные связи, которые между людьми в его «стае» очевидно есть.

Он пытается упорядочить систему, создать некую структуру, в которой положение этих людей, о которых он временами вспоминает, будет, как ему кажется, логичным и последовательным (схематичный образ этой сборки представлен на рис. № 10).

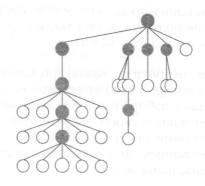

Рис. № 10. Схема организации «внутренней стаи» в дефолт-системе «шизоида»

Иными словами, люди для «шизоида» — это некие концепты, то, что он о них думает. Причём он априори думает о них как о совершенно одинаковых персонажах.

А краски и индивидуальность этим персонажам придаёт то место, которое они занимают в тех абстрактных конструкциях, которые сам «шизоид» внутри себя и выстраивает, но опять-таки не дефолт-системой и не в ней, а на уровне префронтальной, так сказать, рационализации.

То есть если некий человек, например, является врачом, то для «шизоида» это может значить, что этот человек такой-то и такой-то, а если этот человек, допустим, слесарь или учёный, то что-то другое.

Да, у представителей разных профессий есть, наверное, своя специфика, но можно думать о человеке, на которого профессия накладывает какой-то отпечаток, а можно думать, что у человека есть профессия, а потому он обладает определёнными особенностями.

Вроде бы одно и то же, а на деле — совершенно разные подходы, и результаты, соответственно, получаются разные.

Если для «невротика» важна социальная ситуация, в которой находится человек, то для «шизоида» — набор атрибутов, которыми он снабжает членов своей «внутренней стаи», исходя из своих представлений, иногда весьма неожиданных, не столь очевидных, как профессия, например.

Поэтому не стоит удивляться, если у «шизоида» во «внутренней стае» обнаружится большое количество одиночных персонажей, таких которые существуют в его дефолт-системе сами по себе как некие отдельные самодвижущиеся элементы — такие «сферические кони в вакууме».

Наконец, если вы посмотрите на карту «внутренней стаи» человека с базовым «истероидным радикалом», то вас, скорее всего, удивит не только её объём, но и сама её — весьма хаотичная, чрезвычайно распределённая, а иногда и очень художественная — организация.

Для «истероида» каждый человек определяется какой-то своей функцией: этот делает ему то-то, а этот — что-то другое, от кого-то в его жизни зависит одно, а от другого — другое, этот приносит страдание, а этот, наоборот, восхищает, а ещё лучше — сам нашим героем восхищается.

То есть связи между людьми в этой «стае» весьма условные, воображаемые. Но если у «шизоида» всё построено на рациональном подходе, на конкретных абстрактных классификациях и характеристиках, то у «истероида» это скорее «подобие».

Впрочем, и у «невротика» в дефолт-системе может быть много «подобия»: например, отдельно «хорошие люди», отдельно — «плохие», отдельно «умные» и отдельно — «дураки». У «истероида» возможно «подобие» другого рода: «они так же видят мир, как я», или «им одинаково на меня наплевать».

«Истероид» не испытывает внутренней потребности реально разобраться в том, с какими проблемами сталкивается другой человек, каковы его «социальные обстоятельства» или почему он ведёт себя так, как он себя ведёт. У него куча готовых ответов на этот счёт, которые порождены его чувствами, переживаниями, страданиями.

Для того чтобы действительно понять другого человека, необходимо вникнуть в его ситуацию, то есть понять:

- что он, этот другой человек, чувствует и почему;

- какие внешние обстоятельства заставляют его действовать так или иначе;

- какие факты он учитывает, принимая то или иное своё решение.

Подобный анализ даётся «истероиду» с большим трудом, ведь чтобы его произвести, необходимо отвлечься от собственных чувств, пренебречь личными интересами и амбициями перестать находиться в центре всеобщего внимания.

Но когда «истероид» оказываясь перед такой необходимо-стью, на «истероида», сама собой, нападает непреодолимая тоска и удручающая скука. Он бы и рад заинтересоваться другим че-ловеком, как-то разобраться в нём, понять, почему он ведёт себя так или иначе, а не получается, не клеится.

И знаете, почему? Потому что его дефолт-система представляет собой фейерверк: на ней есть «люди-вспышки» — те, с кем у «истероида» существует сильная эмоциональная связь (как положительного, так и отрицательного толка), а вокруг них множество других людей, которые сюда как бы вброшены.

Попробуем это схематично представить на рис. № 11.

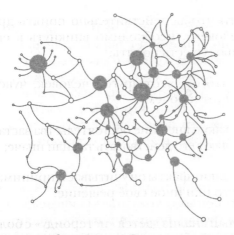

Рис. № 11. Схема организации «внутренней стаи» в дефолт-системе «истероида»

Это не «логичная система связей», созданная рациональным «шизоидом», и не «системы отношений», которыми постоянно озабочен «невротик», это специфические «скопления зависимости».

Допустим, есть в дефолт-системе «истероида» некий персонаж, который ему очень нравится.

- У «шизоида» такой человек окажется в группе под названием «люди с достоинствами» (как вариант), и там будет ещё целый список людей, которых он ценит за что-то. В общем, сугубо рациональное решение.

- У «невротика» такой персонаж будет окружён толпой людей, которые создают социальный контекст его поведения: поддерживают его или конфликтуют с ним, помогают ему или мешают.

- У «истероида» такой человек, конечно, тоже будет окружён людьми, но людьми, которые как-то соотносятся с самим «истероидом»: с теми, к кому он будет этого персонажа ревновать, или с теми, кто может на этого персонажа повоздействовать, чтобы он обратил на нашего «истероида» внимание.

То есть «другие люди» в дефолт-системе мозга «истероидом» тоже организованы в своего рода грозди, но принцип объединения их в эти группы специфичен: это не логическое объяснение, не социальная ситуация самого этого человека, а значение данной комбинации людей непосредственно для самого «истероида».

Поэтому, когда «истероиду» нужно подумать о другом человеке, он и впадает в ступор: он же вроде бы и так всё про него знает...

Но на самом деле он знает не про него (не этого «другого человека»), а лишь про своё положение в происходящем: о своём месте и роли в этих отношениях — о том, как с ним, с самим нашим «истероидом» это всё связано.

Собственно, этим, вероятно, объясняется и обилие «объектов» в такой «внутренней стае».

- Во-первых, она состоит в основном из людей («других людей»), которые так или иначе произвели впечатление на нашего «истерика», а также, конечно, тех, кого ему удалось впечатлить.

  Но поскольку у него нет нужды обстоятельно понимать этих своих «других людей», гроздья вокруг них у «истероида» небольшие и, соответственно, связей в системе меньше.

  В результате интеллектуальные объекты («другие люди») получаются у него хоть и яркими из-за эмоционального восприятия, но не «тяжёлыми» (с небольшим количеством связей).

  В результате «мест» в дефолт-системе оказывается как бы больше, чем, например, у «невротика». Вот мы и получаем эти заоблачные цифры — те самые двести или даже триста человек во «внутренней стае».

- Во-вторых, поскольку основной принцип попадания во «внутреннюю стаю» «истероида» — это нужность ему (насколько эти люди способны удовлетворить его потребность), то многое зависит и от интенсивности этих потребностей у конкретного «истероида». Если он человек деятельный, то неизбежно полным-полна будет его коробочка.

У «шизоида» в его «внутренней стае» могут оказаться совершенно, так сказать, бесполезные «другие люди». По каким-то причинам они пробудили в нём любопытство и он много о них надумал, а потому они и закрепились-зависли на его «процессоре».

У «истероида» же лишних людей в системе «внутренней стаи» мало, если они вообще в ней есть. Если какой-то человек в неё проник, то это значит, что «истероид» с его помощью решает какие-то свои вопросы, хотя часто совершенно этого не осознаёт.

Если же соответствующий вопрос будет решён или «истероид» поймёт, что решить его с данным субъектом невозможно, то он — этот «другой человек» — будет чудесным образом тут же стёрт из памяти.

- В-третьих, поскольку «истероид» при всей своей зачастую внешней холодности, надменности и эгоцентричности человек в душе очень ранимый, то некоторые субъекты могут сохраняться в его «внутренней стае» долгое время, хотя вроде бы и решать-то с ними уже нечего...

Но на самом деле решать «есть чего»: поскольку «истероид» чрезвычайно обеспокоен тем, как он воспринимается в глазах «других людей» (включая, прежде всего, свои собственные), то значительные, как ему кажется, провалы могут запечатлеться в его памяти и не давать покоя многие годы.

Ну а их фигуранты, соответственно, висят в его дефолт-системе как вечные пугала. Впрочем, в них уже нет жизни, «весят» они немного, а потому и место для них в системе опять-таки есть.

Итак, перед нами три карты, которые открывают специфику мышления трёх выявленных нами типов.

В основе же структуры этих карт — главенство той или иной базовой потребности (соответствующая организация структур мозга), и как следствие — разные способы формирования социального пространства.

Таким образом, дефолт-система мозга может быть запрограммирована на сборку трёх разных типов интеллектуальных объектов, что, соответственно, обусловливает три отличающихся друг от друга способа думать.

Мышление, с помощью которого мы, а точнее — наш мозг, решаем задачи в мире языка, культуры и абстрактных представлений, возможно благодаря тому, что мы научились видеть невидимое.

А сам этот навык есть результат нашей социализации, в основе которой лежит развитие, тренировка и функционирование одной из базовых нейрофизиологических сетей — дефолт-системы нашего мозга.

Поэтому то, каким образом наш мозг собирает социальную карту своей «внутренней стаи», влияет на то, каким образом мы думаем. Ведь в конечном счёте думает в нас как раз та самая дефолт-система мозга.

Именно она собирает в нас сложные интеллектуальные объекты — те самые модели (карты) реальности, на которых мы прокладываем маршруты своего понимания действительного положения дел и видим решения, которые мозг принимает, по сути, сам и за нас, исходя из той реконструкции реальности, которую смог произвести.

ГЛАВА ЧЕТВЁРТАЯ

Триединство
мышления

Никогда не углубляйтесь
в одну из сторон проблемы,
но всегда поднимайтесь туда,
откуда проблема видна
во всей её целостности и полноте,
даже если и не совсем отчётливо.
ЛЮДВИГ ВИТГЕНШТЕЙН

Изучая гениальность, Абрахам Маслоу пришёл к выводу, что гениальными людьми движет мистическая почти сила «самоактуализации личности». Да, там, где мы сталкиваемся с непонятным, естественно придумать что-нибудь эдакое. Но, честно говоря, никакой мистики в «лёгком безумии» одарённых людей лично мне обнаружить не удалось — сплошная нейрофизиология.

Если же её не мистифицировать, то сравнительно легко обнаружить, что у одарённого человека где-то просто не срабатывают, а где-то, напротив, перерабатывают и зашкаливают свойственные всем нам базовые потребности: в безопасности, социальном признании и специфической сексуальности.

Однако, есть в исследовании Абрахама Маслоу и одно важное наблюдение: **сверходарённые люди как правило «обладают глубокой, хотя зачастую и очень странной, социальностью».**

И действительно, эта социальность гениев может быть буквально патологической — почти паранойяльное ощущение постоянных заговоров, мысли о том, что всякому до них есть дело (что, конечно, не так), или наоборот (что тоже не так) и т. д.

Впрочем, социальность гениев вовсе не всегда носит характер патологической. Многих одарённых людей отличает умение видеть фактические мотивы другого человека, понимать то, как он думает, предсказывать его поведение и т. д.

Проще говоря, одарённый человек, как правило, отличается уникальным талантом реконструировать «внутренний мир» других людей. Причём это касается как «художественных гениев», например, писателей, так и «естественников» — физиологов или физиков.

Тут-то, надо сказать, и начинается как раз самое интересное...

Связана ли как-то эта способность «видеть» невидимое в других людях со способностью одарённых людей строить сложные интеллектуальные объекты, которые напрямую

> «Дефолт-система мозга может быть запрограммирована на сборку трёх разных типов интеллектуальных объектов».

с социальностью уже не связаны — научные теории, бизнес-стратегии и т. д.?

Если учесть всё, что мы уже знаем с вами о дефолт-системе мозга, это кажется вполне закономерным. Так что давайте попробуем понять, **как разным типам мышления удаётся эффективно реконструировать одну и ту же реальность разными способами.**

Поскольку представители разных типов мыслят мир (конструируют соответствующий интеллектуальный объект) по-разному, то понятно, что и внутренние образы других людей строятся ими с соответствующей тому или иному типу мышления чудинкой.

С этой стороны и посмотрим...

Центр и целостность «невротика»

Для «невротиков», даже если они закоренелые атеисты, все люди обладают «душой».

Назовите её как угодно: «душой», «личностью», «сущностью», «нутрянкой», «на самом деле внутри» и т. д., — значения не имеет.

Каждый «невротик» чувствует этот внутренний центр в другом человеке и строит свои представления о нём, об этом человеке, исходя из того, какой у него, по мнению нашего «невротика», центр («душа», «сущность» и т. д.).

Если это человек «дурной», то к его образу в дефолт-системе мозга «невротика» мгновенно прилипает всякая гадость: дурные намерения, скверный характер, необязательность, наплевательское отношение и т. д., и т. п.

Проще говоря, «невротик» уверенно атрибутирует «дурным людям» «дурные намерения». Но намерения, как вы понимаете, объективизировать сложно — что на самом деле человек хотел или чего добивался своими действиями? Это загадка.

Зачастую и сам человек не в курсе истинных мотивов своего поведения, поскольку, как я уже рассказывал в «Красной таблетке», мы существа весьма противоречивые, многомерные, многоаспектные. А коли так, то насколько объективным может быть взгляд со стороны?

«Со стороны» вы, конечно, видите что-то, чего «изнутри» не увидать, но и сбрасывать «внутренние обстоятельства» со счетов тоже было бы неправильно.

Впрочем, «невротика» это не смущает: он «видит сущность», а всё прочее — поведение человека, его решения и высказывания — из этого, как ему кажется, легко объяснить.

Всё проходит через эту призму усмотренной им в человеке «сущности» и, в результате, приобретает заданный этим «сущностным пониманием» оттенок.

Если другой человек, по мнению «невротика», «внутри хороший и добрый», то он «видит» в его поведении лишь «благие намерения», даже если ими выстлана дорога в ад. Он всё себе — любую странность — в этой логике объяснит, всё закольцует и всему найдёт оправдание.

«Невротику» невдомёк, что эта «сущность другого человека» им придумана в его же собственной дефолт-системе, а все его оценки, вообще-то говоря, заведомо тенденциозны. Но он всё это реально «видит» и сомневаться в своём «ви́дении», понятное дело, не может.

Каждый поступок «другого человека» оценивается «невротиком» в этой парадигме: если «человек хороший», то и поступки он совершает «хорошие», надо только «суметь это увидеть».

Если же всё-таки какой-то поступок «хорошего человека» трудно не посчитать «плохим», то «невротик» решает, что это человек или сделал «не со зла», или «обстоятельства были сильнее его», или «да, но кается и страдает зато как Родион Раскольников!»

С «плохим человеком», понятное дело, всё наоборот: «плохой поступок» для такого человека «естественен», а если он вдруг сделал «что-то хорошее», то потому, что «ему это выгодно», или «случайно получилось», или, на крайний случай, это «хорошо» — «на самом деле не хорошо совсем».

Конечно, «невротик» может изменить своё отношение к человеку, обнаружить, что «был не прав», «не ту сущность в нём усмотрел»: «хороший человек» на самом деле оказался «нехорошим», а «плохой» в действительности «не такой уж и плохой». Но подобные переоценки происходят редко и лишь под жёстким прессингом внешних обстоятельств.

Возможно, такой подход покажется вам глупым (и я даже готов с этим согласиться), но всё не так просто.

- Во-первых, это позволяет «невротику» строить долгосрочные и доверительные отношения с его ближним кругом, ведь в нём, понятно, все «хорошие», а если натворят что-нибудь, то их всегда можно простить (они ведь «хорошие»!).

- Во-вторых, сам этот бинарный принцип — «хороший/плохой» (в любой его модификации: «честный/лживый», «умный/глупый», «глубокий/поверхностный» и т. д.) — идеально работает для организации системы, обеспечивает «невротику» возможность создавать целостные модели реальности.

То есть «невротическое» мышление, которое может казаться нам ограниченным, как раз наоборот, позволяет «невротику», делать его модели реальности объемными и достаточно полными.

Мир для «невротика» не расколот на какие-то отдельные фрагменты, перед ним не окрошка какая-то и не зарисовки «на тему», а всегда «общие принципы организации»! Не хухры-мухры.

Конструкция и рациональность «шизоида»

Для «шизоидов» всё иначе: «другие люди» для них — это вещь в себе, глубоко загадочная (что, впрочем, не значит, что всегда интересная).

Никакой внутренней сущности «шизоид» в другом человеке, понятное дело, не усматривает. И даже выскажет недоумение, если вы будете настаивать на её наличии. Он в себе-то никакой такой «сущности» не усматривает, почему она у других должна быть?

Возникает вопрос: каким же образом «шизоид» может выстраивать отношения с другими людьми, если он их «сущности» не видит?

Получается, нет ничего невозможного: эффективные модели коммуникации и без всякой «внутренней сущности» тоже можно, как оказывается, построить.

Другое дело, что у «невротика» такие модели коммуникации получаются как бы сами собой — на живую нить, так сказать. А вот «шизоиду» нужно над созданием таких моделей интеллектуально попотеть.

Среди «шизоидов» действительно встречаются люди, которые, несмотря на свою рассудочность и рациональность, прекрасно ладят с другими людьми (по крайней мере, со многими другими людьми). Но метода у «шизоидов», как вы уже поняли, не такая, как у «невротиков».

«Шизоиды» вовсе не стремятся сбиться с другими людьми в «стаю», у них нет внутренней (эмоциональной, прочувствованной) потребности «ощутить локоть друга». Они хотят понимать, «кто свой, а кто — чужой». Не чувствовать, не ощущать, а иметь разумное объяснение.

Их подход сугубо рациональный, расчётный.

Так в чём же заключается специфическая социальность «шизоида»?

Для «шизоида» другие люди — это функциональные единицы, как приборы или инструменты. Они все нужны для каких-то конкретных целей: гвоздь забить, температуру измерить, семью создать или умный разговор поддержать. Но это не эгоистический взгляд, а именно функциональный.

Поскольку «шизоиды» сами в себе сотканы из тончайших, но стальных нитей разума, они естественным образом предполагают, что другие люди тоже должны быть «разумны» («быть разумным» в данном случае — это думать как наш «шизоид» и, желательно, то же самое, что он сам думает).

Однако жизнь не подтверждает этой гипотезы «шизоида», что его в буквальном смысле этого слова обескураживает. Ему непонятно, почему другие люди ведут себя «неразумно» (точнее — не так, как «шизоиду» кажется, они должны были бы себя вести).

Он с недоумением взирает на это «нелогичное» безобразие, а затем, помучавшись, «ло-гично» приходит к выводу, что, верно, они — эти другие люди — с каким-то браком, и тут же включает свою любимую счётную машинку.

Если вы не можете понять человека, не можете «заглянуть ему в душу» (да у вас и не особо это получается, честно говоря), то попытайтесь создать «логическую модель», которая бы объясняла его — этого другого человека — поведение, предсказывала его.

Столкнувшись с иррациональностью окружающих, «шизоид» принимается создавать свод закономерностей: как для частного случая — для данного человека, так и в общем — то есть закономерности, действительные для всех людей.

Например, люди любят, когда им говорят, что они правы, следовательно, нужно им сказать, что они правы, а затем продолжить разговор, чтобы вывести их на нужную мысль. Логично? Вполне! В конце концов, в каком-то смысле все люди могут быть как-то правы, а важен результат.

Или другое правило: если человек недостаточно мотивирован, ему можно нарисовать красочное будущее, чтобы он его «увидел» и загорелся работой. А если «красочное будущее» не работает, то можно напугать «страшным будущим» или просто напугать.

Как следствие у «шизоида» возникает большая и зачастую очень сложная конструкция из закономерностей (структура). Но эта структура не имеет единого центра. Да, ему может казаться, что он создаёт систему, но на самом деле это просто перечень правил, созданных им в разных ситуациях и для разных случаев.

Возникает вопрос: если всё так — система на самом деле не целостна, а внутренняя логика процесса нашим «шизоидом» не учитывается, — то как, каким образом подобный подход может работать, Причём эффективно?

Дело в цели, причём цели осознанной и прагматичной.

Если «шизоид» чётко видит цель (ради чего он делает то, что он делает), то она и выполняет роль своего рода точки сборки, того самого условного «центра».

В результате человек, обладающий «шизоидным» типом мышления, может демонстрировать весьма высокую эффективность мышления, включая успешность его поведенческих стратегий в отношении других людей.

Однако, если цель «шизоидом» не определена, то его интеллектуальная модель ситуации скорее всего окажется слишком абстрактной и/или противоречивой.

Часто в таких ситуациях он чувствует себя запутавшимся, не зная, какие свои умозаключения куда «положить», чтобы они не создавали столь тягостное для него ощущение беспорядка и хаоса.

Итак, конструкция из закономерностей и возникающий в ней порядок — вот тот путь, которым идёт «шизоид», создавая в своей дефолт-системе модели «других людей», объясняя себе «логику» их отношений друг с другом.

Рефлексия и ценность «истероида»

«Истероиды» в мире других людей живут по принципу эхолокатора.

Они словно бы зондируют социальную реальность: совершают некое действие, а затем, подобно летучим мышам или дельфинам, ловят возникающий эмоциональный отклик.

Впрочем, эта ответная реакция не обязательно будет именно эмоциональной, но хотя бы чувственной она должна быть, иначе это пройдёт мимо «истероида».

Таков принцип:

- не искать в «другом человеке» сущности;

- не строить вокруг него лесов из закономерностей;

- а получать ответные реакции на свои интервенции и ориентироваться на собственное от них ощущение.

Чем более «истероид» заинтересован в другом человеке (предполагает, что этот человек может удовлетворить его потребность), тем интенсивнее он вовлекает его во взаимодействие, тем больше посылает своих «диагностических» стимулов.

Как правило, это какие-то действия, слова, намёки, поступки — нечто, на что другой человек должен как-то отреагировать. И по большому счёту не так важно, как именно он это сделает — озадачится, восхитится, проявит заинтересованность, обидится, удивится и т. д.

Главное для «истероида» — это получить палитру ответных сигналов, которые нарисуют для него образ этого «другого человека».

> *«Для "шизоида" другие люди – это функциональные единицы, как приборы или инструменты».*

Эти сигналы образуют для него своего рода пространство смыслов, каждый из них для «истероида» что-то значит и интерпретируется им в соответствии с его собственными ожиданиями, задачами, потребностями.

То есть точка сборки этого образа «другого человека» для «истероида»

- не в его «сущности», которую усматривает в «другом человеке» «невротик»;

- не в задаче (цели), которую преследует рациональный «шизоид»;

- а в нём самом, в «истероиде» — в его, так сказать, внутренней цели.

Важно понять отличие в «целях». Цель для «шизоида» — это решение какой-то конкретной задачи: осуществить определённый проект, повлиять на ситуацию, добиться необходимого (желаемого) к себе отношения и т. д. То есть эта цель, даже если она абстрактна, сугубо прагматическая. Цель для «истероида» — это нечто другое, в этом нет рационально-прагматического расчёта. «Истероиду» важно не то, что случится, а то, как он будет себя в этом ощущать. Для него это всегда поиск какого-то своего внутреннего состояния, переживания, чувства.

«ШИЗО-ИСТЕРОИД»...

Приведу в качестве примера историю из жизни блистательного физика, лауреата Нобелевской премии Ричарда Фейнмана, которую он сам красочно живописал в автобиографической книге «Вы, конечно, шутите, мистер Фейнман!».

Когда Фейнману присудили Нобелевскую премию, он впал в ужас и раздражение. Ричард считал, что он уже полностью израсходовал себя как учёный, и потому вручение ему премии совершенно ни к чему.

Сугубо «шизоидная» логика, согласитесь...

Фейнман даже хотел от премии отказаться, но ему деликатно объяснили, что подобное решение вызовет ещё больше шума, чем если её принять. Великому физику показалось это логичным: раз уж попал в переплёт, лучше уменьшить его негативные последствия.

Всё та же «логика», как вы видите.

Однако Фейнман, как и всякий гений, конечно, смешанный тип. Поэтому у «шизоидной» истории с награждением есть ещё и «истероидное» продолжение.

Воспитанный отцом в той логике, что ни перед одним формальным авторитетом нельзя падать ниц, Фейнман оказался перед неразрешимой дилеммой. По идее, он должен был кланяться королю Швеции после вручения диплома лауреата, а затем отходить от него, пятясь спиной.

То есть Фейнману предстояло пойти против своих правил, и это вызывало в нём как в «шизоиде» невероятное напряжение. Чтобы выйти из этой «неловкой ситуации», Фейнман придумал специальный танец с прыжками спиной назад, чтобы, как пишет он сам, «показать, насколько смешон их обычай».

Танец был отрепетирован…

Надеюсь, вы понимаете, что всё это пока очень шизоидная конструкция. Но дальше случилось непредвиденное: выяснилось, что обычай отменён и можно спокойно, если потребуется, поворачиваться к королю спиной.

«Шизоид» должен был бы обрадоваться. И как «шизоид» Фейнман, разумеется, возликовал. Но что теперь делать с танцем?!

Действительно, «истероид» в Фейнмане придумал такую блистательную шутку, которая не могла не произвести эффекта на публику, а теперь никто её не увидит! Драма.

Из-за «шизоидности» Фейнмана недвусмысленно высунула голову его «истероидность».

Вроде бы все решения принимались Фейнманом логически, «шизоидно», набором предустановленных в нём логических конструкций и рациональных правил: закончился как учёный —

нельзя тебе премию получать, решил получать — не смей кланяться какому-то там королю и т. д.

Но сколько, с другой стороны, во всём этом было подспудных вопросов «истероидного» толка: как это будет выглядеть, как бы так всё перевернуть с ног на голову и поразить, высказаться своим «жестом» (танцем)?

Не знай мы, что Фейнман думал, принимая эти свои решения, мы бы точно решили, что это какой-то взбалмошный «истероид», желающий привлечь к себе побольше внимания. Но мы знаем. «Истероидность», если она в человеке есть, не задушишь, не убьёшь.

Так что если вы не знаете, попытайтесь представить, чем заканчивается эта история с танцем.

Разумеется, отрепетированный танец с прыжками задом был Фейнманом исполнен! Причём для полноты эффекта эта замысловатая кадриль сопровождалась лягушачьим кваканьем.

Впрочем, в качестве аудитории для этого представления была выбрана студенческая вечеринка, где лауреату вручили «Орден Лягушки». Ну и правильно: успех лягушачьего танца в исполнении нобелевского лауреата был здесь гарантирован!

Справедливости ради отмечу также, что многие истории из той же книги выдают в Ричарде Фейнмане и первоклассного «невротика». Включая, кстати, и идею, здесь уже озвученную, о том, что всякий авторитет должен быть непременно заслужен (данная убеждённость связана с избыточностью иерархического инстинкта).

Так что вот он, наглядный «психотип» одарённости — троица в одном лице.

«Истероид» ищет этих реакций от внешней среды, чтобы сформировать индивидуальное качество мира:

- если «невротик» оценивает мир с позиции некой «социальной морали» (как должно, как правильно, как хорошо, как нужно и т. д.);

- а «шизоид» с рациональной, прагматичной точки зрения;

- то для «истероида» важно — каков этот мир для него лично.

Иными словами, «истероид» представляет собой своего рода барометр, но не абстрактной (как у «шизоида») или принятой в обществе (как у «невротика») ценности, а ценности индивидуальной, собственной.

В этом смысле «истероид» как бы ближе к реальности, но реальности своей собственной, той, в которой он живёт.

Можно сказать, что «истероид» по реперным точкам, возникающим в нём ответами на внешний отклик, создаёт почти зримый образ «другого человека»:

- это не целостность-нарратив, как у «невротика»;

- это не логическая структура, как у «шизоида»;

- это именно *образ* — нечто, что ощущается, чувствуется, визуализируется, переживается.

Этот образ «другого человека» в сознании «истероида» — нечто вроде самопонятной вещи. Если «шизоид» и «невротик» должны ещё построить себе образы «других людей», то «истероид» имеет его как бы сразу, готовым.

И это неудивительно, если учесть, что **сигналы во внешнюю среду «истероид» изначально отправляет с определённой целью (движимый той или иной своей потребностью), да и ответную реакцию считывает сразу в связи с этой потребностью.**

Понятно, что этот способ создания образа «другого человека» уже изначально тенденциозен: «истероиду» как бы заранее известно, какой должна быть реакция его визави, и что это значит, если реакция оказалась не той, какой ожидалась.

- «Шизоид» строит образ «другого человека», оценивая и сравнивая полученные в процессе сбора информации факты со своими представлениями, с целым набором продуманных им закономерностей.

- «Невротик» строит образ «другого человека», учитывая «других людей», с которыми данный субъект связан (его «стаю»), а также принятый на вооружение социально детерминированный двоичный код «хорошо/плохо», «правильно/неправильно».

- «Истероид» как бы сразу видит образ «другого человека» в себе и тут же чувствует к нему своё отношение. То есть в этом образе, возникающем в сознании «истероида», уже как бы имплицитно скрыты все необходимые инструкции: как относиться, как чувствовать.

«Истероид» сразу знает, как воспринимать этого «другого человека», что он лично для него значит, насколько он, этот «другой человек», может быть ему полезен, насколько он хорош или, например, неталантлив и т.д.

Образ «другого человека», созданный «истероидом», не является ни результатом какой-то специальной работы с данными, ни следствием просчёта. Нет, это как бы мгновенный фотоснимок, сообщающий нам о фотографе зачастую даже больше, чем об объекте фотосъёмки.

«Истероид» словно бы сразу считывает значение «другого человека», «читает» его «с листа», просто реагируя на него. Это не значит, что он видит человека насквозь или понимает его без слов. Нет, тут речь о другом: речь о том, что возникающий в «истероиде» образ ему самому сразу понятен.

Этот образ возникает в «истероиде» как результат реакции на среду, он не сделан, не сконструирован, не продуман, это просто ощущение — то или не то, нравится или не нравится, хочется или не хочется и т. д., и т. п.

И вот вопрос: а каким же образом столь «эгоцентричный» человек способен построить отношения с другими людьми? Как он может оказаться эффективным в социальном взаимодействии, если «на других ему наплевать» и «он только о себе думает»?

Правда состоит в том, что если бы какой-то из типов мышления не демонстрировал своей эффективности, то мы бы вряд ли его вообще обнаружили — его бы просто вынесло госпожой эволюцией вперёд ногами. Значит какое-то секретное оружие и у «истероида» есть.

Что ж, представьте себе, что вы такой человек: вам чрезвычайно важно, как на вас реагируют. Вы ловите каждый взгляд, каждое слово, каждую интонацию, вы реагируете на всё это немедленно и зачастую крайне болезненно, потому что выглядеть вы в глазах других должны только идеально и больше никак!

Вам важно восхищать окружающих, изумлять, приводить в восторг и приковывать к себе их внимание, иначе вы сами как бы перестаёте существовать, теряете всякую ценность. Для вас смерти подобно равнодушие других людей, их холодность, незаинтересованность, пустота в глазах. Представили?..

Что ж, теперь два вопроса: будете ли вы рыть землю, чтобы получить желаемое внимание, и насколько вы будете благодарны тем, кто вам это внимание уделил?

Думаю, тут всё понятно: будем рыть и благодарны будем со страшной силой. Вот, собственно, в этом и секрет социальной успешности «истероидов».

- Во-первых, желание обратить на себя внимание, произвести впечатление на окружающих является мощным мотивирующим фактором для того, чтобы создавать поводы для таких ситуаций.

  Поэтому среди «истероидов» так много артистов, художников, писателей, музыкантов и даже политиков. Каждая из этих профессий требует невероятного труда, когнитивных навыков и огромной самоотдачи. Каждая, кроме прочего, сопряжена с риском провала, что для «истероида», как вы понимаете, сильнейший мотиватор.

И вот результат: **«истероиды» создают «ценности» — то, что другим людям нужно.** И не так важен мотив, важно, что результат их работы оказывается востребован.

То, что «истероиды» производят с такой страстью и ужасом, нужно другим людям — для удовольствия, для восхищения, для интеллектуальной работы, для создания сообществ «по интересам» и производства соответствующих дискурсов (общих тем для обсуждения и консолидации).

Да, иногда эти «ценности» оказываются фейковыми, как какая-нибудь низкожанровая музыка, или даже чудовищными, как, например, идеология фашизма. Но в какой-то момент и такие вещи кем-то оказываются востребованными.

Речь, иными словами, сейчас не о том, хороши или плохи те или иные «ценности»: важно то, с каким упоением и самоотдачей их создают (или продюсируют через себя) именно «истероиды».

• Во-вторых, потребность в том, чтобы продолжать получать раз возникшее в других людях чувство восхищения, может превратить «истероида» в чрезвычайно, как бы сказал Аристотель, «социальное животное».

Представьте себя всё на том же месте, тем же человеком, который нуждается в постоянном восхищении... Насколько велика будет ваша мотивация по завоеванию человеческих сердец?

Скорее всего, вы будете очень стараться понять, что для них важно, что им нравится, на что они откликаются и т. д.

Иными словами, даже будучи, так скажем, предельно «эгоцентричными», вы будете максимально заинтересованы в том, чтобы понять другого человека, угадать его желания и соответствовать его ожиданиям.

Конечно, подобная поведенческая модель не может в обществе не приветствоваться. И в результате люди, которые в некотором смысле всегда обёрнуты на самих себя, оказываются и социально востребованными, и хорошо социально адаптированными.

По крайней мере, в достаточной степени, чтобы какой-нибудь Абрахам Маслоу включил их в свой список «гениальности» и сказал, что у них, мол, невероятно выдающиеся способности в понимании других людей.

Формально Маслоу, конечно, прав, но правда в том, что природа этой социальности у представителей каждого из типов своя. И она далеко не всегда в основе своей так социально-центрична, как кажется некоторым приверженцам наивной гуманистической психологии.

С другой стороны, и обвинения в «эгоцентризме» здесь абсолютно неуместны. Это ведь лишь оценочное суждение, а правда в том, что человек, во-первых, не выбирает своей биологической природы, а во-вторых, если судить по делам, а не по «тайным мотивам», то такой «эгоцентризм» весьма выгоден именно обществу, которое вряд ли могло бы существовать без «ценностей», создаваемых такими «эгоцентриками».

*

Итак, мы посмотрели, как представители разных мыслительных типов (а точнее, как разные способы думать) создают модели одной и той же реальности.

Выходит, что реальность у них одна — другие люди, но, взаимодействуя с ней, разные типы мышления по-разному строят модели этой реальности.

Удивительно, что, несмотря на разность подходов, все способы могут демонстрировать высокую эффективность: хоть модели и созданы непохожими способами, хоть и получились они разными, но и такой, и другой, и третий способ сборки соответствующих интеллектуальных объектов (образов «других людей») позволяет человеку так реконструировать реальность, что он достигает своих целей, то есть действует эффективно.

Конечно, дело не только в самих способах сборки — все мы в той или иной степени «невротики», «шизоиды» и «истероиды» (у каждого из нас есть соответствующие «радикалы»), а вот социально успешными становятся далеко не все, а «гениями» — и вовсе считанные единицы.

Всё потому, что к этим «способам сборки» интеллектуальных объектов должны прибавляться ещё и профессиональные навыки, а также мотивация (выраженность соответствующих потребностей, активность ретикулярной формации) и, как я уже говорил, способность сочетать разные подходы.

Нейрофизиологически процесс сборки сложных интеллектуальных объектов под названием «другие люди» обуславливается работой дефолт-системы мозга. Эта же система, как мы уже знаем, отвечает за построение в нашей голове всех сложных интеллектуальных объектов, моделирующих «невидимое».

Таким образом, все мы — неважно, «невротики», «истероиды» или «шизоиды» — тренируем свою дефолт-систему на людях (в рамках адаптации к социальной среде), а потом загружаем в этот «программный комплекс» другие «невидимые» вещи: научные знания, творческие задачи, бизнес-проекты и т. д.

Как мы видим, «социальность» одарённых людей (очень и очень отличающаяся, в зависимости от ведущего «радикала») с успехом конвертируется у них в мышление и о других «невидимых» вещах, чьи модели надо также создать, используя расчётные мощности дефолт-системы мозга.

Но всё избыточное, чрезвычайное, необычное всегда находится в зоне риска, поэтому «гении» и балансируют зачастую на грани безумия, причём не всегда даже лёгкого.

Наверное, к счастью, что немногие из нас несут в себе критическую массу патологических генов, фатально искажающих базовые инстинкты. Впрочем, по этой же причине немногие из нас могут назвать себя, так сказать, «естественными гениями».

Вопрос в том, можно ли научиться использовать потенциал нашего мозга (эту его способность строить модели реальности разными способами) так, чтобы целенаправленно развивать свою одарённость, или даже, лучше сказать, создавать её?

Уверен, что да. Но для этого нам нужно будет перейти от психологии, которая носит лишь описательный характер, к методологии мышления — к пониманию тех самых интеллектуальных структур (моделей сборки интеллектуальных объектов), которые лежат в основе наших с вами карт реальности.

Впрочем, всё это не было бы так ценно, если бы было так просто.

Столбовая дорога к эффективности нашего мышления лежит, как мы уже поняли, через нашу социальность — через умение строить сложные модели других людей (тренируя таким образом свою дефолт-систему мозга), учитывать специфику их моделей реальности, видеть их особенности.

> *«Все мы – не важно, "невротики", "истероиды" или "шизоиды", – тренируем свою дефолт-систему на людях».*

Вот почему все практические курсы по совершенствованию навыков мышления, которые я организую (в частности, в рамках «Академии смысла»), в обязательном порядке предполагают работу в реальной, живой, оффлайновой, как теперь говорят, группе.

Фокус в том, что в нашем индивидуальном мире интеллектуальной функции (то есть в пространстве нашего мышления, проще говоря) всегда всё «ясно и понятно». **Если вы создали модель реальности, вы**

смотрите своим «внутренним взором» уже на неё, а не на реальность как таковую.

Модель подменяет собой реальность, но вы не можете этого заметить.

Только поведение других людей: их мысли, высказывания, поступки, решения — способны столкнуть вас с реальностью, показать, что ваша модель неидеальна и не является реальностью, которую она моделирует.

Сталкиваясь с непониманием других людей, с их, как нам кажется, «иррациональностью» или просто «странностью», мы осознаём относительность собственных представлений.

Это и даёт нам возможность перестраивать свои модели реальности, делать их более сложными, а как следствие — более точными, более эффективными в решении жизненных задач.

Таким образом мы как раз и тренируем дефолт-систему своего мозга. Осознавая то, каким образом разные типы создают свои «внутренние стаи», мы таким образом сами учимся тому, чтобы собирать интеллектуальные объекты иначе, в другой логике, с дополнительными смыслами.

Каждый тип использует свой подход к сборке интеллектуальных объектов. И, несмотря на их внешнюю схожесть, они принципиально отличаются. При этом у каждого из подходов есть свои плюсы и минусы.

Наш скрытый ресурс состоит в том, чтобы уметь эффективно использовать преимущества каждого из них.

Конечно, нелегко принять, что ты — тот, кто ты есть, и только. А потому твоё мышление ограничено и многого ты вообще понять не можешь просто потому, что для этого нужен другой склад дефолт-системы мозга.

Да, мы не выбирали, кем нам родиться, но странно было бы не попытаться в этом не разобраться.

Мы должны осознать, что мы те, кто мы есть: кто-то по преимуществу «шизоид», кто-то — «невротик», кто-то — «истероид».

Само по себе это не хорошо и не плохо. Плохо, если мы не видим собственных ограничений и если не предпринимаем попытки компенсировать их через тренировку и обучение.

В каком-то смысле даже забавно, что нашим ограничением является наш собственный способ думать, наша индивидуальная структура-подход по созданию интеллектуальных объектов.

Но это так: мы собираем их всегда одинаково, в одной и той же логике, а потом удивляемся повторяющимся проблемам.

Теперь представьте, что вы смогли освоить разные способы сборки интеллектуальных объектов... Ваша карта (модель) реальности станет сложнее, и — как результат — в ней обнаружатся те маршруты, которые вы прежде просто не могли заметить. Может быть, и хотели думать иначе, сложнее, но не знали, как.

О том, как и почему наш мозг постоянно городит эти свои модели реальности, я уже подробно рассказал в книге «Чертоги разума». Но там был обозначен лишь общий принцип, лишь схема. Сейчас же настало время понять уникальность и специфичность нашего мышления в зависимости от того, какие механизмы мы в нём задействуем.

В основе нашего индивидуального способа сборки интеллектуальных объектов (способов построения моделей реальности) лежат базовые биологические потребности и соответствующая нейрофизиология. И заменить ведущую (для каждого из нас) базовую потребность, кардинально перестроить мозговые структуры мы при всём желании не сможем.

Так что теперь мы переходим к са́мому, возможно, сложному. Мы попытаемся понять, каков механизм сборки интеллектуальных объектов представителями разных типов, чтобы воспользоваться этим инструментарием.

Наша психофизиология диктует не только формат нашей поведенческой активности — своеобразную замкнутость «шизоидов», демонстративность «истероидов», иерархические баталии «невротиков», — но и способы мышления.

Механизм сборки интеллектуальных объектов разными типами («радикалами») объяснит нам не только то, почему три типа людей мыслят мир по-разному, но и то, каким образом можно усовершенствовать свой, присущий лично вам, способ думать.

Поэтому сейчас речь пойдёт не столько о разных психотипах, сколько о разных способах работы с информацией, со знаниями о тех разных способах сборки моделей реальности, которые приводят к тому, что мы с вами живём как бы в разных мирах.

Настало время, когда мы должны отступить от терминологии, восходящей к психиатрической практике, и назвать сами эти способы думать теми словами, которые отражают суть соответствующего способа производства интеллектуальных объектов.

Этими словами являются центр, рефлексия и конструкция.

- «Шизоид» сначала рационализирует отношения, которые ему удаётся обнаружить, а затем использует эти идеи, чтобы сконструировать необходимые ему модели реальности, то есть мыслит как «**конструктор**».

- «Истероид» соотносит всё происходящее с собой, со своей персоной, соответственно и модели у него получаются наподобие его собственного отражения, как результат рефлексии. Это мышление «**рефлектора**».

- Наконец, «невротик» вообще обнаруживает нечто лишь в том случае, если видит это «нечто» в отношении с другими вещами. Для него нет человека самого по себе («без роду, без племени»), для него всякий человек — это перекрестье его отношений с другими людьми.

  То есть всякий интеллектуальный объект для «невротика» — это всегда центр неких отношений, а мышление у него — мышление «**центриста**».

Как же они это делают?..

Сущность центриста

Чтобы речь вышла хорошей,
прекрасной, разве разум оратора
не должен постичь истину того,
о чём он собирается говорить?
ПЛАТОН

Для начала проведём нехитрый, хотя и чу-
точку экзистенциальный, мысленный эксперимент.

Допустим, что у вас есть какой-то близкий
друг, любимый человек или бизнес-партнёр.
Кто-то из них, я уверен, у вас должен быть.

Поскольку все мы неидеальны, то и они, конечно же, тоже. И если бы человека можно было улучшить (без потери качества),
то, будь наша воля, мы бы с удовольствием
сделали им апгрейд.

Поэтому вот вам чудо: я могу гарантировать,
что у меня есть технология, которая позволяет воспроизводить точную копию человека — буквально, до мелочей, со всеми
чувствами и воспоминаниями, но она будет
чуть-чуть лучше оригинала (вы можете
выбрать один-два параметра).

То есть если ваш друг непунктуален, например, и вас это раздражает, то я сделаю его
копию, которая будет отличаться от оригинала тем, что ваш новый старый друг
перестанет опаздывать.

Представьте, то, из-за чего вы столько переживали, что повторялось из раза в раз,
наконец исчезнет! Ничто больше не будет
омрачать вашей дружбы, наслаждайтесь!

Если ваша вторая половина раздражает вас тем, что любит спать до часу дня (или, наоборот, вскакивает ни свет ни заря и мешает вам насладиться лучшими мгновениями сна), я сделаю её абсолютную копию, но синхронизирую ваши графики — эта абсолютная копия будет вставать (или ложиться), когда вам это удобно.

Или хотите, мы что-нибудь сделаем с её (его) запахом? Запах реального человека я изменить не смогу, но вот у его копии этого недостатка уже не будет. Запах будет именно таким, какой вам хочется!

У вашего партнёра по бизнесу, я догадываюсь, куча недостатков, поэтому давайте как следует «перепишем его программу», чтобы всё в нём было идеально: ответственность, честность, трудолюбие. В общем, его копия будет соответствовать оригиналу, но разницу вы точно заметите — «его будет не узнать!».

Моё предложение выглядит сродни дьявольскому искушению... Понятно, что мы все ждём от своих близких, друзей и партнёров подобных улучшений. Нам кажется — ну чего им стоит стать чуть-чуть более внимательными, аккуратными, сообразительными, ответственными и т. д.? Но нет.

Их копия решит эту проблему!

Единственный нюанс: вы будете знать, что человек, с которым вы отныне проводите свою жизнь — это не он, а его копия.

Но копия будет полной, точной, идентичной оригиналу, да ещё с бонусами. Он или она будут именно такими, какими вы хотите их видеть! Исполнение желаний...

Согласитесь ли вы на эту замену?[31]

Если я предложу вам день об этом подумать — не спеша, всё взвесить, покрутить в голове, — вы ощутите то, что, согласно специальной терминологии, называется «субстанциональным эссенциализмом».

Вообще, «эссенциализм» — это понятие, которое пришло к нам из философии, и является производным от латинского слова essentia, то есть сущность.

Наша способность усматривать в предметах и явлениях некие «сущности» (эссенции) и есть тот самый эссенциализм.

Сущность вещи (или явления) — это нечто абсолютно гипотетическое (то самое «невидимое»). Понятно, что никакой такой субстанции «сущности» ни в компьютере, на котором я пишу этот текст, ни в столе, на котором стоит мой компьютер, ни во мне самом нет. Но мы умудряемся её (их, эти сущности) видеть: очевидно же, что это «мой компьютер», «мой стол», «я сам».

Но как выяснили психологи, занимающиеся детской психологией, способность усматривать такие сущности в вещах появляется у нас в самом раннем детстве.

КОПИРОВАЛЬНАЯ МАШИНА ДУШИ

Ныне профессор психологии и когнитивных наук Йельского университета Пол Блум, а тогда сотрудник Университета Макгилла в Монреале, соорудил с коллегами «копировальную машину» для вещей.

---

31 Вопрос, кстати сказать, не праздный: вполне возможно, что уже в недалёком будущем технологии цифровизации сознания и искусственного интеллекта поставят его перед нами ребром. Но сейчас не об этом…

На самом деле машина, конечно, была бутафорской, но дети, которых тестировали с помощью сего агрегата, о подлоге не знали. Им просто показывали, что вот есть такая машина с двумя ящиками, и если положить какой-то предмет в один ящик, а потом понажимать на соответствующие кнопки, то во втором ящике появится точно такой же предмет.

Детям предлагалось оценить стоимость предмета (с помощью фишек), который изготавливала «копировальная машина».

Если предмет был безличным (например, серебряная ложка), то дети оценивали ценность копии соразмерно цене оригинала (серебро и в Африке серебро).

Однако если шестилетним детям говорили, что ложка, которую положили в аппарат для копирования, принадлежала королеве Елизавете II, стоимость копии резко падала.

То есть уже шестилетние дети умудряются видеть в ложке, которая якобы принадлежала значимому лицу, особую «сущность».

Впрочем, это вполне естественно: вспомните тотемы примитивных племён, «злых духов» в наследном золоте и прочую «магию» из соответствующих салонов колдовства и тому подобного шаманизма — мол, принесите вещь, которая принадлежала интересующему вас человеку, и мы вам по ней погадаем.

Это весьма примитивный, глубоко вшитый в нашу психику механизм.

Но идём дальше. В следующем исследовании Пол Блум с Брюсом Худом использовали «копировальную машину» для производства копий уже не предметов, а живых существ — хомяков (использовались неотличимые друг от друга по внешности хомяки из одного помёта).

На сей раз дети четырёх и шести лет отказывались признать в копии повторение оригинала. Они считали, что любая копировальная машина может воспроизвести только тело, но не душу и не сознание. На детский взгляд, копия не была тем самым хомяком, она была его бездушной тушкой.

В другом эксперименте, кстати говоря, детям предлагали такой опыт: мол, что будет с собакой, если заменить её внутренности — кровь и кости, или, другой вариант, если лишить её внешних признаков?

Возможно, вы удивитесь, но большинство детей считают, что собака с другими внутренностями — это уже не собака, а вот собака без внешних признаков собаки, но та же самая «внутри», продолжает оставаться собакой.

Думаю, что эти эксперименты легко объяснят вам, почему так популярны кочующие из культуры в культуру идеи про загробную жизнь, переселение душ, левитацию сознания и прочую паранормальную ерунду. Верить в подобные вещи — это, если хотите, предустановленный в нашей психике инстинкт.

Впрочем, Блум и на этом не остановился, а замахнулся своей «копировальной машиной» на самое святое. Он предложил детям от трёх до шести лет скопировать в автомате их любимую игрушку — ту самую, с которой ребёнок никогда не расстаётся, спит с ней и т. д.

Копия была экспериментаторами предусмотрительно закуплена — новая, свежая, не затёртая!

И что вы думаете?.. Многие дети в принципе отказались от такой перспективы и не позволили исследователям положить их любимую игрушку в «копировальный аппарат». Из числа тех, кто всё-таки решился, выбор между копией и оригиналом был очевиден — оригинал!

Хотя когда таким же детям показывают работу аппарата на «безличной» игрушке, дети, как правило. уверенно выбирают копию — это ведь здорово: игрушка, сделанная на копировальном автомате!

Итак, мы с самого раннего детства вкладывали в вещи «сущности», которых в них нет, не существовало и существовать не может.

Впрочем, если мы внимательно изучим статистику по этим экспериментам Пола Блума, то обнаружится, что не все дети ведут себя одинаково. Кто-то решительно видит сущности в вещах, а кто-то воспринимает ситуацию с более рационалистических позиций…

Если вы ещё сомневаетесь в том, что мы видим в вещах сущности, которых в них на самом деле нет, то представьте себе человеческое мясо. В целом мясо как мясо, полезный для организма белок… Но вас, наверное, уже подташнивает, правда?

Да, мы усматриваем несуществующие сущности в вещах, и это, судя по всему, специфическая эволюционная предустановка. Сложно сказать, с чего это всё началось и почему эволюция решила оснастить нас этим специфическим навыком.

Эволюционные психологи считают, что дело, возможно, в предупреждении близко-родственного скрещивания. Если я, например, стану рассказывать вам историю о том, как молодые, но уже совершеннолетние брат и сестра устроили себе романтический отпуск с взаимными сексуальными утехами, вам, вероятно, тоже будет не очень приятно это слушать...

В общем, как бы там ни было — это универсальная для нас вещь: **мы умеем видеть невидимые (и не существующие на самом деле) сущности в вещах.**

Последующее интеллектуальное развитие позволяет нам получить массу преимуществ из этого своего загадочного «видения». Но этот феномен получил название уже не субстанционального, а «категориального эссенциализма», потому что он связан не просто с усмотрением сущности предмета, но и с возможностью благодаря языку относить к той или иной категории.

Что такое существительное? Это слово, которое обозначает нечто со специфической сущностью: дерево, человек, дом, стол, пространство, число, космос и т. д. Не просто дерево или человека, а вообще любое дерево, любого человека и т. д.

То есть благодаря словам мы научились определять некие сущности, которые соотносятся не с конкретным предметом (как, например, имена собственные), а с определённой совокупностью предметов и какой-то их «внутренней» особенностью. Так и возникают категории.

Что-то для нас объединяет все деревья, все столы, всех людей, все дома, хотя они, как вы понимаете, могут быть очень и очень разными, вплоть до неузнаваемости. Деревья бывают карликовыми, Владимир Ильич Ленин использовал пенёк в Разливе в качестве стола, муравейник — тоже чей-то дом, а Гитлер — не человек, но человек и т. д.

В своё время Платон даже высказал предположение, что эти «сущности» вещей (или «эйдосы», как он их называл) находятся в некоем «мире идей» («эйдосов») и первичны по отношению к реальным предметам.

Он полагал, что эти эйдосы как бы проявляют себя в вещах: чашность — в чашке, лошадность — в лошади, а человеческое — в человеке.

На самом деле это не просто философия, а очень важный психический механизм: **если мы можем найти категорию, которая объединяет в себе разные предметы с единым функционалом и сходными свойствами, нам понятно, что с этими вещами делать.**

Мы не смотрим всякий раз на предмет, который используется нами в качестве, например, стола или чашки, как бараны на новые ворота, а знаем, что нам с этим предметом делать, или чего, например, от него ждать.

Это, как вы понимаете, существенно экономит силы, и «центристы» — самые экономные из всех. Они буквально живут в мире эйдосов: видят «души» или «личности» в разнообразных субъектах, обожают собак, потому что «они — товарищи», в предметах материальной культуры видят чей-то труд, а в природных процессах — проявления Природы.

Поскольку эссенциализм является универсальным психическим механизмом, укоренённым в нас глубоко физиологически, то понятно, что «центристы» представляют собой базовый тип мышления, проявления которого мы найдём в мышлении любого человека.

Однако есть у «ядерных центристов» (то есть у людей с ведущим «невротическим радикалом») специфическая особенность. **Для них все эти «сущности-эйдосы» — не какое-то абстрактное знание о формальных категориях, для них это именно «существо дела».**

О чём идёт речь и как это получается? Для того, чтобы понять это, вернёмся ещё раз к детям и посмотрим на эксперимент, проведённый группой исследователей во главе с психологом Йельского университета Кили Хэмлин.

В этой научной работе исследовалась способность младенцев понимать суть социальных ситуаций. В возрасте шести месяцев мы ещё не умели ни ходить, ни разговаривать. Но как оказалось, уже тогда мы могли определять, кто хороший, а кто плохой на достаточно абстрактных примерах.

В этом эксперименте младенцы сидели на коленях у родителей, а на экране им показывали нехитрый мультик. Кружок пытался с трудом взобраться на холм, а две другие фигуры оказывали на него воздействие: треугольник помогал, а квадрат — мешал, сталкивая круг вниз с холма (см. рис. № 12).

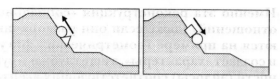

Рис. № 12. Кадры из мультфильма, который демонстрировался младенцам (стрелками обозначено направление движения «помощника» и «неприятеля»)

После просмотра этого мультфильма ребёнок мог выбрать игрушку: одна была треугольником («помощником»), а другая — квадратом («неприятелем»).

Больше половины шестимесячных младенцев выбрали треугольник, а когда в эксперименте участвовали годовалые дети и старше, то уже все они выбрали игрушку-помощника.

Понятно, что ребёнок смотрел просто на движение каких-то объектов на экране. Чтобы понять, что кто-то из геометрических фигур «хороший», а кто-то «плохой», они должны были воспринять эту ситуацию как социальную (то есть реконструировать её в зачатках своей дефолт-системы), идентифицироваться с кругом и понять, кто «друг», а кто «враг».

Нам, конечно, кажется, что это очень простое дело — что тут думать-то? Но эта лёгкость говорит лишь о том, что наша дефолт-система реконструирует такие ситуации уже на автомате.

В действительности же это сложная интеллектуальная процедура, требующая от ребёнка мыслительной реконструкции наблюдаемой им ситуации.

Именно эта реконструкция «социальных отношений» (даже если они разворачиваются на примере геометрических фигур) и создаёт «характеры», а ещё глубже — сущности (эйдосы) соответствующих агентов (круга, квадрата, треугольника).

Ещё раз: не они сами — круг, квадрат и треугольник — обладали сущностью. Нет, ребёнок усмотрел в них эти сущности — «хорошего» и «плохого», а также «такого же как я», — потому что видел социальную ситуацию.

Да, Платон может рассказывать нам про «мир идей», но правда в том, что «идеи» (эйдосы, сущности) возникают в нас в процессе реконструкции социальных ситуаций.

«Нашим ограничением является наш собственный способ думать».

Вероятно вам приходилось видеть, как ребёнок ругается на физические предметы или даже бьёт их, если с ними что-то не так.

Ударился о стол — негодует на стол, будто бы это он его ударил, не пишет карандаш — недоволен карандашом, словно тот сделал это специально, сломалась игрушка — она плохая и виновата.

Он как бы берёт над этими физическими предметами социальный, иерархический «верх»: наказывает, бьёт, обзывается.

А в других ситуациях, наоборот, робеет и демонстрирует поведение иерархического «низа»: или, если игрушка его пугает, то подчинение, или, если она ему очень нравится и недоступна, то восхищение.

Иными словами, дети воспринимают ситуации отношений, даже если это физические предметы, как отношения социальные. Из этой материи они и ткут сущности вещей, сами эти сущности как бы рождает социальная ситуация.

Отсюда же и возникающие характеристики: хороший–плохой, правильный–неправильный, любимый–ненавистный и т. д.

Иными словами, когда мы говорим о способности «центриста» видеть в вещах сущности, это не медитативная какая-то практика и не парапсихологический шаманизм, а именно развёртка ситуации (всякая вещь всегда находится в какой-то ситуации как фигура на фоне) в условно социальном контексте.

Конечно, «категориальный эссенциализм» свойствен всем, а «конструктор» вообще только так и думает — абстрактными сущностями.

Но для «конструктора» сущностями являются как бы сами категории, а не нечто в предметах. «Сущность» для него — это скорее набор характеристик группы предметов, а не некая центральная субстанция предмета как такового.

Для «центриста» же важно, кому принадлежит тот или иной предмет, какое он имеет к нему отношение, как он его воспринимает, что он для него значит.

То есть, несмотря на «категориальность», все сущности, которые «центрист» видит в предметах, это их как бы личные, собственные характеристики, обусловленные их «биографиями».

Соответственно, «центрист» относится к вещам как к неким действующим агентам социальных взаимодействий. Каждая вещь для него что-то значит в рамках социальных отношений с другими людьми.

Если «конструктор» будет выбирать вам подарок, то он будет думать о каких-то его характеристиках; если «рефлектор», то о том, какой это произведёт на вас эффект; а «центрист» будет думать о месте этого подарка в вашей жизни.

Вот почему, когда мы говорим о центризме «центриста», то всегда предполагается и какая-то целостность, более общий и, как правило, социальный контекст: что это будет значить для человека.

То же самое касается и совершенно абстрактных знаний (научных или профессиональных): «центристу» важно, кто произвёл то или иное открытие, кому принадлежит то или иное умозаключение, какое влияние всё это оказывает на жизнь людей или конкретных персонажей, почему это им может быть (или должно быть) важно.

«Центрист», иными словами, постоянно участвует в некой виртуальной социальной игре, а потому всегда есть и этот аспект целостности, которая связывает «сущность» вещи (или идеи) с пространством социальной реальности. В остальном — это лишь вопрос масштаба: человечество, трудовой коллектив или семья.

«Рефлектор» ещё в меньшей степени озабочен сущностью. Да, он знает, что у предметов есть характеристики, да, он может быть влюблён в конкретные предметы и буквально трепетать, глядя на них.

Но для него важно не то, что этот предмет представляет сам по себе, а то, как сам «рефлектор», с учётом этого предмета, будет восприниматься другими людьми.

Грубо говоря, если мы представим себе коллекционера (Иван Петрович Павлов использовал именно этот пример в своей знаменитой статье «Рефлекс цели»), то:

- «рефлектор» будет рад, например, картине, потому что она делает его знаковым персонажем на рынке антиквариата (отношение к нему других коллекционеров) и в чём-то уникальным (только у него есть эта картина);

- «конструктор» будет рад, потому что эта картина, например, занимает важное место в структуре его коллекции, или обладает какими-то уникальными характеристиками — допустим, написана в период творческого затишья художника или красками, которые он редко использовал;

- «центрист» же будет рад обретённой общности с автором этой картины, он как бы образует с ним некую связь, некое отношение через неё.

Что ж, самое время вернуться к нашему экзистенциальному мысленному эксперименту — улучшенная копия или оригинал?

Перед «центристом» этот вопрос не стоит, он просто откажется класть эту «игрушку» в «копировальную машину».

Ему покажется это диким и противоестественным. Он будет внутренне настаивать на том, что этот эксперимент невозможен в принципе, а сама эта идея покажется ему оскорбительной и даже бредовой.

И если с вами происходило нечто подобное, когда вы читали установочные условия нашего мысленного эксперимента, то «центриста» в вас достаточно много.

Закономерности «конструктора»

Опыт учит нас только тому,
что одно событие постоянно следует за другим,
не посвящая нас в секреты их родства.
ДЭВИД ЮМ

Все вы, я думаю, слышали фразу: «"После" не значит "вследствие"».

А знаете, почему вы её слышали? Потому что наш мозг думает по-другому: он инстинктивно и автоматически связывает события, идущие друг за другом во времени, в причинно-следственные отношения.

Однако же правда в том, что расположение двух событий во времени последовательно друг за другом ещё не означает, что они взаимосвязаны хотя бы как-то, не говоря уже о причинных отношениях.

И вот чтобы предупредить нас об этой неизбежной почти «логической ошибке» — путать последовательность с причинностью — философы и повторяют это правило как мантру: «"После" не значит "вследствие"».

Но как же такое может быть, что наш мозг, который вроде бы должен защищать нас от ошибок, намеренно нас в них ввергает?

Всё просто: в мире, для которого был создан наш мозг, о причинах и следствиях безопасно думать именно так.

Действительно, если затрещали ветки, то имеет смысл предположить, что сейчас из зарослей появится крупный зверь. Подобное нехитрое умозаключение спасает животным жизнь.

Если же окажется, что хруст ветвей был вызван другим событием — падающим деревом, например, а потому животное вроде как ошиблось в своих умозаключениях, то ведь ничего страшного.

Лишний раз побегать — беды не будет, а вот если не убежать, то цена возможной ошибки — жизнь.

Но мы с вами развили систему абстрактных суждений, которых у животных нет и в помине. И если использовать здесь ту же логику, то могут возникнуть неловкие ситуации; ведь если некий серийный убийца занимался в детстве коллекционированием марок, это ещё не значит, что филателия превращает людей в безжалостных убийц.

Однако же наш мозг приучен думать иначе, потому что когда эволюция над ним трудилась, она не могла знать, что мы воспользуемся обозначениями и будем называть хищника «серийным убийцей», а складывание бумажек — «филателией».

Теперь же эти слова у нас есть, а связь между ними начинает инстинктивно восприниматься нами как причинно-следственная.

Обо всём этом нам впервые рассказал великий философ Дэвид Юм.

Суть его открытия заключается в следующем: когда мы устанавливаем причинно-следственные связи между явлениями, мы устанавливаем связи между интеллектуальными объектами в нашем мозге, а вовсе не усматриваем действительную связь между фактами в реальном мире.

Факт реального мира находится в реальном мире, а то, что мы думаем об этом факте, — это интеллектуальный объект, который мы создаём в своём мозге как ментальную модель этого факта.

Однако после того как такая модель в нас возникла, мы считаем её объективным отражением реальности, а связи между разными интеллектуальными объектами, возникшими в нашей голове, действительными связями реального мира.

Разумеется, это не так, а всякая модель — лишь условность. Что уж говорить о связях между этими условностями? Да, карта не равна территории, которую она картирует, а взаимосвязи, которые мы видим на карте, вовсе не обязательно существуют в действительности

То есть вот что, если следовать логике Дэвида Юма, мы делаем (графическая схема представлена на рис. № 13):

- во внешнем, объективном мире происходят какие-то события (два кружка в верхнем поле рисунка);

- в нашей психике формируются образы этих событий (два кружка в заштрихованной зоне — «область восприятия»);

- мы как-то обозначаем для себя эти события (два кружка в зоне «область умозаключений»);

- дальнейшая работа психики — установление связей между перцептивными образами, которые возникли уже в нашем мозге, и нашими представлениями о них (стрелки между

кружками, располагающимися под
линией, которая условно разделяет
на схеме мир на объективный и психический).

Однако же действительная связь между со-
бытиями объективного мира, если она вообще есть (хотя её может и не быть), находится за пределами этих наших представлений
и умозаключений.

Более того, мы даже не можем быть уверены в том, что мы восприняли события и явления объективного мира правильно. Вдруг
то, что мы восприняли — это лишь оптичес-
кая иллюзия или вообще галлюцинация?

Именно поэтому отношения, находящиеся
над линией, условно разделяющей объективный мир и область психики, обозначены на
схеме пунктирной линией.

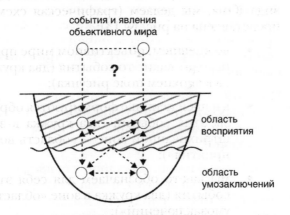

Рис. № 13. Схематичное изображение отношений между
объективным миром, его восприятием нашей психикой и
умозаключениями, которые мы делаем по результатам этого
своего восприятия

Таким образом, получается как бы три уровня:

- события реального мира;

- перцептивные образы, возникшие «по мотивам» событий реального мира;

- мир умозаключений, где мы устанавливаем связи между объектами психической реальности.

Конечно, в каких-то случаях связи, которые мы устанавливаем в пространстве нашей психики, неплохо соотносятся с тем, что происходит в реальном мире. В этом случае можно сказать, что наша ментальная карта эффективно отражает действительность, которую она картирует.

Для того чтобы наши ментальные карты были эффективны, мы должны постоянно подвергать сомнению свои восприятия (то ли мы видим, что нам кажется), а также проверять свои умозаключения практикой (удостоверяться, что наши прогнозы работают).

Но что если речь идёт о вещах, где и объективных восприятий-то немного, и проверить наши умозаключения мы можем лишь формально?

С этой проблемой регулярно сталкивается фундаментальная наука, и решает она её через разработку специальных языков (например, математического) с очень жёсткой аксиоматикой, где каждое высказывание взаимоопределено.

Внутри такой замкнутой системы, если все условия соблюдены, результат должен получаться точный.

ВСЁ ЕЩЁ «ШИЗОИДЫ»

Давайте на мгновение вернёмся к шизофрении. Что мы знаем об особенностях работы дефолт-системы мозга у людей, имеющих соответствующие отклонения, или находящихся в этой области спектра континуума психических состояний?

Прежде всего, любой психиатр скажет вам, что шизофрения всегда характеризуется так называемым «нарушением мышления». Под этим термином психиатры понимают своеобразную причудливость мышления, свойственную пациентам, страдающим шизофренией.

Удивительно в этом мышлении вот что: **сколь бы странными, даже абсурдными ни казались нам мысли, которые производит мозг шизофреника, он продолжает мыслить в рамках формально-логических связей (пусть и весьма своеобразных).**

То есть отдельные понятия, которыми он пользуется, остаются как бы сохранными, а вот связи между ними нарушаются: возникает множество случайных ассоциаций, разных вариантов, странных обобщений, никак не отражающих реальное положение дел.

Из набора стимулов и ассоциаций пациент с шизофренией словно бы специально выбирает самые удалённые, частные, необычные. В результате сама его мысль выглядит причудливой и абстрактной, словно бы он находится, как говорят в таких случаях, «в каком-то космосе».

И должен сказать, что этот «космос» неудивителен, если вспомнить исследования мозга пациентов с шизофренией с помощью фМРТ.

Активность их дефолт-системы становится столь мощной, разгоняется с такой силой, что вся её внутренняя логика и структура рушится (что, впрочем, лишний раз доказывает, что она не была достаточно жёсткой).

Всё вдруг оказывается связано со всем, факты сталкиваются в хаотичном порядке.

Ощущение действительности теряется, и собственная внутренняя психическая деятельность пациента начинает восприниматься им как внешние по отношению к нему, галлюцинаторные образы.

В результате человек буквально теряет чувство собственной «личности»: он не понимает, кто он, где он, что с ним происходит. Он начинает воображать себя то тем, то другим: то Христом, то подопытным марсиан, то агентом спецслужб — словно случайно надевает на себя какие-то карнавальные костюмы.

Как мы помним из «Чертогов разума», ощущение собственного «я» порождается именно интегративной деятельностью нашей дефолт-системы.

Мы — те, кто мы есть, потому что занимаем соответствующее место в той «внутренней стае», которую рисует наша дефолт-система на основе тех социальных связей, в которых мы состоим.

Но если структура дефолт-системы рушится — из-за болезни или, например, вследствие интоксикации LSD, — то и чувство уверенности в нашем собственном «я» пропадает.

Однако же, даже при всём при этом общая логика, структура — пусть и абсурдная, нелепая, неадекватная, не всегда понятная внешнему наблюдателю, — сохраняется.

Как такое может быть? За счёт более высоких когнитивных функций, а именно логики языка, который продолжает оперировать понятиями.

То есть, грубо говоря, я могу потерять связь с реальностью и внутреннюю структуру своего мышления (за него как раз и отвечает дефолт-система нашего мозга), но слова-понятия, которыми я пользуюсь, от этого не лишаются смысла — они продолжают что-то обозначать.

Связи, которые мы устанавливаем между понятиями, — это процесс, который непосредственно связан с мышлением и, соответственно, с работой дефолт-системы мозга.

Но сами по себе понятия (слова) — это нечто, что существует как бы отдельно от их значений, и регулируется их функционирование работой других зон мозга (в частности, зонами Брока и Вернике).

Теперь заглянем в ту же дефолт-систему мозга, но с другого, так сказать, конца: сбой в её работе происходит не только у лиц, страдающих шизофренией, но, как мы уже говорили, и у лиц с аутизмом.

В последнем случае мы наблюдаем как бы «молчащую» дефолт-систему, очень низкую активность по созданию «внутренней стаи» и определению своего места в ней (своего «я»).

Ведущий исследователь аутизма, о котором я вам уже как-то рассказывал, Саймон Барон-Коэн, указывает на следующую наследственную закономерность:

- отцы детей-аутистов чаще бывают инженерами, чем отцы детей, не страдающих аутизмом;

- дедушки детей, страдающих аутизмом — с обеих сторон, — также чаще были инженерами, чем дедушки детей, не страдающих аутизмом;

- и отцы, и матери детей, страдающих аутизмом, очень быстро справляются с тестом встроенных фигур, требующим способности анализировать сложные паттерны и правила.

Дело, конечно, не в инженерах как таковых, и Барон-Коэн поясняет, что речь вообще может идти о всех специальностях, предполагающих систематизацию. «С тем же успехом, — пишет он, — можно было бы выбрать другие, смежные сферы науки и техники, например, математику и физику».

И да, мы знаем, что «тест встроенных фигур» математики и физики решают лучше других. А также мы знаем, что мужчины, среди которых относительно больше «конструкторов», решают подобные тесты лучше, чем женщины, что, по всей видимости, связано с эволюционной задачей ориентации на местности (это мужчины тысячелетиями покидали свои поселения, чтобы отправиться на охоту).

Всё это позволяет нам думать, что склонность к «систематизации» является компенсаторным фактором: у тех людей, у которых дефолт-система хуже справляется с созданием «внутренних стай» и не позволяет человеку заниматься подсознательным расчётом отношений элементов в этой системе, соответствующий недостаток компенсируется формированием перечня формальных по сути закономерностей.

В результате эти «закономерности» в большей степени отражают логику языка, нежели логику нашего мышления.

Мышление — это процесс сборки сложных интеллектуальных объектов в целях создания эффективных моделей реальности. Эти модели картируют реальность, и если они достаточно хорошо с этим справляются, на них можно проложить маршрут последующих действий.

Мышление отвечает на вопрос : что мне следует делать, чтобы получить искомый результат?

Однако сам процесс сборки интеллектуальных объектов — процесс неосознанный. **Каждый интеллектуальный объект является по сути каким-то функциональным нервным центром, ансамблем определённых нейронов.** И вы не можете сознательно пересобрать такой ансамбль.

Вы можете лишь создать ситуацию, когда возбуждение данного ансамбля совпадёт с возбуждением какого-то другого ансамбля (ответственного за другой интеллектуальный объект), и они сольются, став, таким образом, новым — третьим — ансамблем, большим и более сложным, чем предыдущий[32].

Теперь представим себе, что мы имеем дело с дефолт-системой мозга человека, страдающего аутизмом (у него она пассивна), или человека, страдающего шизофренией (у него она структурирована недостаточно хорошо и легко разваливается).

---

32 Впрочем, после образования в пространстве мышления такого нового интеллектуального объекта, возможно, будет удовлетворена потребность, которая и побуждала его формирование, а потому она сойдёт на нет и сам этот ансамбль, соответственно, потеряет свою актуальность, как бы свернётся.

Понятно, что это вызовет проблемы с мышлением, протекающим на неосознанном уровне, и этот недостаток необходимо компенсировать рационализацией за счёт использования понятий (слов), которые, в свою очередь, определяются отношениями с другими понятиями (сло-вами) через так называемые семантические поля.

Таким образом, знаки (слова, понятия, теории, умозаключения) становятся для «конструктора» своего рода религией.

Они спасают его от неопределённости, создают у него чувство надёжности, позволяют ему ориентироваться в окружающем мире, а сложность их взаимодействия ощущаются им как «красота», о которой так часто говорят математики и физики, или инженеры и кодеры.

Процитирую одного из самых знаменитых математиков XX века Пала Эрдёша: «Почему числа прекрасны? Это всё равно, что спросить, почему прекрасна Девятая симфония Бетховена. Если вы сами не понимаете, почему это так, никто не сможет вам объяснить. Я знаю, что числа прекрасны. Если не прекрасны они, то в мире вообще нет прекрасного».

Но что если мы попытаемся сделать что-то подобное не с такими вещами, которые поддаются аксиоматической организации, а с такими, как, например, любовь, дружба, ответственность, мышление, вывод, удивление, выбор, решение, анализ, закон, мораль, ценность и т. д.?

Все эти слова — штуки из третьего уровня нашей схемы, из пространства знаков и абстрактных умозаключений. Можно ли их как-то взаимоопределить? И отражают ли они вообще что-то, что существует в реальном мире?

«Центрист» воспримет эти вопросы с некоторым недоумением. Он вообще не очень привык доверять словам. Он знает, что важны не слова, а то, что собеседник имеет в виду. То есть он смотрит как бы за знаки — туда, в уровень перцепций: что слова человека на самом деле обозначают?

В принципе, поднапрягшись, «центрист» может даже попытаться обратиться к первому уровню: что в реальности за этими пер-цепциями прячется — какова подлинная «сущность» состояния, которое человек пытается с помощью этих слов высказать?

Так, если кто-то говорит «центристу»: «Я люблю тебя!», он думает о том, что человек, признающийся ему в любви, понимает под словом «любовь» (это приглашение на сеновал или «большая и чистая, пока смерть не разлучит нас»?). То есть он будет искать сущность высказывания и чувства.

Он может озадачиться и тем, что происходит на самом деле — в реальности (в объективном, так сказать мире): например, реально ли человек испытывает чувство любви, о котором говорит, или ему, например, только кажется, что он влюблён? Может ли быть, что им движут какие-то другие мотивы, хотя, возможно, он их даже не осознаёт?

То есть для «центриста» всегда есть что-то по ту сторону слов, но не абстрактно «по ту сторону», а в пространстве конкретного человека, который эти слова использует.

**Сложный образ «другого человека» не да-
ёт «центристу» покоя. Он постоянно его
продумывает, создавая, как сказал бы Саймон Барон-Коэн, «теорию разума высше-
го порядка»** (сознание того, что другой человек находится в некой своей реальности и как-то её мыслит).

Но это «центрист», а вот «конструктор», ус-
лышав признание в любви, будет пытаться
понять его значение. А как это сделать, если
он не строит «модель сознания другого» и
даже не задумывается о том, что в человеке
и его высказывании, соответственно, заключена какая-то «сущность»?

Он начнёт анализировать внешние признаки: примется обнаруживать некие действия, которые он мог бы означить и перевести их таким образом в область своих
умозаключений (которую он, надо сказать,
и не покидает), чтобы подтвердить или опровергнуть изначальный тезис.

Допустим, что человек, признавшийся ему
в любви, дарит ему цветы и кольцо. Это
«очевидные» признаки любви, правда? Для
«конструктора» — да, но для «центриста» —
не факт (и если вы «центрист», то, вероятно,
понимаете, почему).

Впрочем, среди «конструкторов» больше мужчин, чем женщин. Так что ситуация обычно
выглядит несколько иначе: женщина при-
знаётся мужчине-«конструктору» в любви, а
затем, понятное дело, ждёт от него в ответ
цветов и кольцо, не понимая, что совершает
непростительную ошибку.

Пока её избранник услышал только слово
«любовь», но он ещё не понял его значения.
Любить, как известно, можно и друзей, и

собаку, и родителей, и даже родину, а тем более — математику! О какой «любви» она ему сказала? И он смотрит за её действиями…

Действия же женщины, признавшейся мужчине в своих чувствах и не получившей немедленного «да!», вполне предсказуемы: обида, напряжение, неловкость, глупые паузы и т. д.

Так о какой же «любви» это говорит конструктору? Ну, в лучшем случае «как к другу». В общем, цветы и кольцо откладываются до лучших времён, пока наш «конструктор» не обнаружит ту единственную, которая на пальцах объяснит ему, что происходит, что она имеет в виду и как он с ней будет счастлив.

С некоторой долей условности можно сказать, что «конструктор», в отличие от «центриста», акцентирует в речевой коммуникации с другими людьми не существительные, которые для него «бессущностны» и потому слишком аморфны, а глаголы, обозначающие конкретные действия.

Если вы говорите «конструктору», что вы будете делать, или что он должен сделать, или что другие люди сделали, он схватывает суть сообщения.

Если же вы просто описываете ему ситуацию, он начинает путаться в словах и, в конечном счёте, совершенно теряет способность вас понять.

Да, кому-то, наверное, всё это может показаться очень странным. «Центристу» и вовсе непонятно, как можно взаимодействовать с другим человеком, если ты не строишь модель его сознания, не пытаешься провернуть её в своём внутреннем понимании (своей дефолт-системой), прочувствовать, встать на его место, ощутить это положение.

Для него удивительно, что можно не пытаться понять, какие чувства человек испытывает, совершенно не интересоваться тем, что у него в жизни происходит, каков он на самом деле, что для него важно и т. д., и т. п.

Ещё страннее для «центриста» то, что кому-то важность этого необходимо объяснять, что она для кого-то не самоочевидна.

«Центриста» обескураживает, когда у «конструктора» всё вдруг «складывается», поскольку всякий диалог в этом случае прекращается. В лучшем случае он может превратиться в монолог «конструктора», излагающего сложившуюся у него структуру и усмотренные им в ней взаимосвязи.

Но на самом деле «конструктор» и не говорил со своим собеседником, он использовал разговор как средство, как способ найти недостающие звенья, которые бы позволили ему замкнуть его систему. Его общение в принципе монологично.

Когда же структура складывается, необходимость в собеседнике для него отпадает полностью, система созданных «конструктором» закономерностей естественным образом самообъяснима, самоочевидна, внутренне полна, достаточна, а для получения удовольствия — ещё и красива.

Да, потом он может долго рассказывать о том, какая конструкция у него в голове вызрела, наслаждаясь головокружительными по красоте переходами от пункта к пункту, от точки к точке.

Но делает он это вовсе не потому, что испытывает потребность кому-то что-то рассказать, а просто потому, что игра с этой логической конструкцией доставляет ему истинное удовольствие.

Таким образом, трезвый взгляд на «конструкторов» позволяет нам понять, что ни строить модели сознания других людей, ни постоянно прокручивать эти модели в своей голове для достижения выдающихся интеллектуальных результатов совсем не обязательно.

Среди «конструкторов» мы находим выдающихся математиков — например, Карла Гаусса, Готлиба Фреге, Алана Тьюринга, Курта Гёделя, Григория Перельмана, мыслителей — от Аристотеля до Людвига Витгенштейна, Мишеля Фуко, Николаса Лумана или Ноама Хомского, блистательных художников, композиторов, писателей, архитекторов — Михаила Врубеля, Дмитрия Шостаковича, Франца Кафку, Антонио Гауди, и, конечно, инженеров — от Никола Теслы до Илона Маска, например[33].

И даже то, что я пишу сейчас этот текст на компьютере, а не карандашом на листочке писчей бумаги — это, я почти уверен, заслуга именно «конструкторов», а не кого-либо ещё.

То есть мы никак не можем отказать «конструкторам» в интеллектуальной мощи...

Да, в бытовой жизни «конструкторы» могут частенько застревать на мелочах, замыкаться в себе, быть излишне требовательными и т. д., но с точки зрения мышления они действительно способны творить настоящие чудеса.

---

33 Мой любимый Людвиг Витгенштейн был, кстати сказать, одновременно и инженером, и архитектором, и математиком.

Как же у них это получается, если за мышление отвечает дефолт-система мозга? И это, возможно, самый главный здесь вопрос, но прежде чем ответить на него, необходимо зафиксировать несколько важных моментов.

- **Во-первых, необходимо принять во внимание крайне высокий уровень любопытства, свойственный «конструкторам».** Любопытство, страсть к познанию является оборотной стороной своеобразной недостаточности дефолт-системы мозга.

  Именно потому, что «конструкторам» чуждо ощущение принадлежности к социальной общности, они не испытывают того груза социального давления, которое свойственно, например, «центристам».

  Там, где «центрист» испытывает тревогу, сталкиваясь с автори-тетной фигурой или авторитетныммнением, «конструктор» всё подвергает сомнению и способен мыслить нестандартно, нетривиально, подчас революционно.

- **Во-вторых, необходимо принять во внимание, что на мельницу оригинальности «конструктора» льёт воду, так сказать, определённая семантическая свобода (или лабильность, подвижность).**

  Как я уже говорил, особенностью этого типа мышления является способность создавать причудливые ассоциативные ряды при сохранении общей формально-логической структуры.

Слова (понятия) не имеют для «конструкторов» столь жёсткой связи с реальностью, как, например, у тех же «центристов», поэтому «конструкторы» могут легко увидеть сходство там, где другому и в голову не придёт.

«Конструктор» способен объединять, соотносить и совместно продумывать совершенно, казалось бы, отдельно стоящие друг от друга идеи и структуры.

Таким образом, они способны создавать неожиданные точки входа при анализе различных ситуаций. Груз реальности словно бы не давит на них, когда они пускаются в свои размышления.

Задумайтесь над этой шутливой фразой Людвига Витгенштейна: «Сейчас на Солнце полдень». В ней и совершенно неожиданная игра со словом, и абсолютно оригинальный вход в представления о Солнечной системе: мы обычно смотрим на неё с Земли, на которой и находимся, а он думает о ней с позиции Солнца.

- **Наконец, в-третьих, строгость, в которой «конструкторы» (все как один!) видят невероятную «Красоту».**

Блистательный математик Анри Пуанкаре пишет в статье о математическом творчестве, что мы способны подсознательно усматривать в своём мышлении «красивые решения».

Бертран Рассел, автор выдающейся работы «Основания математики», писал: «Математика, если правильно на неё посмотреть, несёт не только правду, но и высшую красоту».

И таких примеров бесконечное множество.

Если же отбросить всякую лирику и думать об этом нейрофизиологически, то ощущение красоты связано для нас с чувством безопасности. Грубо говоря, нам кажется красивым то, что вызывает у нас чувство безопасности, защищённости, чего-то знакомого и понятного.

«Конструкторы» исходят в своих умозаключениях не из эссенциальной сущности, а из логической строгости собственных интеллектуальных конструкций.

Строгость, чёткость, взаимосвязанность, структурность, контролируемость, взаимооднозначность и т. д., и т. п. создают у «конструкторов» ощущение, что их хрупкий на самом-то деле, мир абсолютно фундаментален, что он имеет безусловное основание.

С другой стороны, как только что-то в их мире перестаёт «биться друг с другом», обнаруживается какая-то прореха, неопределённость, неясность, «конструкторы» могут впасть в самую настоящую панику, совершенно непонятную окружающим.

Однако же как только стабильность системы будет восстановлена, они снова увидят «Красоту», а точнее — почувствуют себя в своеобразной безопасности.

Возвращаясь к тому же Витгенштейну, достаточно вспомнить его главное философское утверждение, поражающее своим нахальством и изяществом: по сути, говорит он, философских проблем не существует: все они порождены «игрой языка», и если навести порядок в языке, то все они исчезнут сами собой.

Таким образом, «конструктор», осуществляя процесс мышления, идёт не от «сущностей», которые он мог бы, подобно «центристу», усмотреть в реальности, чтобы выстроить из них (на них) свою модель этой реальности, имея единое её основание, а как бы снаружи вовнутрь.

«Конструктор» пытается найти знаки (слова, понятия, символы) и организовать их в некие закономерности (законы, правила, аксиомы, порядок), чтобы получить логический каркас.

Именно этим каркасом закономерностей, словно связанными друг с другом стержнями арматуры, он и попытается организовать для себя пространство реальности.

Однако фокус состоит в том, что реальность, с которой мы имеем дело (и «конструктор» здесь не исключение), — это реальность интеллектуальных объектов (мы не покидаем пределов своей психики, и объективный мир всегда находится вне нас), находящихся в дефолт-системе нашего мозга.

Таким образом, **своим понятийным каркасом «конструктор» на самом деле схватывает не реальность, а собственную дефолт-систему и подчиняет её себе, насколько это возможно, побуждая её работать в рамках целенаправленного мышления.**

Древние греки и древние римляне по-разному подходили к строительству амфитеатров: греки находили удобный склон и встраивали в него ряды кресел, а римляне — и Колизей хороший тому пример — просто возводили стену и устраивали ряды кресел, опираясь уже на неё.

- «Центристы» подобны древнегреческим строителям: им нужно ухватить нечто в реальности, и дальше они уже создают свою модель этой реальности, как бы встраиваясь в неё.

- «Конструкторы» не могут себе этого позволить, реальность не откликается для них «сущностью». И они выходят в чистое поле, чтобы возвести стену, а потом и всё остальное — сложную структуру, которая удерживает саму себя.

Такова, в сущности, вся математика — она кажется невероятно объективной, но правда в том, что она целиком и полностью оперирует объектами, которых нет в окружающем нас мире, они как бы вынуты математиками из самой математики.

Числа, множества, функции — всё это так строго, так ясно, так понятно.

Но это лишь абстракции, которые возникли на определённых этапах развития математической науки. Даже ноль, который кажется нам столь естественным, столь очевидным и столь необходимым, впервые появился в Европе лишь в XII веке.

Таким образом, строительным материалом моделей реальности для «конструкторов»

становятся чистые дефиниции, словно бы какой-то безличный бинарный код.

И если «центрист» противопоставляет в своей модели реальности качества — «хорошо/плохо», «правильно/неправильно», «большой/маленький», «значительный/пренебрегаемый» и т.д., то для «конструктора» это просто противопоставления: «да — нет», «либо — либо», «если — то».

По сути это простейшие логические операции, однако же этот подход имеет уникальное преимущество, в сравнении с подходом «центриста»: он применим к любому содержанию — какой бы аспект реальности вы ни принялись рассматривать, вы можете использовать эти «чистые дефиниции».

«Центристу» в этом смысле куда сложнее — ему приходится приноравливать свои «качественные дефиниции» к каждому конкретному содержанию. Вряд ли дефиниция «хорошо/плохо», например, подойдёт для геометрии или даже экономических моделей.

В лучшем случае она выполнит здесь лишь описательную функцию (чем, возможно, лишь всё запутает) и не сможет использоваться для формирования ментальной модели (карты) соответствующего аспекта реальности (данной территории).

Проблема же «конструктора», с другой стороны, кроется всё в том же «бинарном коде»: мир, судя по всему, не живёт по законам «да — нет», «либо — либо», «если — то» и т. п.

В реальном мире «да» может быть через «но», а «нет» — лишь «при условии» или ещё как-то. Не бывает в нём и «либо — либо», всегда обнаруживается ещё и то, и это, и пятое-десятое.

Да, нам вроде бы естественно жить в причинно-следственном мире, и «конструктора» такой мир завораживает неимоверно! Но такого мира нам, к сожалению, не суждено увидеть.

Ни один элемент дефолт-системы не бинарен. Если вы приметесь рассматривать любого представителя («другого человека») своей «внутренней стаи», то увидите: понять, кто он, и что он собой представляет, возможно только в том случае, если вы рассмотрите все отношения с «другими людьми», в которых он состоит.

Вот почему, рассматривая ситуацию (например, конкретного «другого человека», живущего в вашей ДСМ) как «центрист», вы никогда не сможете высказать её целиком, что-то всегда будет оставаться за пределами создаваемого вами нарратива.

Вы будете в некотором смысле напоминать собаку, которая «всё понимает, но сказать не может» (или, если угодно, как «правое полушарие» по Майклу Газзанига). А вот «конструктор» сможет свою структуру сформулировать, и это часто оказывается очень важным достоинством его модели реальности.

В конце концов, наши модели реальности всегда остаются лишь её моделями, и никакое «полное совпадение» или «истина», разумеется, невозможны. Да и модель создаётся не ради неё самой, а ради того, чтобы мы, с её помощью, достигли желаемых результатов.

Вот и получается, что есть ситуации, в которых модели, основанные на бинарном коде «чистых дефиниций», которые строит «конструктор», работают идеально и дают выдающиеся по точности предсказания.

Но есть и другие ситуации, где подход «центриста», усматривающего в реальности «сущности» (пусть и не существующие на самом деле, но позволяющие организовать целостности), окажется куда более эффективным.

Хорошим примером, кстати сказать, может быть квантовая физика, в которой одна и та же, по сути, проблема предсказания поведения частиц «конструкторски» решалась Вернером Гейзенбергом (методом матричной механики), и «центристски» — Нильсом Бором (квантовая теория спектра, принцип соответствия, принцип дополнительности и т. д.).

Создавая матричную механику, Гейзенберг, по сути, отказался от всяких попыток понять, как именно устроен квантовый мир. Он сосредоточился на абстракциях очень высокого порядка, которые не позволяют нам вообразить реальность квантового мира, но дают возможность эффективно рассчитывать поведение частиц.

В отличие от него, Бор не оставлял попыток усмотреть «сущность» квантового мира, понять поведение материи на квантовом уровне. Он как бы постоянно спрашивал себя: факты говорят то-то и то-то, каким должен быть квантовый мир, чтобы все они смогли расположиться

> *«"Конструктор" на самом деле схватывает не реальность, а собственную дефолт-систему».*

в большом, целостном пазле? Возникающие таким образом интуиции позволяли ему делать предположения, которые двигали теоретическую физику вперёд.

Таким образом, **сочетание подходов «центриста» и «конструктора» приводит к радикальному увеличению сложности ментальной модели, которую мы создаём для картирования того или иного аспекта реальности.** Но именно эта сложность модели и ведёт к увеличению её эффективности, прогностической мощности.

Каковы принципы этой сборки, учитывающей ментальные модели, созданные столь разными способами? Попробуем ответить на этот вопрос после того, как рассмотрим третий возможный тип сборки, реализуемый «рефлектором».

Ценность рефлектора

На вид мы все не такие,
как на самом деле.
ОСКАР УАЙЛЬД

Для того чтобы уяснить ценность и значение третьего типа мышления или, иначе говоря, ещё одного типа сборки интеллектуальных объектов, нам необходимо поговорить о «декоративных» вещах.

Общий принцип эволюции гласит: никакой признак не сохраняется во времени просто так. Если некий вид животных как-то, в каком-то направлении меняется, то эти изменения данным животным зачем-то нужны, они дают какие-то конкурентные преимущества.

«Естественный отбор» словно бы пропускает биомассу жизни через своеобразное сито, обеспечивая, таким образом, усиление важных для выживания особей признаков. Неконкурентоспособные формы просто отбрасываются за ненадобностью.

В результате долгих полевых исследований и проведённых в связи с ними ментальных реконструкций данный факт приобрёл для Чарльза Дарвина характер самоочевидного. Но вот те самые павлиньи хвосты...

Действительно, с точки зрения естественного отбора павлиний хвост — это какой-то оксюморон, совершенно бесполезная и даже вредная для выживания особи штука. Причём это павлинье чудачество не единично, и это уж вовсе не тот «случай, который подтверждает общее правило».

Есть ещё необъяснимая с точки зрения естественного отбора вычурная, многоцветная раскраска насекомых, сложнейшее пение птиц или, например, огромные рога у лося. Зачем им всё это, столь затратное с точки зрения эволюции и абсолютно бесполезное, казалось бы, роскошество?

Впрочем, есть и ещё один фактор — половой диморфизм.

Если вы обнаружите некую странность в анатомии и внешнем облике представителей какого-то биологического вида, но она будет одинаково присуща как самцам, так и самкам, то вы, скорее всего, без труда найдёте этому признаку разумное объяснение с точки зрения естественного отбора.

Но вот если «странности», проявляющиеся, как правило, избыточностью, вычурностью и рискованностью, принадлежат представителю лишь одного из полов, то естественный отбор тут очевидно ни при чём. Так у Чарльза Дарвина и возникла идея второй движущей силы эволюции — полового отбора.

Если какая-то особенность партнёра по каким-то причинам кажется самкам (как правило, самкам) привлекательной в партнёре, то мужские гены, обусловливающие соответствующий признак, получат конкурентное преимущество, что приведёт к закреплению и ещё большому воспроизводству данного признака.

Так случилось, впрочем, что «естественный отбор» затмил в научном сообществе отбор «половой», и на протяжении большей части XX века ему не уделялось должного внимания, что на самом деле достаточно странно, если учесть, насколько гиперсексуальным является наш биологический вид.

Если инвентаризировать частотность мыслей, возникающих у нас в процессе «блуждания» (мыслей, по сути, непроизвольных, возникающих по каким-то внутренним, независящим от нашего сознательного влияния причинам), то обнаружится, что темы секса, половых партнёров, сексуальной привлекательности других людей и т. д., и т. п. лидируют.

Проще говоря, размышления «про это» стоят у нас на первом месте, даже если нам кажется, что «ничего такого» мы не думаем.

Теперь оглянемся вокруг и посмотрим из чего на самом деле состоит наша жизнь. При здравом рассуждении мы не сможем не заметить, что она полна какого-то невероятного количества «лишних» вещей:

- у каждого из нас очевидно больше одежды, чем нам нужно (причём далеко не вся она удобная — взять хотя бы женские туфли на каблуках или мужские галстуки);

- ванные и дамские сумочки заполнены гигиеническими средствами, косметикой и прочими расчёсками, фенами, а также плойками и лаками, без которых совершенно можно было бы обойтись;

- мужчины приобретают дорогущие машины, мощность которых, а также габариты, дизайн и т. д., и т. п. совершенно избыточны для «средства передвижения» в естественных для них условиях обитания (впрочем, и женщины тоже не отстают);

- мы обставляем своё жилище невероятным количеством совершенно глупых и ненужных вещей, так что даже птицы-шалашники и рыба фугу выглядят на нашем фоне как абсолютные аскеты;

- а ещё мы зачем-то бесконечно слушаем музыку, под предлогом которой с нами говорят разнообразные женщины и мужчины, пытающиеся вызывать в нас бурю эмоциональных переживаний (и неважно, «низкий это музыкальный жанр» или, например, опера);

- мы фотографируем, рисуем, читаем художественную литературу, смотрим фильмы, которые без «любовной линии» хоть в каком-то её виде, авторами «почему-то» не создаются вовсе;

- наконец, мы бесконечно играем в разные игры, увешивая себя затем медальками и лавровыми венцами, а ещё танцуем, занимаемся спортом и потребляем «здоровую еду», чтобы наша фигура находилась в «хорошей форме».

Иными словами, мы затрачиваем какое-то совершенно фантастическое количество усилий (на всё это «ненужное» надо ещё ведь и заработать!), по большому счёту, абсолютно ни для чего.

Формально, конечно, можно сказать, что мы это делаем «для удовольствия», но о каком на самом деле удовольствии идёт речь?..

Действительно, всё это проявления полового отбора, а проще говоря — **это сексуаль-**

ное поведение, даже если мы не видим в своём пристрастии к комфорту, красоте и прочему эстетству ничего эротического.

Профессор эволюционной психологии Джеффри Миллер, работающий в Университете штата Нью-Мексико, прославившийся своими обескураживающими экспериментами[34], последовательно — исследование за исследованием — убеждает нас в том, что ум и интеллектуальная деятельность человека являются следствием в первую очередь полового отбора.

Например, в одном из своих последних исследований Миллер показал, что 95% словарного запаса человека не используется им в обыденной жизни, то есть они нам попросту не нужны.

Активный, необходимый, функциональный лексикон человека в его выборке составил всего лишь 5 000 слов. Но на самом деле люди, которых он исследовал, знали более 100 000 слов.

Когда же мы пользуемся этими 95 000 «декоративных», как их называет сам Джеффри Миллер, слов?

Ответ и в самом деле обескураживает: «декоративные» слова начинают выпрыгивать из нас, как чёртики из табакерки, когда мы общаемся с человеком, на которого хотим произвести сексуальное впечатление.

В конце 80-х годов прошлого века профессор эволюционной психологии Техасского университета в Остине Дэвид Басс провёл не-

---

34 Например, он показал, что заработок стриптизёрш зависит от фазы их менструального цикла, и в фазу овуляции стриптизёрша зарабатывает почти в два раза больше, чем в другие дни. Впрочем, сами работницы секс-индустрии считают, конечно, что всё дело в «удачных днях» и «хороших клиентах».

вероятное по масштабу исследование — изучались представители 37 различных сообществ и культур, респондентами стали более 16 тысяч человек.

Выяснилось, что главными критериями выбора полового партнёра для всех нас являются — что бы вы думали? — ум и доброта (впрочем, думаю, доброта без ума вряд ли бы нас заинтересовала).

Теперь, если повернуть эти данные от наличной ситуации к исходным мотивам, то трудно не признать, что ум формировался в человеке под давлением полового отбора.

Почему доисторическим женщинам понравился в доисторических мужчинах именно уровень их IQ понять несложно: навыки, связанные с работой интеллектуальной функции, давали существенные конкурентные преимущества представителям нашего слабого в физическом отношении вида.

Умение создавать орудия труда и охоты, добывать огонь, делать одежду и надёжные жилища, жить большими социальными группами — это всё результаты интеллектуальной деятельности.

Когда человечество обучилось этому (примерно 40 тысяч лет назад), наши ближайшие родственники — неандертальцы — вымерли, не справившись с ухудшившейся климатической ситуацией. Ума не хватило.

Так от кого доисторическим женщинам имело смысл заводить детей? Кто им больше нравился? Что стало нашим павлиньим хвостом? Вот ответ: ум, невероятно развившийся под давлением полового отбора.

А потому одна из важнейших эволюционных задач «ума» — показывать себя, чтобы производить впечатление на потенциальных половых партнёров. Отсюда богатство языка, музыкальная виртуозность, танцевальные способности и, конечно, юмор, изобразительное искусство, литература, плюс нравственность, этика, наука.

Особи, обладавшие такого рода навыками, демонстрировали потенциальным половым партнёрам свой интеллект — способность мозга создавать сложные интеллектуальные объекты.

Да, как и в случае с павлинами, чрезмерная эксплуатация этого признака привела даже к обратному эффекту: теперь ум мешает сексу, порождая большое количество сексуальных проблем, а желающих продолжать род среди «умников» всё меньше и меньше (это и вправду выглядит, по здравом рассуждении, достаточно бессмысленной затеей).

Но как бы там ни было, если мы говорим о способах сборки интеллектуальных объектов разными психологическими типами, было бы странно не учесть того фактора, который, очевидно, являлся одним из важнейших для самого процесса формирования интеллектуальных навыков.

И в полную мощь действие этого фактора обнаруживается, как вы уже понимаете, у «рефлектора».

Название этого типа мышления так же как и в остальных случаях, отражает специфику ви́дения. «Центрист» видит в окружающем его мире сущности и их проявления, «конструктор» — закономерности, а «рефлетор» — то, как он сам отражается во внешнем мире.

ПРОИЗВОДИМ ВПЕЧАТЛЕНИЕ!

Представьте, что перед вами стоит задача завладеть вниманием понравившегося вам человека, а затем произвести на него сногсшибательный эффект, чтобы единственное, о чём он мог думать дальше — это, извините, спаривание с вами. Что вы будете делать?

- Есть «центристский» вариант: увидеть в нём несуществующую «сущность», реконструировать его ситуацию и создать таким образом высокий уровень доверия между вами, а там, глядишь, и до взаимных ласк недалеко.

  Но пробуждаете ли вы таким образом собственно сексуальное влечение? Вряд ли, слишком обходной путь.

- Или «конструкторский» вариант: вы внимательно смотрите за поведением понравившегося вам человека и пытаетесь понять, к какому типу людей он относится, как эти люди обычно себя ведут, какие ваши действия могут на его поведение повлиять, мучительно пытаетесь понять, что значат его высказывания и т.д.

Проведённая вами аналитическая работа в конечном итоге завершается неким продуманным алгоритмом действий, который вы и реализуете. Произведёт ли это ожидаемый эффект? Возможно.

Впрочем, есть шанс, что вас раскусят и посчитают слишком рациональным, холодным, что, как вы понимаете, тоже не очень-то вяжется с эффектом сексуального возбуждения.

- А теперь представим, что вы действуете по наитию: совершаете какое-то действие — улыбаетесь, например, а вам улыбаются в ответ, дальше вы изрекаете что-то легкомысленное (или, наоборот, глубокомысленное), но успеха эта поза не имеет, а интерес у вашего визави заметно спадает.

Вы замечаете это буквально на уровне подкорки и тут же рассказываете ему какую-то забавную историю, а в ответ звучит весёлый, жизнерадостный смех.

Тут вы говорите, что этот вечер стал лучшим за вашу жизнь благодаря этому невероятному, мелодичному смеху. И, чтобы уже окончательно сразить своего визави, совершаете какое-то, извините, сальто (ну я не знаю, превращаете галстук в импровизированную розу...).

И всё — глаза объекта выдают готовность к спариванию. «Рефлектор» добился результата.

Никакой «сущности», никакой «расчётной» деятельности, вы просто движетесь по наитию, рефлекторно — шаг за шагом, эмоция за эмоцией. Вы идёте к своей цели, не задумываясь о ней в социальном контексте, не рассматривая её как какой-то абстрактный план. Вы просто хотите произвести впечатление и поразить — повалить, так сказать, жертву с ног.

Если у вас богатый арсенал средств: подходящих шуток, выражений лица, отрепетированных сальто и поз, — успех можно считать гарантированным. Но и представители других поведенческих стратегий тоже не лыком шиты, и у них в запасе такие инструменты воздействия могут быть.

Так почему это срабатывает именно в вашем случае — без всяких там «сущностей» и «закономерностей»?

Потому что здесь вы — камертон собственных действий. Перед вами реальность, в которой вы не пытаетесь отыскать что-то (сущности, закономерности, чёрта в ступе), а просто действуете в ней, производя один за другим разные тестовые замеры: такое-то действие даёт такой-то эффект, а такое-то — другой, некий жест вызывает восторг и удивление, а другой, напротив, печалит или озадачивает.

Впрочем, вы можете действовать и иначе — не впечатлять, а завлекать, вызывать заинтересованность, провоцировать интерес к вам у вашего потенциального партнёра по спариванию.

Например, вам что-то говорят, а вы в ответ демонстративно пожимаете плечами — мол, это ещё как сказать... Как сказать?! — удивляется ваш визави, и вот он уже на крючке.

Теперь ему надо пытаться убеждать вас в своей правоте, а вы потихоньку начнёте сдавать позиции, увлекая его, так сказать, в глубь своей территории. Если Наполеону так нужна Москва, почему бы ему её не отдать?..

В момент, когда ему будет казаться, что он уже добился эффекта и вы готовы сдаться под напором его удивительно мощного интеллекта, вы впрочем сделаете «финт ушами»... Вдруг вы говорите ему что-то вообще «из другой оперы», от чего он мгновенно теряет дар речи.

Здесь вам необходимо улыбнуться, махнуть хвостом и кокетливо исчезнуть в дымке, оставив наивного ухажёра в состоянии разверзшегося незавершённого гештальта.

Всё, теперь он повержен — он будет вынужден думать о случившемся (то есть о вас) на протяжении всего ближайшего времени. Пока вы вновь не объявитесь перед ним как ни в чём не бывало, абсолютно «позабыв» о том, что вы в прошлый раз так оживлённо обсуждали.

Это, конечно, в очередной раз собьёт вашу жертву с ног, но тут вы поменяете тактику: сегодня вы будете милы, открыты и доброжелательны. Можно брать.

Звучит, конечно, как «коварный план», но на самом деле для рефлектора такое поведение абсолютно естественно, он его не придумывает, не разрабатывает. Он и в самом деле действует по наитию, рефлексируя происходящее с ним и выдавая ответные реакции.

Собственно, неуправляемость этого процесса, его спонтанность и становится для «рефлектора» главной проблемой.

Субъективность подхода «рефлектора», конечно, является существенным недостатком этого типа мышления:

- ему трудно заинтересоваться чем-то, если его это «не впечатляет» (то есть нет тут любопытства «конструктора» и социальной ответственности за дело «центриста»);

- он теряет интерес, когда нужно переходить от действий в моменте («здесь и сейчас») к системной и долгосрочной деятельности;

- наконец, он иногда слишком всё зацикливает на себе — насколько то или иное дело лично ему может быть полезно, нравится оно ему или нет, как он в нём выглядит со стороны и т.д., и т. п.

С другой стороны, в этом «субъективизме» мышления «рефлектора» и заключено его основное достоинство.

- **Во-первых, «рефлектор» всегда видит цель** (если, конечно, он к ней и в самом деле движется, она его ворожит, если он, так сказать, её хочет, в неё влюблён).

«Конструктор», например, может настолько увлечься своей конструкцией и выстраиванием мыслей, что совершенно забывает о том, что у этого его занятия была какая-то изначальная цель и было бы вообще-то неплохо получить искомый результат. Как следствие, получается много деятельности ради деятельности, а вот выхлоп может оказаться сомнительным.

«Центристу» же, в отличие от «рефлектора», часто неловко иметь «свою цель». Он как существо глубоко социальное очень волнуется, чтобы цель была «общей» или даже просто «для других людей» (это даёт ему ощущение, что он имеет право быть в соответствующей стае, заслужил его).

В результате «центрист» зачастую сам себя опутывает бесконечными социальными обязательствами, ждёт благодарности (хотя ему её никто и не обещал) и расстраивается, что «забывает о себе». Хотя на самом деле, он о себе не забывает, а просто преследует как бы косвенную цель —

улучшить к себе отношение у членов соответствующей группы.

С «рефлектором» такого не случается: если он что-то делает, он знает, что он делает, а главное зачем он это делает, и как сделать так, чтобы побыстрее добраться к цели. Так что он не против, если представится такая возможность, и лишние углы срезать, и «ход конём» использовать.

- **Во-вторых, «рефлектор» никогда не теряет связи с реальностью** — он не уходит в абстрактные рассуждения, как «конструктор», и не ищет в ней «сущностей», которых там нет.

Ирония в том, что именно «рефлекторы», как правило, производят впечатление предельно далёких от реальности. Окружающим может казаться, что они постоянно витают в облаках (что правда, но об этом позже), а ещё совершенно не думают о будущем (и это тоже так).

Всё дело в том, что хотя «рефлектор» и находится всегда на острие жизни, но это острие его жизни, а не то, как её — эту его жизнь — представляет себе кто-то другой, со стороны. Он чувствует, переживает, реагирует на всё, что происходит.

Да, он делает это по-своему, да, это соответствует только его целям, опытам, мировосприятию, потребностям, интересам и т. д., но это именно связь с реальностью, с тем, что происходит на самом деле — чувствование её (пусть лишь в отдельных фрагментах, моментах, аспектах).

У «рефлектора» нет долгосрочных планов, его план — произвести эффект, впечатлить, озадачить, застать врасплох. А если у него не получается, то он страдает, мучается, жизнь становится ему невыносима.

Если же он и вовсе терпит поражение (как ему кажется, по крайней мере, и пусть лишь по какому-то частному моменту), то и свести счёты с жизнью хочет немедленно. Впрочем и к счастью, он, как правило, всегда находит возможность вывернуться и снова найти в реальности цели, ради которых он будет жить дальше.

Да, «рефлектор» не стратег, поэтому часто оказывается в затруднительном положении (в неловких и конфликтных ситуациях), из которого, впрочем, всегда находит способ выпутаться, зачастую — тем самым «ходом конём», или даже перевернув доску верх дном.

Но в том-то всё и дело, что ему почти всегда это удаётся! И удаётся именно потому, что он не покидает, так сказать, пределов реальности (даже окончательно, казалось бы, улетая в облака).

Он не будет тонуть под тяжестью своей конструкции, как, бывает, случается с «конструктором», он не будет стоять на капитанском мостике тонущего корабля, потому что это «его ответственность», как это сделал бы «центрист». Он найдёт способ выкрутиться.

Таким образом, связь с реальностью является, как это ни странно, в случае с «рефлектором» обратной стороной его субъективизма.

- **Наконец, в-третьих, связь с реальностью делает «рефлектора» невероятно чувствительным к деталям, к нюансам, к оттенкам и качествам.**

Специфическое ви́дение «центриста» зашорено обнаруживаемой им «сущностью». Даже отсутствуя, даже будучи выдуманной и привнесённой в реальность, она всё равно умудряется диктовать ему то, как надо воспринимать реальность, относиться к ней, понимать и интерпретировать её.

Специфическое ви́дение «конструктора» в принципе имеет очень малое отношение к реальности — он её постоянно для себя конструирует, основываясь на совершенно абстрактных зачастую закономерностях.

Положа руку на сердце, «конструктору» его собственная, сконструированная им реальность нравится куда больше, чем та, с которой ему бы пришлось иметь дело, если бы он был устроен иначе. Так что тут без вариантов.

Но вот «рефлектор» жаден до реальности, и пусть он опять-таки воспримет её очень субъективно — на свой вкус, в связи со своими интересами и целями, но он будет воспринимать именно проявления реальности, а не виртуальные сущности или абстрактные концепты.

Более того, вполне возможно, что в процессе этого своего восприятия он слишком увлечётся какими-то деталями, малозначительными нюансами, не увидит картины целиком и тем более не задумается о последствиях своих решений.

Но факт остаётся фактом: **«рефлектор» обращает внимание на то, что происходит на самом деле, и это подчас делает его способ сборки интеллектуальных объектов весьма существенным, важным и интересным.**

То есть тут опять-таки палка о двух концах: с одной стороны, реальность интересует «рефлектора», он способен её видеть (рефлексировать её), но, с другой стороны, он, конечно, сделает это в рамках своих узких интересов и целей, что, если соответствующий масштаб недостаточен, приведёт опять-таки к узости видение и неизбежным в такой ситуации ошибкам.

Итак, ментальные модели, создаваемые «рефлекторами», характеризуются субъективизмом. Но если мы знаем, каков этот субъективизм, в чём он, собственно, состоит, и сделаем поправки на него, то мы, проведя, так сказать, «обратную разработку», можем получить весьма точные данные о реальности, с которой «рефлектор» имел дело.

Переводя это на физиологический язык, можно сказать так: если «рефлектор» пользуется для анализа ситуации оголённой, так сказать, подкоркой, не будучи скован социальным инстинктом (как «центрист») и диктатом префронтальной коры (как «конструктор»), то мы видим в её реакциях непосредственный отклик на воздействия окружающей среды.

А потому стоит нам только учесть то, каким образом данная конкретная подкорка запрограммирована реагировать на те или иные стимулы, и мы по её реакциям сможем понять, какие в реальности стимулы на неё воздействовали. То есть это своего рода доступ к реальности, обычно скрытой от нас.

Это чрезвычайно важно понять, прежде чем переходить к вопросу о том, каким же образом думает, так сказать, дефолт-система мозга «рефлектора».

Отчасти мы этого, конечно, уже коснулись, когда говорили о том, какова структура «внутренней стаи», которую создаёт «истероид». Отличие этой структуры состоит в том, что она удивительно неструктурна.

То есть структура в этой системе, конечно, есть, но её системность и целостность обусловлена лишь тем, что в ней есть сам «рефлектор». И это, наверное, было бы просто понять, если бы не тот факт, что само наше «я» (ощущение нашей «личности») является производным этой нашей «внутренней стаи».

Иными словами, если мы смотрим на элементы, разворачиваемые дефолт-системой мозга «рефлектора», то они выглядят как какой-то фейерверк, у нас нет ощущения, что в этом хаосе можно найти какие-то жёсткие и понятные закономерности.

- У «центриста» в дефолт-системе скопления отдельных «семейств», где каждый элемент поясняется через другой, а сами «семейства» через другие «семейства» системы, в результате чего всё оказывается связано со всем и всё объясняется через всё прочее.

- В дефолт-системе «конструктора» мы обнаруживаем строгие закономерности, которыми он организует, упорядочивает и кластеризирует внутренний хаос её элементов, буквально насильственным образом превращая её в «структуру».

- А вот системность в дефолт-системе «рефлектора» можно обнаружить только в том случае, если мы поместим в его «внутреннюю стаю» его самого. И тогда сразу с ней обнаружатся все отношения взаимозависимости между всеми её элементами — через отношения с самим нашим «рефлектором».

Проблема, как я уже сказал, возникает из-за того, что само «я» (личность) «рефлектора» как некий субъект, воспринимающий самого себя, является производным этой своей «внутренней стаи».

Иными словами, перед тем как он ощутит себя самого неким «я», его «внутренняя стая» должна обрести целостность и системность (а он будет, соответственно, её производной), но она способна обрести эту целостность и системность только после того, как мы поместим в неё это «я».

В общем, это замкнутый круг, по которому и движется «рефлектор»: он как бы постоянно не совпадает с самим собой — только ему кажется, что он обрёл себя, как он тут же теряет это ощущение, и должен собирать себя снова.

Это такой «синдром феникса», если хотите: бесконечное умирание и возрождение, но, с другой стороны, это и постоянное обновление.

Вот почему у «рефлектора» семь пятниц на неделе, а то и на дню. Его настроение может колебаться, как маятник, а мысли, которые он думает, могут меняться от этого самого настроения — с плюса на минус и с минуса на плюс. То весь мир прекрасен и удивителен, то просто катастрофа и ад кромешный.

Жить в таком состоянии непросто, эти колебания настроений и перемена мнений тягостны для самого «рефлектора». **И единственный способ, которым «рефлектор» способен внести хоть какой-то порядок в это колеблющееся безобразие, — это нарративизация, или органический сторителлинг.**

Чтобы понять, есть ли в вас «рефлектор» (а точнее — насколько сильно он в вас выражен), попытайтесь ответить на вопрос — можете ли вы увидеть придуманную вами историю?

Не просто придумать и сказать, в чём её суть, не просто увидеть в ней рациональное основание и развитие сюжета, а именно увидеть — в картинках, с эмоциональной окраской, в декорациях, с действующими лицами, которые буквально что-то говорят или делают у вас в голове.

Если да, то, скорее всего, ваше мышление в значительной степени — мышление «рефлектора».

Как показал ещё в 2007 году нейробиолог Демил Хассабис[35] с группой исследователей, наша дефолт-система мозга — прекрасная рассказчица: складывая интеллектуальные объекты один с другим, она производит на свет удивительные истории.

И лучшим образом это так работает именно у «рефлекторов».

Если «центристам» и «конструкторам» надо намеренно, через сознательно, так сказать, придумывать истории, побуждать свою дефолт-систему к сторителлингу, то у «рефлекторов» этот процесс идёт спонтанно (недаром Иван Петрович Павлов называл их «художниками»).

Им достаточно какого-то небольшого эмоционального всплеска из подкорки, и элементы в их дефолт-системе тут же выстраиваются в нарративный ряд, который становится для самих «рефлекторов» буквально видимым, ощущаемым.

«Рефлекторы» переживают возникающую в них историю, словно она происходит с ними прямо сейчас. Причём часто именно сейчас она и происходит, потому что они её на ходу и придумывают (даже если рассказывают о том, что случилось с ними когда-то в прошлом).

---

35 По совместительству Демил Хассабис является основателем одной из самых успешных компаний по разработке искусственного интеллекта DeepMind, которая была приобретена Google и уже под этим брендом выпустила в свет знаменитый компьютер AlphaGo, впервые победивший ведущих мировых игроков в го.

ГЕНИАЛЬНОЕ СОЧЕТАНИЕ

Показательно, как «рефлекторы» вербализируют возникающие в них истории (нарративы). Если перед нами чистый «рефлектор» («рефлектор», так сказать, по преимуществу), то мы услышим пересказ серии образов.

Они складываются для «рефлектора» в некую картину, диораму, но в речи это будет лишь набор прилагательных («яркий», «пугающий», «страстный», «огромный», «загадочный» и т. д., и т. п.), отражающих состояние его подкорковых структур.

Если же у «рефлектора» силён, плюс к этому, и «конструкторский» вектор, то его история приобретёт структурный вид.

В ней появится развитие сюжета, драматургические арки, взаимосвязь отдельных линий повествования, а возникающие в рассказе образы будут подчёркивать и дополнительно высвечивать суть происходящего.

Впрочем, сама «суть» появится только в том случае, если в нашем «рефлекторе-конструкторе» живёт также и «центрист», способный придать рассказываемой истории смысл, целостность, внутреннюю завершённость, связь с социальной реальностью (то есть социальную актуальность) и полноту.

В таком виде «рефлектор-конструктор-центрист» — это уже настоящий литературный гений, если, конечно, он владеет ещё чувством языка, за которое отвечают уже другие, специализированные под эту функцию отделы мозга. Если же языковая функция недостаточна, то у такого смешанного типа открываются перспективы в области режиссуры или продюсирования.

Ведущим типом мышления в научной области является «конструкторский», позволяющий человеку организовывать эмпирические знания. Если же этот тип мышления будет органично дополнен мышлением «центриста» и чуть-чуть «рефлектора», то научное исследование, проведенное таким человеком, будет ухватывать некую сущность в реальности, которая прежде оставалась незамеченной — например, постоянная Макса Планка, гипотеза Анри Пуанкаре или специальная теория относительности Альберта Эйнштейна.

Если же мы говорим про выдающихся специалистов в области социального управления и бизнеса, то для них приоритетным типом мышления является мышление «центриста», но социальная организация не пойдёт без «конструкторского» дополнения, а «бизнес» — без значительной доли «рефлектора» с его жадностью в достижении усмотренной в реальности цели.

Если бы Махатма Ганди, Нельсон Мандела, Вацлав Гавел и Михаил Горбачёв были бы лишь «центристами», они бы, рано или поздно, встроились в диктуемые обществом правила игры.

Им была необходима «конструкторская» нота, чтобы продолжать настаивать на существовании «закономерностей», которых в соответствующих обществах, которые они взялись реформировать, на момент начала их политической деятельности не существовало.

Конечно, и среди бизнесменов вы найдёте и мощных «конструкторов», таких, например, как Уоррен Баффетт или Билл Гейтс. Но эти люди и стали-то бизнесменами не потому, что хотели заниматься «бизнесом».

Баффетту просто с детства очень нравилось производить деньги из денег (в этом есть своя «конструкторская» красота), а Гейтсу программировать компьютеры, но потом, как говорится, закрутилось и понеслось на первые места списка Forbes.

Однако же куда более бизнесовыми — склонными к риску и провокации, страстными и эгоцентричными — бизнесменами являются, конечно, «рефлекторы».

Вспомните экстравагантных и даже взбалмошных, на первый взгляд, Стива Джобса, Дональда Трампа, Амансио Ортегу (основателя Zara) или Джеффа Безоса (основателя Amazom). Это существа с бегущим впереди них самих «рефлекторством».

Так или иначе все типы мышления являются взаимосвязанными, каждый вносит свой вклад в конечный результат. И что можно сказать с абсолютной уверенностью: если бы не способ мышления «рефлектора», раз уж о нём сейчас речь, то вряд ли результаты нашей деятельности могли бы обретать свойство ценности, значимости.

Без яркой подачи даже великие идеи погибают, к сожалению, без следа.

ВМЕСТО ЗАКЛЮЧЕНИЯ

Три в одном

> В реальном употреблении выражений
> мы движемся как бы окольным путём,
> идём переулками; при этом, возможно,
> мы видим перед собой прямую улицу,
> однако не можем ею воспользоваться,
> потому что она постоянно перекрыта.
> **ЛЮДВИГ ВИТГЕНШТЕЙН**

Читая эту книгу, вы познакомились с тремя типами мышления, тремя способами сборки интеллектуальных объектов, с теми тремя видами моделей реальности, которые производит наш мозг.

Логику этих способов легче понять, анализируя поведение людей, поэтому я столь подробно объяснял, чем «невротик» отличается от «шизоида», «шизоид» от «истероида», а «истероид» от «невротика».

В каждом из нас есть по толике от каждого из типов, но какой-то один всегда вырывается вперёд и диктует остальным свои правила.

Хорошо это или плохо? В чём-то, наверное, хорошо. По крайней мере, мы более предсказуемы для окружающих. Но лучше, конечно, если бы могли использовать ресурс своего мозга на полную катушку.

А для этого наша дефолт-система мозга должна научиться собирать интеллектуальные объекты трёх разных типов, а затем — одну и ту же реальность тремя разными способами.

Сейчас я попытаюсь объяснить, что это значит.

Представьте, что перед вами стул. Мы третий раз к нему обращаемся, так что на этот раз я выбрал конкретный — мой любимый, Винсента Ван Гога.

Если вы используете стратегию «центриста», то, конечно, вы усмотрите в этом стуле «сущность стула». На самом деле никакой сущности у стула, конечно же, нет. Но у нас есть какое-то внутреннее понимание стула — этот почти мистический «эйдос» Платона.

«Центристы», вообще говоря, неисправимые платоники — для них в каком-то смысле «сущность стула» даже первична по отношению к любому другому конкретному стулу.

Поэтому даже не важно, каков на самом деле тот или иной объект, если он стул — «центристу» этого вполне достаточно.

Что такое эта «сущность»? Откуда она берётся? Почему «центристы» так в неё верят? Этот специфический навык — наше эволюционное приобретение, благодаря которому психика человека умеет выделять в окружающем мире функциональные единичности.

Это, можно сказать, закон эссенциальности. И он столь же фундаментален для нашей психики, как и «принцип доминанты», «динамической стереотипии» или, например, «отношение фигуры и фона».

Но «центрист», в отличие от представителей двух других типов, не только умеет усматривать эту «сущность» (в вещах, событиях, других людях), но и превращает её в краеугольный камень своих моделей реальности.

Из этой «понятности» он и исходит: сущность ясна, а всё остальное — нюансы, внешние проявления, следствия того, что уже эссенциально и так есть.

Но как организовать это содержание, скрывающее за собой сущность? Как увидеть в этом содержании структуру и порядок? Как создать правила, которые помогут нам ориентироваться в море столь многоликой и разнообразной эмпирии?

Тут на помощь к нему приходит «конструктор», который взглянет на результаты работы «центриста» и скажет: «Ага, это нечто, что люди называют "стулом"! Интересно, почему это?»

«Конструктор» примется рассуждать над соответствующими закономерностями (которые, впрочем, так же, как и «сущности» «центриста», являются продуктом его ума).

Он выявит целый комплекс элементов и взаимосвязей. Например, он скажет, что у стула должна быть сидушка, а также спинка и ножки — «ведь в противном случае стул не был бы "стулом"!»

«Центриста» это умозаключение, вероятно, несколько удивит. Спорить он, вероятно, не будет, но скажет, что ведь и пенёк на опушке леса, и ступенька на лестнице могут выполнить роль стула...

Настанет время изумляться «конструктору». Проанализировав ситуацию, он скажет, что пенёк, вследствие отсутствия у него спинки, больше похож на табурет. Подумав ещё, он заявит, что сохраняется проблема с ножкой, потому что сидушка окажется верхушкой ножки, а из этого непонятно, можно ли считать, что ножка у пенька есть...

Со ступенькой у «конструктора», как вы понимаете, возникнут ещё большие проблемы. Там ведь вроде бы и спинка даже есть (торец вышестоящей ступеньки). Но если каждая ступенька — это стул, то что же такое «лестница»?..

Вероятно, «центрист» к этому моменту совершенно потеряет интерес к происходящему, потому что ему «всё и так ясно», а все эти усложнения попросту ни к чему — мол, я вижу в этих вещах стул: стул — это всё, на чём сидят, а всё остальное — детали.

В этот момент на сцене появится «рефлектор», который произведёт неизгладимое впечатление на «конструктора» тем, что ответит ему на вопрос о ступеньках: «Это же амфитеатр!»

«Конструктор» посмотрит на него заворожённо. Но через мгновение уже задумается, а не являются ли сидения в амфитеатре вытянутыми «диванами»?..

И пока он углубляется в свои новые рассуждения, порождённые дополнительными вводными, «**рефлектор**» уже весь в восхищении: **какой же невероятный и чувственный стул на этой картине! Потрясающе, восторг и всяческая невозможность!**

«Центрист» обрадуется, что наконец кто-то его понял: в стуле увидели стул, какое счастье! Но радость «рефлектора» выведет «конструктора» из оцепенения, и он уставится на картину: «И правда, тут что-то не то! Но что не то? Ах да, не соблюдены пропорции!»

Пока он размышлял над абстрактными характеристиками «стульев», «диванов», «табуреток», «пеньков», «амфитеатров», «ступенек» и т. д., пытаясь определить, что всё это значит, оказывается, что на картине-то — невозможный стул!

Если мы его воспроизведём, следуя данному чертежу, то он непременно упадёт! Всё, мы снова временно теряем «конструктора». Ему надо это осмыслить.

На сцене остаются «центрист» и «рефлектор». Осчастливленный тем, что он наконец понят, «центрист» начнёт строить с «рефлектором» стаю: раз ему интересна картина, то надо ему о ней рассказать, чтобы создать общее пространство коммуникации!

«Нравится, да? — спросит он у "рефлектора". — Ну конечно, это же Ван Гог! У него все стулья невозможные! Это уникально-сущностные стулья Ван Гога, ни с чем не перепутаешь!»

«Рефлектора» тут же заинтересует, почему с Ван Гогом именно так, потому что «Ван Гог» уже само по себе звучит очень поэстетски, кроме того, непонятно, почему Ван Гогу столько внимания (его заслуживает сам «рефлектор»!), и вообще «в этом что-то есть».

«Центрист», почувствовав свою нужность и социальную ответственность, тут же вспомнит о том, кто такой Ван Гог, каким он был человеком, какая у него была тяжёлая судьба: картины не продавались, с женщинами не складывалось, психическая болезнь опять же...

Но где-то на фразе «картины не продавались» (после чего «центриста» чёрт дёрнул сказать, что сейчас такие стулья стоят на Sotheby's миллионы долларов), «рефлектор» теряет к нему всякий интерес — он внимательно изучает полотно и пытается понять, как бы сделать что-то подобное: «Что заставляет людей платить за эту жуть такую кучу денег?!»

В этот момент просыпается «конструктор»: он всё знает о том, как организован рынок современного искусства, о том, кто такие импрессионисты, экспрессионисты, а также и то, что суммы на Sotheby's исчисляются в фунтах стерлингов, а не в долларах.

«Центрист» снова начинает скучать, поскольку социальная ткань его общения с товарищами разрушена, сущности вангоговских стульев им неинтересны, а сам он вроде как никому не нужен — а как же хотелось командной работы!

«Рефлектор» и вовсе начнёт раздражаться. Во-первых, всё внимание его товарищи уделяют теперь Ван Гогу. Во-вторых, для него самого нет в этом месте пространства для творческого манёвра. В-третьих, сколько вообще можно об одном и том же!

Но где наш «рефлектор» не пропадал... Окинув взором происходящее вокруг него безобразие, у него родится гениальная мысль создать производство странных стульев, забрендировать их «Ван Гогом», продать их миллион миллионов и стать лидером списка Forbes, чтобы потом купить Sotheby's!

В голосе «рефлектора» послышатся нежные, чуткие, трогательные нотки... Да, это он пошёл соблазнять «центриста», чтобы тот его план проработал и реализовал. В конце концов, это же бизнес, производство, логистика, а потому кто-то должен заняться другими людьми в этом деле (без них, к сожалению для «рефлектора», никак нельзя).

Итак, «центрист», очарованный обаянием «рефлектора» и множеством правильных слов (про «команду», «боевой дух», «плечо товарища» и важность давать людям «стулья»!), уже мчится к «конструктору».

Хотя самому «центристу» очень скучно слушать про ножки, сидушки и прочие спинки, сейчас это важно для дела. Без него «конструктор» до результата никогда не доберётся — всё время будет куда-то уползать в сторону.

В общем, «центрист» берёт на себя «конструктора». Он будет его теперь системно реконструировать (благо с зеркальными нейронами у «центриста» всё очень хорошо) и направлять.

А «конструктор» применит весь свой интеллектуальный потенциал для производства невозможных стульев, и, вы удивитесь, всё-таки заставит их стоять не падая. В общем, тут много работы...

Что же делает в этот момент наш «рефлектор»? Конечно, он придумывает маркетинговую стратегию! Да что там придумывает, он уже видит себя идущим по ковровой дорожке Каннского кинофестиваля: вспышки фотоаппаратов, крики толпы...

Сегодня здесь долгожданная мировая премьера! Тарантино презентует свой новый шедевр: «Стулья, деньги, два ствола. Ван Гог be back!». Наш «рефлектор», конечно, автор идеи, продюсер... Ну и чего мелочиться?.. Исполнитель главной роли!

Сколь бы шуточной ни казалась рассказанная мною история, в бизнесе, в науке, в общественной жизни, да и в жизни вообще всё так и работает.

Успех приходит к сообществам людей, которые, сочетая разные способы сборки моделей реальности и создавая таким образом максимально сложные интеллектуальные объекты, способны воздействовать на реальность как таковую.

Воздействовать на реальность, производить в ней изменения — в этом конечная цель и смысл нашего мышления.

И если вы способны обнаружить в самих себе, а затем оттренировать каждый из этих способов сборки интеллектуального объекта, вы станете больше самих себя, имея возможность — вслушайтесь в это! — менять мир.

Так что вот вам схема, которой я поделюсь напоследок:

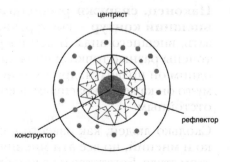

Это стул. Да, именно так он и выглядит, если бы мы могли заглянуть в дефолт-систему нашего мозга.

- **В центре — пустой внутренний контур:** это его эссенциальная, усмотренная нами сущность, или, если угодно, потенциальный стул.

  В реальности он может казаться хоть стулом Ван Гога, хоть стулом Филиппа Старка, а может быть обычным стулом, на котором вы сейчас, возможно, сидите, или пеньком на опушке.

  Но это всегда будет стул, по крайней мере, до той поры, пока есть вы.

- **В середине — структурный средний контур.** Линии в нём схематично обозначают закономерности, которые организуют пространство фактов, имеющих отношение к нашему стулу.

  Стульев, как вы понимаете, огромное множество — обычных, странных и разных. Но здесь — в этом контуре — вы найдёте закономерности, которые позволят вам считать стул, если он всё-таки стул, стулом: сидушки, ножки, спинки и т. д.

- **Наконец, снаружи располагается внешний контур** — контур, так сказать, внешнего вида. В нём сосредоточены разные точки зрения на стул: одним он нравится, другим — нет, кому-то он кажется красивым, а кому-то отстойным.

  Сколько людей, как известно, столько и мнений, но все эти мнения — об этом стуле. Богатство и разнообразие мнений приведёт к развитию, к изменениям, потому что задаст новый уровень вариативности: кто-то придумает дизайнерские стулья, а кто-то складные, кто-то превратит стул в произведение искусства, ну а кто-то воспользуется им для растопки буржуйки.

В любом случае, вы всегда имеете три этих контура взаимодействуя с любым объектом реальности, и вы должны об этом помнить: есть сущность (что это?), есть закономерность (как это?) и внешний вид (что это для меня?). И через это «что» внешний контур замыкается на внутренний.

Всё и всегда так. Вот, например, у этой книги есть «сущность» — нечто в ней, что определяет её индивидуальное существование. В книге есть и «структура» — набор фактов, собранных определённым образом в конструкт из закономерностей.

Наконец, есть то, каким образом я пытался сделать её интересной для вас, есть вы и то, какой эта книга вам показалась: понравилась она вам или нет, показалась полезной или скучной, глупой и «многабукв».

Итак, всё и всегда связано одно с другим, но связано не линейно, а взаимно, как бы на разных уровнях организации, о чём нас, собственно, и предупреждает Людвиг Витгенштейн в цитате из «Философских исследований», которую я использовал в качестве эпиграфа к «заключению»: «Возможно, мы видим перед собой прямую улицу, однако не можем ею воспользоваться, потому что она постоянно перекрыта».

Я благодарен вам за то, что, несмотря на неизбежные сложности, которые возникают у нас при прочтении текстов о мышлении (мышление сложно помыслить из него самого), вы дочитали эту книгу до конца.

И если уж так, то, полагаю, вы не расстроитесь, узнав правду об этой книге.

Конечно, она не сможет сделать вас гениальными — ни одной книге это не под силу. Более того, я даже не уверен, что в принципе могут существовать книги, которые способны сделать нас хотя бы просто умнее.

Ум — это социальная штука, так что вы не можете натренировать его, когда разговариваете сами с собой. Да, виртуальные собеседники типа меня, — это неплохое развлечение для ума, но этого, к сожалению, недостаточно.

Если вы где-то поняли меня неправильно, я не смогу вас поправить; если же вы обнаружили что-то, что вам непонятно в моём тексте, вы не сможете задать мне уточняющий вопрос.

В этом, возможно, главная загвоздка мышления: оно вроде бы наше, происходит исключительно внутри нас, но для того чтобы оно продвигалось, нужно, чтобы с нами кто-то разговаривал — какой-то другой человек.

Понимаю, что этот тезис контринтуитивен. Нам кажется, что мы думаем «сами по себе», но если вы внимательно рассмотрите все научные факты, изложенные в «Красной таблетке», «Чертогах разума», а теперь, наконец, и в «Троице», то вы увидите, что такое мышление невозможно.

Даже если вы ответственно занимаетесь каким-то серьёзным делом, научным проектом и т. д., и т. п., вы всё равно будете ходить по тем же дорожкам, которые уже однажды были протоптаны в вашей дефолт-системе мозга.

Сами по себе эти дорожки могут быть в вашей дефолт-системе очень хорошими, но проблема в том, что они *те же самые*.

То есть вы, сами того не понимая, постоянно воспроизводите одни и те же схемы, интеллектуальные автоматизмы. Как говорили когда-то о советской промышленности — что бы она ни выпускала, всегда получается автомат Калашникова.

Думаете не вы, думает ваш мозг — эта чёртова ДСМ. Нельзя решить и начать «думать по-другому». Хотя, конечно, заявить о решении можно, но вот думать по-другому у вас всё равно не получится.

Проще говоря, вам необходим собеседник — человек, который думает не так, как вы. И только пытаясь понять, как думает он, как думаете вы и в чём разница, вы создаёте в своей дефолт-системе новые сборки, интеллектуальные объекты нового типа.

Поэтому ещё один и, быть может, самый важный смысл моего подзаголовка к «Троице»: быть больше самого себя — это не быть одному.

Чего я от своей «центристской» сущности вашей «центристской» сущности и желаю!

Содержание

Академия смысла — практический офлайн-курс обучения мышлению, основанный на самых современных исследованиях мозга.

Мышление — наш важнейший ресурс. Люди, которые умеют эффективно его использовать, решают сложнейшие жизненные задачи.

Мы считаем свою жизнь особенной, а проблемы — уникальными. Но все мы задаемся одними и теми же вопросами:

• Чего я хочу на самом деле?

• Что делать, чтобы прожить лучшую, осмысленную жизнь?

• Как делать что-то по-настоящему важное?

Но нельзя научиться эффективному мышлению, если мы не знаем, как работает наш мозг.

Новейшие открытия в области нейрофизиологии, когнитивистики и социальной психологии произвели настоящую революцию в понимании поведения человека. Теперь мы знаем, как целенаправленно развивать своё мышление, находить важное и добиваться результатов.

Практика — единственный путь к результату.

Самые успешные люди годами учились правильно мыслить и действовать. В Академии смысла мы искусственно моделируем ситуации, где за короткое время ты сможешь получить все необходимые навыки. Мы используем научные знания, чтобы жизнь каждого из нас стала лучше. Мы хотим помогать друг другу и быть в окружении людей, с которыми можем поговорить о сложном.

Мышление — наша главная ценность.

Узнайте подробнее на:

www.intellect.academy   fb.com/sense.academy

info@intellect.academy   vk.com/sense.academy

instagram.com/sense.academy

БЕСТСЕЛЛЕР «КРАСНАЯ ТАБЛЕТКА»

— ПОСМОТРИ ПРАВДЕ В ГЛАЗА! —

Первая книга серии «Академия смысла», из которой вы узнаете о том, как мозг нас обманывает и как с ним договориться.

Настоящий мир не таков, каким кажется.

Порой мы чувствуем, что живем не своей жизнью.

Словно какой-то сбой в Матрице: мучаемся от одиночества, бессмысленности жизни, не понимаем своих истинных желаний.

Мы хотим прожить другую — лучшую — жизнь. Но не знаем как.

Беда в том, что нам слишком долго рассказывали о счастье, успехе и любви. Никто не предупредил, что радостные чувства мимолетны, успех кажется таковым только со стороны, а всякая страсть заканчивается разочарованием.

Такова правда. «Синяя таблетка» иллюзий и неведения дана нам по умолчанию, а вот «красную» нужно и выбрать, и проглотить, и пережить непростой процесс внутреннего изменения.

Ответственность, разумеется, на том, кто делает выбор.

БЕСТСЕЛЛЕР
«ЧЕТВЁРТАЯ МИРОВАЯ ВОЙНА»

— БУДУЩЕЕ УЖЕ РЯДОМ! —

В ближайшие десятилетия мир переживёт самую значительную трансформацию за всю историю человечества. Технологии радикально изменят политику и экономику, среду обитания и отношения между людьми. Изменимся и мы сами. До неузнаваемости.

Эта книга расскажет о том, почему искусственный интеллект — не выдумка, о том, как это работает, и почему он лучше наших мозгов. Вы узнаете, как он думает, и к каким последствиям приведут новейшие научные открытия.

Читайте в книге «Четвёртая мировая война»:

• почему мы глупеем, а искусственный интеллект умнеет, и чем эта тенденция опасна для человечества;

• как в ближайшем будущем изменится мир и почему уже сейчас нужно заниматься развитием своего мозга и мышления;

• будем ли мы готовы к изменившимся условиям и будет ли что нашему биологическому мозгу им противопоставить.

БЕСТСЕЛЛЕР

«МЫШЛЕНИЕ. СИСТЕМНОЕ ИССЛЕДОВАНИЕ»

— НАСТОЯЩЕЕ ИНТЕЛЛЕКТУАЛЬНОЕ ПРИКЛЮЧЕНИЕ! —

Мышление человека — одна из самых актуальных тем современной науки. Мы привыкли думать, что мы думаем, более того — уверенно рассуждаем об интеллекте, сознании, разуме, мозге. Возникает ощущение, что с мышлением все ясно. Но так ли это в действительности? Что мы на самом деле знаем о мышлении, его природе и механизмах?

В масштабной системной работе «Мышление» само это слово, интуитивно понятное каждому школьнику, обретает новый, невиданный смысл и глубину. Реальность, какой мы её видим, — лишь продукт нашего мозга, результат мышления. Что в этом случае мы можем сказать о нашем мозге, что — о самой реальности, и что — о нас самих? Что наука в действительности знает о происходящем у нас в голове?

«Мышление» лежит в основе проекта интеллектуального образования нового формата «Академия смысла» и книг «Красная таблетка», «Чертоги разума» и «Троица», мгновенно ставших бестселлерами крупнейших интернет-магазинов.

Книга включает в себя четыре части системного исследования по методологии мышления — «Методология мышления. Черновик», «Что такое мышление? Наброски», «Пространство мышления. Соображения» и «Что такое реальность? Концепт».

БЕСТСЕЛЛЕР

«САМОУЧИТЕЛЬ ПО ФИЛОСОФИИ»

Иллюстрированный «Самоучитель по философии» — это одновременно и милое развлечение, и серьёзное интеллектуальное чтиво.

Несмотря на кажущуюся несерьёзность, забавность и нелепость главного персонажа — некоего Семён Семёныча, — книга представляет собой настоящий учебник по философии.

Составляющие её истории, больше похожие на дзен-коаны или суфийские притчи, раскрывают сущность «лингвистического поворота в философии», понятие «вещи в себе», «трансцендентального», «субъект-объектных отношений», «философии сознания», «свободы воли» и многие-многие другие вопросы, актуальные для каждого думающего человека.

Это книга, которая учит размышлять. А «Быть или не быть?» — это не вопрос, это метафора.

БЕСТСЕЛЛЕР

«САМОУЧИТЕЛЬ ПО ПСИХОЛОГИИ»

Иллюстрированный «Самоучитель по психологии» предлагает взглянуть на актуальные вопросы научной и практической психологии с неожиданной стороны.

Здесь вы не найдёте ссылок на научные исследования или практических советов о том, как «стать собой» или «женить на себе олигарха». Нет, узнав нелепого и наивного персонажа по имени Семён Семёныч, вы лишь увидите, из чего на самом деле складывается ваша жизнь.

Самоучитель по психологии – это возможность задуматься о том, чем мотивированы наши поступки, каким образом мы принимаем решения, что на самом деле для нас важно и как стать лучше, быть «лучшей версией самого себя».

Это книга, которая учит нас быть умными, понимающими и жизнерадостными людьми. А изречение Зигмунда Фрейда: «Иногда сигара – это просто сигара» – это не шутка.

БЕСТСЕЛЛЕР
«СЧАСТЛИВ ПО СОБСТВЕННОМУ ЖЕЛАНИЮ»

Это уникальное практическое пособие по психотерапии, проверенное временем. Книга содержит 12 глав — 12 шагов к душевному здоровью: подробное описание психических механизмов, приводящих к стрессу, и конкретные упражнения для борьбы с ним.

Как справиться с беспокойством и депрессией? Как перестать переживать на пустом месте и снять напряжение? Как научиться жить с чувством радости и внутренней гармонии? Все это описано в книге «Счастлив по собственному желанию».

Андрей Курпатов: «Эту книгу я написал в первую очередь для тех, кто страдает от психологических проблем, кто не понаслышке знает, что такое невроз и как сложно бывает привести пошатнувшееся душевное здоровье в норму после стрессов. Но смею надеяться, что она будет полезна каждому человеку, за исключением разве что небольшой когорты святых, которых уже ничто не тревожит. Я знаю, что это не всегда приятно, но мы должны признать у себя существование психологических проблем. А раз психологические проблемы и стрессы — это реалии современной жизни, нужно знать, как с этим справляться».

Андрей Курпатов написал «Счастлив по собственному желанию» по просьбе своих пациентов. Но на самом деле, ни один человек не в силах избежать стрессов. Полмиллиона читателей уже воспользовались этими конкретными и эффективными рекомендациями! А вы хотите быть счастливым здесь и сейчас?

БЕСТСЕЛЛЕР
«ЗАКОНЫ МОЗГА»

Три главных закона работы мозга: принцип доминанты, динамического стереотипа и корково-подкорковых отношений. Эти открытия принадлежат нашим гениальным соотечественникам — И. П. Павлову, А. А. Ухтомскому и Л. С. Выготскому. Впрочем, доказательства мы получили только сейчас благодаря современным методам нейрофизиологического исследования.

Книга «Законы мозга»:

• рассказывает о том, как работает наш мозг;

• объясняет, почему сознание — это «английская королева»;

• помогает справиться с любыми психологическими проблемами.

Психотерапевтический бестселлер о мозге!
Читайте с «Красной таблеткой»!

БЕСТСЕЛЛЕР
«УБИТЬ ИЛЛЮЗИИ»

Культура надела на нас розовые очки иллюзий, научила бояться и страдать. Только освободившись от этого вранья, только посмотрев правде в глаза, мы обретем подлинную внутреннюю свободу.

Книга «Убить иллюзии»:

- расскажет о том, как избавиться от страхов;
- откроет секрет подлинного счастья;
- научит взаимопониманию и любви.

Необходимое дополнение к «Красной таблетке» — эффективное и проверенное средство от психологических иллюзий и комплексов.

**Увлекательный бестселлер
Андрея Курпатова!**

БЕСТСЕЛЛЕР
«БЫТЬ ЭГОИСТОМ»

Человек по природе своей эгоистичен. Но мы стыдимся своего естества. Нам бы обучиться быть хорошими эгоистами — полезными самим себе и другим. Но нет, мы предпочитаем быть плохими — не обученными.

Книга «Быть эгоистом»:

- сделает вашу жизнь богатой и интересной;
- научит безопасной искренности;
- поможет не бояться ошибок и не совершать их.

Лучшее дополнение к «Красной таблетке»: о ценности других людей, о внутренних мотивациях, о выборе и предназначении, о поступках и правде.

**Проверенный временем бестселлер
Андрея Курпатова!**

БЕСТСЕЛЛЕР
«МУЖЧИНА И ЖЕНЩИНА»

Кажется, что «война полов» никогда не закончится. Неоправданные ожидания, обманутые надежды, разбитые сердца... Но мир все-таки возможен: откройте для себя главные секреты мужской и женской психологии!

Книга «Мужчина и женщина»:

• расскажет о том, как женщинам понять мужчин;

• как мужчинам почувствовать женщин;

• даст четкие инструкции мужчинам и женщинам.

Основанное на серьезных научных исследованиях практическое пособие о взаимопонимании, долгосрочных отношениях и любви.

Главный психологический бестселлер Андрея Курпатова!

БЕСТСЕЛЛЕР
«НАУКА О СЕКСЕ»

Сексуальность — тонкая материя, а где тонко, там, как известно, и рвётся. Правда в том, что большинство из нас испытывают проблемы в сексуальной жизни, но не знают, как с ними справляться. Многие, впрочем, даже не решаются признаться себе в том, что эти проблемы у них есть.

Данная книга — реальное практическое пособие, которое на научной основе рассказывает о том, как существенно улучшить качество сексуальной жизни, справиться с проблемами в сексе, избавиться от навязчивых мифов и заблуждений и начать, наконец, получать настоящее удовольствие от секса.

Что вам скажет профессиональный сексолог, если вы захотите получить у него консультацию?

Каковые причины проблем, с которыми мы сталкиваемся в своей сексуальной жизни?

Что необходимо сделать, чтобы секс стал идеальным?

В отличие от большинства книг о сексе, эта написана на основе серьезных научных данных, но доступно, интересно и реально помогает людям.

БЕСТСЕЛЛЕР
«СЧАСТЛИВЫЙ РЕБЁНОК»

Книга подробно рассказывает о том, как формируется мозг ребёнка, его эмоциональная сфера и социальные отношения, а также умение думать и принимать осмысленные решения. Здесь вы найдёте чёткие рекомендации, как справляться с конкретными проблемами и как сбалансировать воспитательные задачи с долгожданным счастьем родительства.

Как найти общий язык со своим ребёнком?

Как добиться того, чтобы он вас слушался?

Как научить ребенка интересу, общению и счастью?

Эта книга давно стала бестселлером и признана одной из лучших в своём жанре. Но с момента её первого издания многое изменилось в нашей жизни, и прежде всего — информационная среда. Настоящее издание включает несколько новых разделов, которые посвящены влиянию гаджетов на формирование детского мозга, цифровой зависимости, синдрому дефицита внимания и гиперактивности.

Откройте для себя рецепт счастья!

АКАДЕМИЯ СМЫСЛА
ДЛЯ ДЕТЕЙ

Первая детская книга Андрея Курпатова сразу стала бестселлером!

Серия книг и практических пособий «Академия смысла для детей» — это увлекательный рассказ о мозге, который обязательно понравится юным читателям и их родителям.

Из книги ребенок узнает, как правильно пользоваться своим мозгом и как его развивать.

1. Как учиться с удовольствием?
2. Как концентрировать внимание?
3. Как контролировать свои эмоции?
3. Кто такие нейроны и зачем они нам нужны?

Отправляйтесь вместе с ребенком в интереснейшее приключение! Прочитав книги и выполняя практические задания, вы поможете своему ребенку стать лучше и активно развиваться. Иллюстрированные пособия расскажут ребенку, как устроен его мозг, как он влияет на его поведение и даже на его тело!

Для каждой книги, рассказывающей о приключениях Мозга, создана специальная тетрадь-тренажер, где собраны самые важные задания для развития мышления ребенка и тренировки его внимания.

- 24 увлекательных тренажера
- Интересные научные факты
- Несколько ступеней сложности
- Наклейки для мотивации
- Полезно детям, полезно родителям
- Первое знакомство с основами нейробиологии
- Замечательные персонажи-помощники